Gabriele Wohmann
Meine Lektüre
Aufsätze über Bücher

Herausgegeben von Thomas Scheuffelen

Luchterhand

Originalausgabe
Sammlung Luchterhand, August 1980
Umschlagfoto: Stefan Moses

© für diese Ausgabe 1980 by Hermann Luchterhand Verlag
GmbH & Co KG, Darmstadt und Neuwied
Gesamtherstellung bei der
Druck- und Verlags-Gesellschaft mbH, Darmstadt
ISBN 3-472-61309-2

INHALT

I

WILLIAM CARLOS WILLIAMS
DER ROTE HANDKARREN

so viel hängt ab
von
einem roten Hand-
karren
glasiert vom Regen
naß
bei den weißen
Hühnern.

(Deutsch von Hans Magnus Enzensberger)

Dies Gedicht fällt mir seit Jahren immer wieder ein. In ihm manifestiert sich die Bedeutung jener Augenblickskonzentrate, die Joyce Epiphanien nannte, glimpses bei William Carlos Williams, kurze schnelle Einblicke gewissermaßen aus dem Augenwinkel, deren Flüchtigkeit trotzdem Extrakte herstellt; snap-shots, die jähen Stillstand bewirken: durch sie verdichten sich ein Moment, ein Ding, ein Bruchstück, sie geben sich zu erkennen, nicht für immer – ihr Wesen scheint plötzlich entdeckt. Der blitzartige Zugriff, das Lakonische des Sprechtons, Ausspar-Technik und die Anerkennung der Wichtigkeit von Alltäglichem erreichen diese vollkommene poetische Minute, das winzige präzise Portrait einiger scheinbarer Geringfügigkeiten. *(1960)*

Mein Schreibtisch ist unaufgeräumt, aber dabei bleibt es. Ich kann mit den Seiten der aufgeklappten Bücher nicht verfahren wie mit Zeitungsseiten: aus denen schneide ich, was mir jederzeit zur Verfügung stehen soll und daher an die Wand dem Schreibtisch gegenüber gepinnt oder geklebt wird. Also auch eine unordentliche Wand, die zuwächst, zum Beispiel mit Zeilen: »Genug ist nie genug« (C. F. Meyer) und Plinius: »Der Mensch weiß aus sich selbst heraus nur eine Sache zu tun: zu weinen.«

Und dann lese ich wieder auf meinem aufs Beste chaotischen Schreibtisch herum, ich lese bei Kierkegaard: »Durch die Frau kommt die Idealität ins Leben; was ist der Mann ohne sie? Manch ein Mann ist durch ein Mädchen Genie geworden, mancher Mann ist durch ein Mädchen Heiliger geworden –; aber er wurde nicht Genie durch das Mädchen, das er bekam, denn durch sie wurde er nur Etatsrat. Er wurde nicht Held durch das Mädchen, das er bekam; durch sie wurde er nur General. Er wurde nicht Dichter durch das Mädchen, das er bekam: denn durch sie wurde er nur Vater. Er wurde nicht Heiliger durch das Mädchen, das er bekam; denn er bekam gar keines und wollte nur eine einzige haben, die er nicht bekam, ebenso wie jeder von den anderen Genie wurde, Held wurde, Dichter wurde mit Hilfe des Mädchens, das sie nicht bekamen ... Oder hat man schon jemals gehört, daß einer Dichter wurde durch seine Frau? So lang der Mann sie nicht hat, begeistert sie. Diese Wahrheit ist es, die der Einbildung der Poesie und der Frau zugrunde liegt.« So macht der Melancholiker Kierkegaard mich weiter melancholisch und er hat recht; ein Melancholiker liebt seine Melancholie und deshalb wird er sie nie loswerden.

Weiter mit meinem hochgeschätzten Melancholiker; ich bin jetzt bei der »Verzweiflung als Krankheit zum Tode«. »Ist

Verzweiflung ein Vorzug oder ein Mangel?« Ich fürchte, für mich muß ich die positive Seite dieser Dialektik, den Vorzug, anzweifeln. Ich sage lieger JA zu den Zeilen: ». . . und doch ist es nicht nur das größte Unglück und Elend, verzweifelt zu sein, nein, es ist Verlorenheit . . . Verzweiflung ist das Mißverhältnis im Verhältnis einer Synthese, das sich zu sich selbst verhält . . . Wäre die Verzweiflung gar nicht da, so würde die Verzweiflung etwas sein, das in der Menschennatur als solcher läge, das heißt, so wäre es keine Verzweiflung; sie würde etwas sein, das dem Menschen widerführe, etwas, woran er litte, wie an einer Krankheit . . . oder wie der Tod, der das Los aller ist. Nein das Verzweifeln liegt im Menschen selbst . . . jeder wirkliche Augenblick der Verzweiflung ist auf die Möglichkeit zurückzubeziehen, jeden Augenblick, da er verzweifelt ist, ZIEHT ER SICH ZU . . .«

Und später, zum Begriff der Hoffnungslosigkeit gelangt: »Wenn der Tod die größte Gefahr ist, hofft man auf das Leben; wenn man aber die noch schrecklichere Gefahr kennenlernt, hofft man auf den Tod. Wenn also die Gefahr so groß ist, daß der Tod die Hoffnung geworden ist, dann ist die Verzweiflung die Hoffnungslosigkeit, nicht einmal sterben zu können. In dieser letzten Beziehung ist nun die Verzweiflung die Krankheit zum Tode, dieser qualvolle Widerspruch, diese Krankheit im Selbst, ewig zu sterben, zu sterben, und doch nicht zu sterben, den Tod zu sterben. Denn sterben bedeutet, daß es vorbei ist . . .«

Ich lese vom Aufreizenden und vom kalten Brand in der Verzweiflung und von dem Nagenden, »dessen Bewegung ständig nach innen geht . . . Es ist so gar kein Trost für den Verzweifelten, daß die Verzweiflung ihn nicht verzehrt . . . dieser Trost ist gerade Qual . . .«

Aber das Wort TROST bringt mich in der Schreibtischwüste weiter, zur aufgeschlagenen, griff-lesebereiten und ganz vergilbten TROST-ARIA des nostalgischen Barocklyrikers Johann Christian Günther:

Endlich bleibt nicht ewig aus
Endlich wird der Trost erscheinen
Endlich grüßt der Hoffnungsstrauß
Endlich hört man auf zu weinen
Endlich bricht der Tränenkrug
Endlich spricht der Tod: Genug!

Endlich wird aus Wasser Wein
Endlich kommt die rechte Stunde
Endlich fällt der Kerker ein
Endlich heilt die tiefste Wunde
Endlich macht die Sklaverei
Den gefangenen Joseph frei.

Endlich, endlich kann der Neid
Endlich auch Herodes sterben
Endlich Davids Hirtenkleid
Seinen Saum in Purpur färben
Endlich macht die Zeit den Saul
Zur Verfolgung schwach und faul.

Endlich nimmt der Lebenslauf
Unsers Elends auch ein Ende
Endlich steht ein Heiland auf
Der das Joch der Knechtschaft wende
Endlich machen 40 Jahr
Die Verheißung zeitig wahr.

Endlich blüht die Aloe
Endlich trägt der Palmbaum Früchte
Endlich schwindet Furcht und Weh
Endlich wird der Schmerz zunichte
Endlich sieht man Freudental
Endlich, endlich kommt einmal.

Dazu schweigt mein für diesmal einsichtiger Kommentarverstand: schöner, sehr trauriger Trost, der mir die Sprache nimmt. Der geht es genauso mit den heimweh- und meersüchtigen Sätzen von Henri Michaux, mir gegenüber an der Wand: »Eines weiß ich, eines ist mein: Das ist das grenzenlose Meer . . .« Seemann habe er werden wollen im Glauben, »auf einem Schiff müßte man nur das Meer betrachten, unaufhörlich würde man das Meer betrachten.« Was für erstaunlich zufriedenmachende, affirmative Wunsch- und Emotionsverwandtschaften entdeckt man beim Lesen doch (in Glücksfällen): auch ich, ich hier, möchte unaufhörlich das Meer betrachten, und ich empfinde wie Michaux, der den Seemannsabschied macht: ». . . ich sagte nichts, ich hatte das Meer in mir, das Meer für alle Ewigkeit um mich herum. Was für ein Meer? Dies deutlich zu machen, wäre mir wohl schwergefallen.« Einen anderen Michaux-Satz nehme ich auch ganz habgierig für mich in Anspruch und in Besitz: »Wenn mir nichts wehtut zwischen zwei Leiden, dann lebe ich, als lebte ich nicht.«

Hat jemals einer gedacht, Ionesco sei ein Absurditäts-Kaspar? Ionesco ist ein trauriger Mann. Man sollte sein Tagebuch lesen.
Ionesco offenbart sein unheilbares Erschrecken: »Man weiß nichts, außer daß der Tod da ist und meiner Mutter, meiner Familie und mir auflauert.« »Die Zeit entdecken, heißt die Vergänglichkeit empfinden.« »Alle die sterben, sind Bekannte.«
Wenn die tiefenpsychologische These stimmt, daß jede Angst ein unterdrückter Wunsch sei, so ist die Angst vor dem Tode der unterdrückte Todeswunsch; ich finde ihn auf jeder Seite, geäußert als Angst und als Angst erkannt von Ionesco, dem von Todesgedanken Umzingelten. Ich finde immer wieder: »Die Ahnung vom Ende« und auch das unüberwindliche, damit vernietete *Warum* und die Aporien seiner Beantwortung: »Die Nicht-Antwort ist die beste

Antwort.« So finde ich dauernd also eigentlich mich selber, und das will ich beim Lesen vielleicht möglichst immer.

Ich habe, vor dieser Tagebuch-Lektüre, darüber nachgedacht, inwieweit Gleichgültigkeit ein lebensdienliches, ein das Leben erleichterndes Phänomen sein müsse und demnach wünschenswert; nicht unbedingt leben wollen, nicht unbedingt sterben wollen, überhaupt nichts unbedingt wollen, und keinen so gern haben müssen, daß er ein Verlust werden kann, daß also seine Existenz, weil ich sie brauche, mir Angst macht, weil ich sie verlieren werde. In einem solchen gewiß stumpfsinnigen Zustand würde man wenigstens nicht mehr sagen müssen: »Leben ist Unglück.«

Joyce-Fans und Bibliophile sind bereichert um eine späte Veröffentlichung: 27 Jahre nach dem Tod des Prosa-Pioniers erscheint zweisprachig, im Schuber, und mit dem Faksimile der 16 großformatigen Schulheftseiten das Tagebuch »Giacomo Joyce«; Notizen über eine Liebe aus den kargen Triestiner Jahren, Liebe des Englisch unterrichtenden James (der sich zum Giacomo südwärts ironisierte) zu seiner Schülerin Amalia (». . . duftlose Blume . . . sanftes Wesen«). Eine Hinterlassenschaft aus Epiphanien, Warnzeichen, die das Bewußtsein erhellten, Subtilisierungen: »Dies Herz ist wund und weh. Aus Liebesgründen verstimmt.«

Aber das sprödere, lakonischere Englisch zeigt wieder dem zungenschweren Deutschen gegenüber seine besseren Chancen beim Aussparen und Andeuten: »A touch, a touch . . .« – wie viel sagt das. »Berühren, berühren«, übersetzt Klaus Reichert – »anfassen« wäre mir, aus Vorsichtsgründen, lieber gewesen. Joyce kann seine Minimum-Vermerke mitten im Schwebezustand beschweren: »Do not die!« Oder die Federgewichtigkeit zurückbringen in einen Moment der Trauer, mit dem scheinbaren, in Wahrheit triftigen Ulk-Flehen: »Envoy: Love me, love my umbrella!«

Schmerzliches Fazit: »Das junge Leben hat ein End: das Ende ist da. Es kann nie sein. Du weißt das wohl. Was also?

Schreib's auf, verdammt, du, schreib's auf! Wozu taugst du denn sonst?«

Damit bin ich zurückgekommen, bin beim Anfang mit Kierkegaard: »Diese Wahrheit ist es, die der Einbildung der Poesie und der Frau zugrunde liegt.« Traurige, traurigste Wahrheit.

Damit es aber hier nicht nur traurig zugeht, durchblättere ich, was Carl Brinitzer an Äußerungen berühmter Leute übers Essen gesammelt hat. So beobachtete Plautus, was jeder heute noch in jedem Restaurant beobachten kann: »Niemand wirkt so komisch wie jemand, der Hunger hat.«

Ich erfahre, daß ein Mann mit 60 drei Jahre seines Lebens mit Essen zugebracht hat und daß sich bei Nietzsche der Hunger oft erst nach der Mahlzeit einstellte, sicher vornehmlich nach Mahlzeiten aus der deutschen Küche: »... was hat sie nicht alles auf dem Gewissen ... ausgekochte Fleische, fett und mehlig gemachte Gemüse; die Entartung der Mehlspeise zum Briefbeschwerer ... gerade viehische Nachgußbedürfnisse – so versteht man die Herkunft des deutschen Geistes – aus betrübten Eingeweiden – der deutsche Geist ist eine Indigestion, er wird mit nichts fertig.«

Was nun doch wieder nicht sehr fröhlich stimmt. Für meine letzten Worte hier leihe ich mir die vorletzten von Maxim Gorki: »Die Gegenstände werden schwer. Die Bücher. Der Bleistift. Das Glas. Alles scheint immer kleiner zu werden.«

Aber mein Schreibtisch und die Wand ihm gegenüber – die sind viel dichter besiedelt, als es jetzt erscheinen könnte. Und ich räume nicht auf und ich pinne nicht ab und ich reiße nicht herunter.   *(1969)*

JOHANN WOLFGANG GOETHE
AN DEN MOND

Füllest wieder Busch und Tal
Still im Nebelglanz,
Lösest endlich auch einmal
Meine Seele ganz;

Breitest über mein Gefild
Lindernd deinen Blick,
Wie des Freundes Auge mild
Über mein Geschick.

Jeden Nachklang fühlt mein Herz
Froh- und trüber Zeit,
Wandle zwischen Freud und Schmerz
In der Einsamkeit.

Fließe, fließe, lieber Fluß!
Nimmer werd ich froh,
So verrauschte Scherz und Kuß,
Und die Treue so.

Ich besaß es doch einmal,
Was so köstlich ist!
Daß man doch zu seiner Qual
Nimmer es vergißt!

Rausche, Fluß, das Tal entlang,
Ohne Rast und Ruh,
Rausche, flüstre meinem Sang
Melodien zu,

Wenn du in der Winternacht
Wütend überschwillst,

Oder um die Frühlingspracht
Junger Knospen quillst.

Selig, wer sich vor der Welt
Ohne Haß verschließt,
Einen Freund am Busen hält
Und mit dem genießt,

Was, von Menschen nicht gewußt
Oder nicht bedacht,
Durch das Labyrinth der Brust
Wandelt in der Nacht.

An den Mond: das verfällt nie im poetischen Vorrat, der in meinem Kopf ist. Ein Kommentar aber stolpert der Schönheit dieses Gedichts hinterher. Die Begriffe Übereinstimmung (aus historischer Entfernung eine Unmittelbarkeit der Empfindungsnähe), Besänftigung, Wohltat, Beistand, Erstaunen über die kompliziert einfache Sagbarkeit müßten vorkommen. Etwas geradezu Therapeutisches, das auch zuträfe, würde durchscheinen, und wäre mir doch, weil es gefährlich mißzuverstehen ist, nicht recht. Ich müßte also reden und reden, z. B. über die Immanenz von Glück und Schmerz, über den Trost gerade nicht durch beherzt-plumpe Aufmöbelei, sondern durch Trostsuche, Trosttrieb und Auf-Trost-angewiesen-Sein; über Aussöhnung der Antinomie von »froh- und trüber Zeit«, Freude und Qual, die erst durch einen Zusammenhang ganz erlebt werden und so einander auflösen können, durch die Erfahrung der Gleichzeitigkeit eines Gegensatzes: sie bewirkt, daß nichts blutarm und halbwegs und lau, mittelmäßig auf der Gefühlsstrecke bleibt. Daß ein Glücksgefühl inmitten vollkommener Schmerzzufuhr GANZ erlebt werden muß, nur so ganz und gar stattfinden kann. Dem auch mir Erfahrbaren bin ich lesend auf der Spur, und wenn ich nicht leer ausgehe und nicht gleichgültig Sätze an mir vorbeiziehen lassen muß, wiederholt sich das Gelesene in mir jederzeit, im Bedarfsfall. *An den Mond:* zusätzlich, weil ich es in einer Höchstdosis zu mir nehme, in der Kombination Goethe/Schubert (was Goethe, der den vertonenden Johann Friedrich Reichardt dem Schubert vorzog, nicht so recht wäre), und mit dem ebenfalls therapeutischen Wirkstoffanteil: der Handschrift meines Vaters. Von der singe ich die Zeilen in meinem Denken ab. Mein Vater hat mich vor Jahren mit den abgeschriebenen Strophen in einem Brief genau erreicht, irgendwo war ich, und vor dem Gedicht, ohne es, nicht gut dran … Text und Musik: ich habe sie verfügbar in meinem Bewußtsein, so daß mit ihrem Konsum eine Beruhigung eintreten kann, der unzumutbare Befund EXISTIEREN (ENDEN, VERGÄNGLICHKEIT) wird beinah einfach und zumutbar. Es entsteht: überschaubares »Gefild« in einer endlich übergeordneten Geborgenheit, ein endlich übergeordnetes Vertrauen löst meine Unruhe über das ewige Nichtbescheidwissen auf. Eine Angst und ein Ekel vor der Zukunft kommen abhanden: für die Dauer der Höchstdosis und etwas über sie hinaus und immer, wenn ich sie zu mir nehme. *(1974)*

JOHANN WOLFGANG GOETHE
EIGENTUM

Ich weiß, daß mir nichts angehört
Als der Gedanke, der ungestört
Aus meiner Seele will fließen
Und jeder günstige Augenblick,
Den mich ein liebendes Geschick
Von Grund aus läßt genießen.

Halt! rufe ich mir zu. Was ist denn heute wieder mit dir los? Bleib doch mal stehen, geduldig. Ich wirke fahrig, aber es ist schlimmer, daß ich lustlos bin. Nichts kommt mir vollständig vor, und ich sehe nur noch Vergeblichkeiten. Auch dieser vorhin noch gut Getröstete muß längst von neuem versorgt werden. Der Gefallen, den ich gerade getan habe, ist jetzt schon verjährt. Die Vergänglichkeit stört und stört. Ich muß schnell wieder mal meine Versorgungstricks anwenden, mein inneres Repertoire, durch das eine Leere mit Widerstand aufgefüllt wird. Es ist nämlich wirklich lächerlich und kriminell, mit Trotz und phantasielos übellaunig Zeit zu verlieren.

Bring dich unter, sage ich mir also, beispielsweise in diesem spruchartigen Gedicht. Der selbstbewußte Eigentumsnachweis ist ungesprächig strikt und dennoch sanft. Er stiftet einen kleinen Besinnungsfrieden zwischendurch. Schluß mit den Wegwerfmomenten und den zersplitterten Aufmerksamkeiten! Ich benutze Goethes Übersicht, ich gehe den ruhigen Ausweg. Mein Augenblick ist mein Zuhause. Jemand, etwas befürwortet sogar, daß ich *genieße*. Ich höre auf mit den Empfindungstiraden und fange an mit der gelassenen festen Behauptung, daß auch *ich weiß*.

Ist das eine etwas elitäre Haltung, ein bißchen ungesellig? Dieser bewegte Stillstand präpariert mich für die sozialeren Positionen. Die Problemfiguren in meiner Umgebung spielen ja in meinen Konfliktkulissen mein ganzes Eindruckstheater weiter – ich bin nur für die Dauer einer Regieanweisung abgerückt. Das ist kein Rückzug, für mich hört sich Goethes langer Satz nach einer Richtigstellung an. Das ist keine Zuflucht, wohin auch, mein Denken ist nicht idyllisch. Dieses Gedicht hat seinen biographischen Moment bei mir und war einmal der »günstige Augenblick« selber. Seitdem bin ich froh über die Anwendbarkeit dieser sechs Zeilen, und wie sie gebrochen sind, interessiert mich nicht weiter. Es paßt mir, daß sie einen Gebrauchswert haben. Ich erkenne sie wieder, die viel zu hochsommerlichen Ferientage mit seelischem Hin und Her von schuldbewußter unordentlicher Trauer. Sie galt ja schon weniger einem Toten als mir selber, dieser touristischen Person mit Fortsetzungswün-

schen und gutem Appetit für sämtliche Mahlzeiten pünkt-
lich! Da fand ich, unterstrichen von dem, der in meinem
ungenügenden Unglücklichsein von mir überlebt wurde.
Goethes kleine gründliche Ermahnung, die Maßnahme gegen Eigentumsdelikte, diese Klärung der Besitzverhältnisse,
meine erlaubte Selbständigkeit.

Und vertont habe ich »Eigentum« auch, um es gegen meine
Vergeßlichkeit abzusichern, völlig unfrei nach Schubert und
mit willkürlichen Einschnittverteilungen, und auch mir hatte
Goethe daraufhin nicht einmal einen Brief geschrieben.

(1977)

II

ITALO SVEVO
ZENO COSINI

Italo Svevos letztes großes Werk »Zeno Cosini« liegt seit
dreißig Jahren jetzt erst wieder in deutscher Sprache vor,
nach einer Pause, in der dieser eigenartige, bedeutende Autor auf eine Weise vergessen war, die den Verlag leider
berechtigt, von einer »Wiederentdeckung« zu sprechen. Zu
einer Diskussion, wie sie vor dreißig Jahren von Joyce
angeregt und von so Großen wie Musil mitgeführt wurde,
muß es heute nicht mehr kommen, denn es kann um den
Rang kein Streit mehr entstehen.
Italo Svevo ist ein Pseudonym (für Ettore Schmitz) und
bedeutet »italienischer Schwabe«, das heißt »italienischer
Deutscher« (als Schwaben bezeichnet man in seiner Heimat
den Deutschen schlechthin). Seine väterlichen Vorfahren
kamen aus Deutschland, seine Mutter war Italienerin; er
wurde in Triest geboren und lebte da. Diese Herkunft stellte
ihn vor das Problem der Sprachentscheidung: die Triestiner
sprechen einen eigenen Dialekt, das »Triestinisch«, und
fühlen sich daher weder im Italienischen, noch im Deutschen oder Französischen wirklich heimisch. So mußte, wie
es auch ausfiel, das Resultat von Svevos Wahl heikel sein. Da
er sich als Italiener fühlte, entschied er sich für Italienisch
(Däubler für Deutsch) und verursachte damit den »Fall
Svevo« mit dem einmaligen Vorwurf, die Sprache, in der er
schrieb, nicht zu beherrschen. Er selber bekennt sich – als
Zeno – zur Problematik des Dialektsprechenden: im Schluß-
kapitel über die Psychoanalyse, in dem Zeno sich retrospek-
tiv mit seinem Arzt auseinandersetzt und eine ironisierende,

niemals aber parodistische Deutung der vorher erzählten Episoden liefert, äußert er sich folgendermaßen über die Fragwürdigkeit seiner in reinem Italienisch abgefaßten Aufzeichnungen: »Ein geschriebenes Bekenntnis ist immer verlogen. Mit jedem sprachlich reinen Wort lügen wir! Wenn er« (der Arzt) »wüßte, wie wir nur jene Dinge gern erzählen, für die uns das Wort bereitsteht; wie wir fast alle andern auslassen, die uns zwingen würden, das Wörterbuch zu benutzen. Auf diese Weise wählen wir aus unserem Leben die Episoden, die wir erzählen. Es ist ganz klar, daß zum Beispiel mein Leben ganz anders aussehen würde, wenn ich es in meinem Dialekt hätte erzählen dürfen.« So hat denn auch die Bewunderung von Joyce diesem großartigen Werk nicht zum dauerhaften Erfolg verhelfen können, und zwar wegen eines Widerstandes von italienischer Seite, den wir hier, da durch Piero Rismondo ein ausgezeichneter deutscher Text entstand, nicht mehr begreifen können.

Der Roman »Una vita« hatte ursprünglich »Un inetto«, das heißt: Ein Untauglicher genannt werden sollen, und dieser Titel hätte sich auch für den »Zeno Cosini« verwenden lassen. Auch er »taugt« nicht da, wo es sich um die vielfältigen Beziehungen zur Wirklichkeit handelt, die angesichts seiner zerlegenden Berichte problematisch ist; seine Lebensangst, abgewandelt in die permanente Krankheitsfurcht des Hypochonders, hat ihn in die Nähe der Figuren Kafkas, Musils und Brochs gerückt (in bezug auf Proust kann man Svevo wohl die Bedeutung einer Art Vorläuferschaft beimessen). Angeregt von Freud, ermutigt durch Joyce – der sein Englischlehrer war – schrieb Svevo den »Zeno Cosini«, den er, obwohl es die selbstbiographische, selbstzerlegende, therapeutische Niederschrift des Patienten Zeno ist, nicht als »psychoanalytischen Roman« bezeichnet wissen wollte. Übrigens erprobte er zuvor Zenos Kur an sich selber – mit dem einzigen Unterschied, auf den Arzt (den Doktor S., die einzige erfundene Figur) zu verzichten – und der Roman ist ihr hervorragendes Produkt.

Wer ist Zeno Cosini? Doch nicht gerade der Durchschnitts-
mensch, als den er sich bezeichnet. Vom Anfang an ficht er
den Kampf mit und gegen sich selbst, gegen Ängste, Süchte,
eingebildete Krankheiten, Leidenschaften, Gewissensnöte.
Seiner dauernden angstvollen und vorsichtigen Beschäfti-
gung mit seiner Person dient die chirurgische Niederschrift,
die ihre ironische Kühle aus der unvergleichbar dissonanten
Vermischung von Tragik und Komik bezieht, und die diesen
Anti-Helden gerade dann nicht schont, wenn sie im Anti-
Pathos schonungslos auf Schonung bedacht ist. Bei diesem
Vorgehen hat Joyce bereits die ungewohnte Behandlung der
Zeit bewundert: es handelt sich nicht um ein Vorschreiten
von einem Anfang bis zu einem Ende, auch gibt es keine
Rück- oder Vorblenden; Svevos Taktik ist weder eine von
früher bekannte, noch vom heutigen Gebrauch zur Mode
gemachte; er stellt Themenabschnitte hintereinander, die
unabhängig von Chronologie Vorangegangenes aufnehmen,
Zukünftiges erwähnen, indem sie es, von anderem Zeit- und
damit Empfindungsaspekt aus betrachtet, verändert vorfüh-
ren. So erscheint die Vergangenheit, um die es in der Niederschrift des Patienten geht, wandelbar und vielgesichtig. Und
im ersten Kapitel, das dem Kampf gegen die Zigarette gewid-
met ist, wird nichts Vergangenes und Zukünftiges ausgelas-
sen, das am Wettstreit mit der Sucht beteiligt ist. Joyce teilt
Svevo sein interessiertes Staunen darüber mit, daß ein
Mensch in die am Zeno dargestellte Abhängigkeit vom
Nikotin geraten könne: Zeno raucht sein Leben lang mit
genußvoller Verzweiflung seine »letzte Zigarette« – ein Akt,
zu dem jedes einigermaßen markante Datum, persönlicher
oder historischer Natur, herhalten muß; das wird auf die
vergnüglichste Weise von Seite 8 bis 31 als eine höchst
unbanale, höchst lebenswichtige Angelegenheit dem Leser
vorgestellt.
Das Verhältnis zum Vater bringt die bedeutungsvolle Er-
schütterung des Todes, nachdem beide sich jahrzehntelang
auf der unsicheren Basis einer Mischung aus Nachsicht und

Mißtrauen begegneten. Zenos Vater »war der erste, der meiner Energie mißtraute ... Ich glaube aber, daß er mir schon deshalb nicht vertrauen konnte, weil ich von ihm gezeugt war. Jedenfalls vermehrte das mein Mißtrauen gegen ihn, darin steht die Wissenschaft auf meiner Seite.« Der Sohn, der zu diesem Résumé gelangt, macht am Grab sich darüber Gedanken, ob die Ohrfeige – des Vaters letzte dem Sohn geltende Bekundung – ein Akt der Absicht oder nur ein Reflex der sterbenden Muskeln gewesen sei, erleichtert sich, indem er sich zum letzteren entschließt, und fühlt sich daraufhin – da er nicht mehr an des Vaters Zorn auf den Licht, Luft und Schatten raubenden Erben glauben muß, dankbar als der Schwächere, als der er sich fühlen will. Er will das auch im dritten Kapitel seiner Frau gegenüber, die er geheiratet hat, weil er – nach langer leidvoller Werbung, nicht um sie, sondern um ihre älteste Schwester, und nach deren Absage, und nach der Weigerung auch noch der zweitältesten Schwester – auf sie, die Sanfte, ihn Verehrende, gedrängt vom Bedürfnis nach den Umständen, die eine Ehe bietet, schließlich zurückgreift. Das Mißverhältnis zwischen Absicht und Erreichtem wird mit ironischem Fatalismus hingenommen. Seine Wahl, die ja keine war, erweist sich paradoxerweise als glücklich: seine Ehe wird harmonisch, indes derjenigen seiner geliebten Ada mit dem leichtsinnigen Guido ein Mißgeschick nach dem andern widerfährt; als Schlimmstes das zerstörende Eingreifen der Basedow'schen Krankheit, die Zeno zum Reflektieren über die Gesundheit anregt, die »aus zwei Krankheiten, die einander aufheben« bestehe.

Die Unterscheidung zwischen Übertreiben und Untertreiben wird nicht leicht gemacht, und daher sieht die Wirklichkeit der Cosini'schen Welt keineswegs einhellig und bestimmt aus. Mit unvergleichlicher Genauigkeit, beunruhigter Ruhe könnte man sagen, scharfer und gleichzeitig lässiger Kühle legt Zeno das Messer an seine Fehler, und doch ist er nicht gedrängt vom Besserungsfanatismus dessen, der voll

Leidenschaft sich ändern will. Er möchte gesund sein und wäre doch gern ein Diabetiker, krank an der »süßen« Krankheit. Er konstatiert, er beobachtet sich, er macht sich die nötigen bescheidenen Hoffnungen und erliegt den nötigen kleinen Einflüsterungen und Täuschungen, die den Alltag erleichtern und die sein allerdings stets aufmerksames Gewissen besänftigen, das sich bezeichnenderweise durch einen Nervenschmerz in der Hüfte meldet. Diese ungewöhnliche Ausgabe eines Roman»helden« hat sich niemals vorher so rein gefühlt wie nach begangener Untreue, da die Geliebte, weil sie Reue verursacht, die Gefühle für die Ehefrau inauguriert. Und doch erscheint sein Zartgefühl niemals unecht; dieser sogenannte Held hat das sympathische Ziel, die andern so sehr zu schonen wie sich selbst. Sein Schmerz an Gräbern gilt demjenigen Teil der eigenen Person, der mitbegraben werden muß; er läßt sich – nachdem »die zufällige Klangassoziation eine Idee erzeugt« hat – zur Äußerung bewegen: »Das Leben ist weder häßlich noch schön; es ist originell.« Er erinnert sich, verblüfft über die eigene Feststellung, daran, was er selber und die andern Menschen vom Leben erwarteten und was daraus wurde, und zieht die Schlußfolgerung: »Der Mensch ist wahrscheinlich aus Versehen da hereingestellt worden. Er gehört gar nicht hierher.« Und später wiederholt er: »Das Leben ist nicht schwer. Es ist nur originell.« Immer wieder originell. Das ist auch Zeno selber, der im Wetteifer um eine unbegehrte Frau eine Fabel schreibt mit dem ironischen Titel »Hymne an das Leben«: der Dialog eines aufgespießten Krebses mit der geköderten Dorade – sie beide sind sich im klaren darüber, daß das Leben »eigentlich« schön sei, wenn nur die Voraussetzungen stimmen würden.

Aus der Joyce-Biographie Herbert Gormans läßt sich erfahren, daß Joyce »in dem unsentimentalen Schmitz einen Mann der Tatsachen und mehr als einen Wesenszug für die noch nebelhafte Gestalt ... des Leopold Bloom ...« fand. Der Ton des zerfleischenden, witzigen, tragischen, komischen, unpathetischen Berichtes wird durchgehalten bis zum visionären Ende, das in einer kühnausgedachten Sprengung der Erde eine Möglichkeit sieht, endlich zum Zustand der Gesundheit zurückzukehren. Es gibt in dem Roman keine Figur, die um ihrer selbst willen aufträte, auch kein politisches, gesellschaftliches, historisches Ereignis, überhaupt kein Handlungsfetzchen, das nicht der medizinisch-dichterischen Beschäftigung Zenos mit sich selber gälte. Daß daraus keine selbstbespiegelnde, stagnierende Langeweile wird, sondern ein künstlerisches Ereignis, frappiert bei der Konfrontierung mit der so persönlichen und doch so »allgemeingültigen«, skeptischen, illusionslosen »Coscienza di Zeno«. *(1960)*

ITALO SVEVO
EIN MANN WIRD ÄLTER

Dies ist ein Dementi all derjenigen Prophezeiungen, die warnend versicherten, mit den dem »Zeno Cosini« nachfolgenden, aber früher entstandenen Romanen werde die Bewunderung für Svevo sich hier in Deutschland beträchtlich vermindern. Sie tut es nicht und die verheißene Enttäuschung bleibt aus, wenigstens bei einem Beurteiler, der den müßigen Vergleich mit dem Zeno gar nicht erst anstellt: dieses letzte Werk Svevos mit seinem sehr viel komplexeren Thema – ein ganzes Leben – und seinem schwierigeren und interessanteren Aufbau hat von vornherein viel mehr vor als die nun vorliegende Liebesgeschichte eines Unentschlossenen. So sei der Einwand erlaubt, dem Werk hätte ein chronologisches Vorgehen bei der sonst so rühmlichen Unternehmung dieser wiederentdeckenden Gesamtausgabe mehr genützt.
Davon abgesehen verdient aber auch »Ein Mann wird älter« das ungeteilte Interesse all derer, die sich um Proust, Musil,

Kafka oder Thomas Mann scharen. Auch dieses Buch hatte einen ebenso kleinen wie illustren Kreis von Bewunderern, vor allem in Frankreich, wo Valery Larbaud und Crimieux sich dafür einsetzten; Joyce lernte ganze Passagen daraus auswendig und zitierte sie und sagte zu seinem Freund Svevo – wie Stanislaus Joyce uns wissen läßt – ».... daß es in Senilità Seiten gäbe, die selbst von dem größten französischen Meister nicht besser hätten geschrieben werden können«. Der Lyriker Eugenio Montale geht übrigens so weit, die Senilità dem Zeno vorzuziehen. Ihre Bedeutung zumindest als Vorstudie liegt auf der Hand: der um mehr als zwei Jahrzehnte früher erschaffene »Held« der Senilità ist ein Vorläufer Zenos. Wiederum also ein Willensschwacher, ein Introvertierter und überaus Sensibler, ein Egoist, der seinen Egoismus durchschaut. Emilio Brentani ist ein kleiner Büroangestellter wahrscheinlich noch jugendlichen Alters, doch hat seine Beziehung zur »Wirklichkeit« jenes greisenhaft Abgesonderte und Ausweichende, das der italienische Titel bezeichnen will. Was bedeutet ihm sein Leben? »In der Theorie erscheine es ihm bar jeden ernsten Inhalts. Tatsächlich habe er nie an das Glück geglaubt, in welcher Form es sich ihm auch anbot ... er habe es auch nie gesucht. Weit schwerer jedoch war es, sich dem Schmerz zu entziehen! In einem Leben, das ohne ernsten Inhalt war, konnte eben auch eine Angiolina eine ernste und bedeutsame Rolle spielen.«

Angiolina – das ist die schöne, lügenhafte, gewöhnliche Dame, die Emilios leerem Alltag den zweifelhaften Inhalt der Eifersucht verschafft. Sein dauerndes Schwanken zwischen dem Verlangen, den keineswegs würdigen Gegenstand seiner Anbetung ganz an sich zu reißen, und dem von der Empörung über seine Torheit und über ihre Betrügereien eingegebenen Wunsch, sich von ihr losmachen zu können, drängt, zusammen mit dem Unvermögen, all dies zu tun, den Vergleich mit Prousts »Swann« auf. Angiolina, wie Odette, ist böse nicht aus Bosheit, sondern aus Stupidität; Emilio allerdings bleibt trotz aller Leidenschaft und obwohl er ihr wie Swann ständig unterliegt, sehr viel distanzierter, ja er bringt häufig sogar das Gefühl für eine Ironie seiner eigenen Rolle auf. Doch gleicht er Swann verblüffend in der Art, seine Eifersucht zu behandeln: er facht sie immer wieder von neuem an, um sie immer wieder besänftigen und unterdrücken zu können, bis der gewohnte Zustand willenloser Nachgiebigkeit zurückgewonnen ist. Emilio ist der unschlüssige Held in einem Drama der Unschlüssigkeit. Er macht sich nicht die geringsten Illusionen über die Schäbigkeit seiner Haltung und beschönigt sie doch ständig vor sich selbst. Sehr bewußt durchsteht er die Phasen seiner Leidensgeschichte: die glückliche Verliebtheit bis zum ersten Bruch, die öde Zeit ohne Angiolina mit dem Versuch, sich seiner armen häßlichen Schwester Amalia zu widmen, schließlich aber der resignierende Entschluß, der Leidenschaft zuliebe auf Stolz zu verzichten. Amalias unglückselige Liebesgeschichte setzt eine düstere zaghafte Parallele zu seiner eigenen. Svevo ist ein Meister im Aufspüren all der zahllosen Regungen und Triebe, deren Zusammensetzung die Sucht ergibt. Zeno konnte das Rauchen nicht lassen, Emilio kann Angiolina nicht lassen. Sein Verhältnis zu ihr ist oft nicht persönlicher als das zu einer Zigarette sein könnte. »Die Frau, die er liebte . . . war seine Erfindung. Er hatte sie sich selbst mit einem Willensakt geschaffen.« Aber es gibt keinen Willensakt, der sie wieder auslöschen könnte; es ist seine Erfindung, der er hörig ist, und der er im Grunde auch hörig bleiben will. Das erste Mal, »daß Angiolina ihn gefühlsmäßig voll und ganz befriedigt«, ist, als er sie eines Betrugs überführt hat und als auf ihrem schönen Gesicht die Anstrengung, weiterzulügen, der Grimasse des Leidens weicht. »Er hatte die hellwache Erkenntnis eines außerordentlichen Genusses.« So rachsüchtig und distanziert verhält man sich einem gefährlichen Gegner gegenüber.

Angesichts des stürmischen Meeres, angesichts der ebenso unermüdlichen wie hoffnungslosen Versuche der Wellen, sich hochgereckt zu behaupten, »vermeinte er, das gleichmütige Walten des Schicksals zu erkennen. Es gab keine Schuld, auch wenn der Schaden noch so groß war.« So geht Emilio schuldfrei aus, wenn am Ende die Amalia-Parallele tragisch abbricht, und wenn er schließlich die Linie seiner eigenen Geschichte beendet, als ihm gar nichts anderes mehr zu tun übrig bleibt: schuldfrei und unschlüssig bis zuletzt und unvermindert erfinderisch bleibt er, wenn er beschließt, mit einer Angiolina-Anna-Fiktion ausgerüstet, Lust und Schuld vereint, Freude und Pflicht, endgültig, und zwar aufs Angenehmste, alt zu werden. *(1961)*

WILLIAM STYRON
UND LEGTE FEUER AN DIES HAUS

Bereits vor einigen Jahren machte ein Interview auf William Styron aufmerksam (im Band »Wie sie schreiben« von Malcolm Cowley). Dort wies er noch auf einen jener Ratschläge hin, die ihm in einer der amerikanischen »Schulen für schöpferisches Schreiben« erteilt wurden: »Erzähle nie mal aus dem, mal aus jenem Blickwinkel.« Eben dem hat Styron jetzt zuwidergehandelt, und zwar aufs Bewunderungswürdigste. Nicht zuletzt nämlich überzeugt die Technik dieses Romans, seine grandiose Komposition aus perspektivischen Verschiebungen und Überschneidungen. Die wechselnden Erzähler umzingeln ein Universum auf einander bezogener Stories: ein Geflecht aus Rückblenden, Ausblicken und Vorgriffen. Styron entstammt jener poetisch ergiebigen Gegend, von deren bodenständigen Kontrasten auch Faulkner, Goyen, T. Williams, Capote und andere »profitieren«: dem Süden der Vereinigten Staaten. Er wurde 1925 in Virginia geboren, war Soldat, studierte in North Carolina, veröffentlichte 1951 seinen ersten Roman, „Lie down in Darkness«, der ihm gleich einen Akademiepreis einbrachte. Während diesem ersten Buch aber ein regelrechter Südstaatenstoff zugrunde lag, führt dies zweite weit nicht nur über die geographischen, sondern auch über die geistigen Grenzen seines Herkunftslandes hinaus. Von Dostojewski, von Joyce und Flaubert, von Marlowe und Sophokles spricht Styron, wenn er seinen Interviewern gegenüber äußert: »Gute Literatur war immer das Produkt einer Neurose. Unsere Literatur würde ganz schön langweilig sein, wären die Schriftsteller der Vergangenheit zufriedene Einfaltspinsel gewesen und keine Neurotiker.« Nun, ein Einfaltspinsel ist Styron nicht und sein Roman ist alles andere als langweilig: der Erzähler Leverett, ein junger Amerikaner, geht entschlossen kataraktischen Geschehnissen nach, die er nur von außen her kennt und von denen er spürt, daß eine offizielle, angstvoll ausweichende, unaufrichtige Darstellung sie gefälscht hat. Der als Selbstmord ausgegebene Tod eines ehemaligen Mitschülers kommt ihm verdächtig vor, und er tastet sich zurück bis in die Tiefe gemeinsamer Kindheitserinnerungen, um die Gegenwart zu erklären. Mason, der angebliche Selbstmörder, kann aufgrund seiner entlarvten Vergangenheit kein Selbstmörder sein: dies wird mit psychoanalytischer Genauigkeit bewiesen. Leveretts Nachforschung stößt dann aber auf den Widerstand des Hauptbeteiligten, des Malers Cass Kinsolving, der eben das verdrängt hat, was der andere aufdecken will. Cass hat einen Damm errichtet zwischen seiner fast wieder »normalen« und bürgerlichen Gegenwart und einer von Schuld beladenen, von Verzweiflungen heimgesuchten, von Trunksucht korrumpierten Vergangenheit. Styron erteilt Cass das Wort, läßt ihn in Monologen und Dialogen sich offenbaren und vermittelt selber, von Abschnitt zu Abschnitt, als neutraler Leser zwischen ihm und dem Leser. Von drei Seiten her treibt er die Handlung vor, das heißt: tiefer zurück und bis hin zu jenem Schnittpunkt der Ereignisse und der Schicksale, dem Leveretts, und schließlich auch Cass' Untersuchung gilt: Cass gelangt zur Überzeugung, daß er die Aufklärung seiner umnachteten, von Visionen und Delirien geplagten, von Euphorien entstellten Vergangenheit unterstützen muß. Er diagnostiziert: »Ich litt an einer Lähmung der Seele, an meinem Selbst ... an einer von mir selber hervorgerufenen Mangelkrankheit: denn .. (ich) hatte ... mir selbst allen Glauben an das Gute in mir genommen. An das Gute, das Gott sehr nah ist.« Immer enger werden die Kreise, die Cass und Leverett in kathartischem Nachvollziehen um den Kern der Tragödie legen, die sich während einiger Sommermonate im italienischen Küstenort Sambuco vollzog, in einer Atmosphäre oberflächlicher touristischer Farbigkeit, die das Dunkel der Phobien dunkler macht. Betrug, Gewalttätigkeit, Verbrechen. Cass, tastend und versklavt auf dem Weg zur Erlösung, dem Mason frivol und herrschsüchtig die Rettung im letzten Augenblick aus der Hand schlägt. Nachdem Schicht um Schicht bloßgelegt ist, beendet ein deus ex machina dieses Drama der Süchte, der Ängste und der Angst vor Ängsten, der Qualen, Triebe, Verkrampfungen.

Cass und Mason verkörpern Gegensätzlichkeit und wesensmäßige Zusammengehörigkeit amerikanischer Gesellschaftsstruktur: sensibel, romantisch, europatrunken der eine (Cass), zynisch, fortschritts- und dollargläubig, skrupellos der andere (Mason). Gemeinsam repräsentieren sie die metaphysische Verlorenheit ihrer Generation, der Generation Styrons. Der sondierende Erzähler Leverett hat eine italienische Entsprechung, den Polizisten Luigi: beide wirken als Katalysatoren und als Regisseure des Zusammenspiels dieser todkranken gefolterten Seelen, unter denen nur die der Tumben und Toren phönixhaft der Asche entkommen. Cass kann zwar feststellen, daß »einige unserer schwersten Prüfungen wunderbarerweise zu einem erfreulichen Ende kommen. ›Jetzt sind wir verloren! Ägypten, ich sterbe, ich sterbe!‹ Dann plötzlich räkeln wir uns vor dem Kaminfeuer, sind gesprächig und unbescheiden ...« Aber am Ende seines Wegs steht weiter nichts als die Hoffnung, »für eine Weile das zu sein, was ich zu sein vermochte. Das allein erschien mir schon als eine himmlische Verheißung.«   *(1961)*

Freizügig fließt der Whisky bei Arthur Miller, gut verschlossen und sicher verwahrt steht er im Schrank des alten Sartoris bei William Faulkner, schließlich im verwunschenen Landhaus von Truman Capotes verquerem Randolph wird überhaupt nur Portwein ausgeschenkt. Drei Bücher, bei deren Beurteilung der Rezensent aber leider nicht von der Qualität des Alkohols ausgehen kann, den ihre Helden verzehren, denn sie sagt noch nichts über die Qualität der Prosa. Drei Amerikaner, dreimal Amerika, dreimal Amerikas Südstaaten – so verschieden die Autoren und ihre Mittel sind, ihre gemeinsame Herkunft ist augenfällig. Diese Südstaaten kommen dem europäischen Beobachter immer wieder vor wie eine unerschöpfliche Stoffquelle.

Am bescheidensten ist die Ausbeute noch bei *Miller*, dessen Film-Roman »Nicht gesellschaftsfähig« selber als nicht ganz gesellschaftsfähig erscheinen mag zwischen Capote und Faulkner. Der Roman, der im Gegensatz zu seiner Erstfassung, einer provinziell erzählten Männergeschichte, auf eine weibliche Hauptfigur hingeschrieben wurde – welche, wie man weiß, Marylin Monroe inspiriert hat – möchte einstehen für ein neues literarisches Genre, bei dem die optische Unmittelbarkeit des Films, und seine Perspektiven, seine Genauigkeit mit den Ausdrucksmöglichkeiten des geschriebenen Wortes vereint werden sollen. Wenn auch die Ausdrucksmöglichkeiten des Wortes von Miller keineswegs ausgenutzt wurden, so hält man doch auf den Anfangsseiten den Versuch dieser Vereinigung für gelungen. Man tut dies auch später noch hie und da in beschreibenden Passagen: Miller versteht es, das Unvergnügliche als den Kern der gebräuchlichen Vergnügungen herauszuschälen. Diese sogenannte angenehme Unterhaltung, deren Kehrseite Unbehagen und oft Trostlosigkeit ist, beherrscht die Rodeo-Arenen und die Bars, die Vergnügungsetablissements und Parties. Was geschieht in diesem Buch? Der Schauplatz ist San Remo, das Scheidungszentrum der USA, eine Glamourstadt inmitten harter, riesiger, unbewohnter Prärie, in der gleichwohl das freie Leben der Cowboys sich Jahr um Jahr seinem Zivilisationstod nähert. Gay, Guido und Perce, die drei männlichen Männer und Helden der Erzählung, fangen ihre Wildpferde nicht mehr um wilder männlicher Ziele willen, sondern für eine Fleischkonservenfabrik. Womit sie die zarte, eben geschiedene Roslyn erschrecken und abstoßen. Schließlich kann nur ihre Liebe zu Gay eine Versöhnung bewerkstelligen in diesem Aufeinanderprall sogenannter richtiger Menschen: Roslyn ist, so meint Miller, die »richtige Frau, die die Gabe des Lebens hat«. So richtig wie sie als Frau sind ihre drei Gegenspieler als Männer: Gay mit seiner verbohrten, eigensinnigen und einfachen Männlichkeit, Gay, der alles Wichtige über Leben und Sterben weiß und dies mit gebotener Schlichtheit äußert, Clark Gable-Gay mit seiner ruppigen Zärtlichkeit, den ab und zu ein paar Erinnerungen umdüstern; dann Guidos verkrampfte Männlichkeit, echt auch sie, aber von Ehrgeiz und Eifersucht verunstaltet; und schließlich die jungenhafte und offenherzige Männlichkeit von Perce, dem typischen guten Jungen.

Das Töten mag Roslyn nicht, aber Tapferkeit mag sie doch. Und Miller mag über beides sehr gern schreiben. Dabei entsteht oft eine Art von Reader's Digest-Pathos, der treuherzig-burschikose Ton etwa der Serie »Menschen wie du und ich«. Gay sagt zu Roslyn: »Es ist (drei Pünktchen: Gays Stimme stockt) fast eine Ehre, neben Ihnen zu sitzen. Sie sind ein Glanz in meinen Augen. Ich fühle es wirklich so, Roslyn.« Sie sagt zu ihm: »Sie sind der erste Mann, der das je sagte.« Als er Lust verspürt, sie zu umarmen, meint sie: »Das ist nicht, was ich Ihnen gegenüber fühle, Gay.« Gay ist ein ordentlicher Mann und hält sich zurück, und Miller sagt nicht, daß er sich auf die Unterlippe beißt, aber sicher tut er das, bevor er Roslyn beruhigt: »Verlieren Sie nicht den Mut,

Mädchen – es kann noch kommen ... Vielleicht zählt es nicht viel, aber ich bin ein guter Freund.« Wofür Roslyn mit einer leichten Berührung und einem leisen »Danke« sich bedankt. Es liegt auf der Hand, daß hier viel Schuld aufs Konto der Übersetzung geht, die mit gespreiztem »irgendwie« und »ich denke« Verschwendung treibt. Doch bleibt es wahr: aus seiner Hemingwayverehrung konnte Miller nichts Rechtes machen. Millers Idealvorstellung vom einfachen Leben, wie er es seinen Gay formulieren läßt, ist nicht mehr allzu weit entfernt von pfadfinderhafter Sentimentalität; was er sagt, kann man wahrscheinlich nur, weil es amerikanisch ist, ertragen. Es heißt an einer Stelle: »In sich gekehrt, sieht Roslyn forschend in Gays Augen und fragt: ›Wie können Sie ... einfach leben?‹ ›Nun ja ... man fängt mit Schlafengehen an. Dann steht man auf, wenn man Lust hat. Dann kratzt man sich ..., brät sich einige Eier, schaut, wie das Wetter ist, wirft einen Stein, reitet ein Pferd, besucht jemand, pfeift ...‹« Ach ja, schön wärs. Aber gibt es das, Millers rauhe Idylle? Gibt's seinen »harten Mann«, der zu seiner weichen Frau sagt: »Es macht mich friedlich?« Sind die harten Männer nicht ganz anders? Und ist nicht das alles viel weniger romantisch?

Miller sagt immer dann viel, wenn er wenig sagt, aber er scheint zu dieser guten Gabe kein Vertrauen zu haben; in einem Absatz wie dem folgenden ist der letzte, der dritte Satz zu viel: »Eine seltsame Atmosphäre, fast wie aus einer anderen Welt, geht von dem ziemlich modernen, im Ranchstil gehaltenen Haus aus. Die Fenster schauen auf das zur unsichtbaren Autobahn weit unten steil abfallende Land und die nächste Hügelkette, die sich dahinter erhebt. In dieser Weite erscheint es so schrecklich einsam wie ein gestrandetes Boot.« Und etwas später noch mehr Kommentar: »Seine« (des Hauses) »betonte Sinnlosigkeit erscheint Roslyn irgendwie poetisch, wie ein unverwirklichter, nur notdürftig zusammengeflickter Wunschtraum.« Kinderbuchartige Unterweisungen stören: »Gay und Guido waren hier schon oft zur Zeit des jährlichen Rodeos gewesen, Perce und Roslyn noch nie.« Sie stören deshalb, weil sie ja mehr liefern, als der Film könnte, es sei denn, er zeigte diese Tatsache aus der Vergangenheit der vier Helden in einer eiligen Rückblende. Hier fällt wieder auf, daß Miller seinem neuen literarischen Genre gegenüber noch nicht ganz sicher war. Das einführende »Wir« der ersten Seiten, dieses Kamerateam-Wir, geht bald verloren. Mindestens auf Seite 15 denkt man nicht mehr an das Film-Roman-Vorhaben. Statt des neuen literarischen Genres entstand eine einfache, stellenweise recht konventionell erzählte Geschichte, die ein wenig unwahrhaftig hinter dem Prädikat »Filmisch« zu verstecken trachtet, daß sie nicht literarisch ist.

Das läßt sich nicht behaupten von Capotes Roman »Andere Stimmen, andere Räume«; deutlich macht das schon der Titel, der von jenen Stimmen spricht, die immer bei Capote hörbar sind, geheimnisvolle Stimmen des Unbewußten, lebendiger als die der Lebendigen. Der Süden dieses Buches zeigt sich aus dem Blickwinkel eines sensiblen Kindes. Es ist Joel Knox, eine phantasiebegabte Halbwaise. Plötzlich wird er durch mysteriöse Botschaften abberufen zu seinem Vater, den er nie im Leben gesehen hat. Allein macht er die Reise, auf die er sich weder froh noch unfroh begeben hat, da es ihn weder zurück in die mittelmäßige Vergangenheit, noch vorwärts in die ungeheure Zukunft zieht. Wie ungeheuer, wie unheimlich diese Zukunft ist, hat Joel Knox zwar nicht, der Leser aber sofort geahnt. Im beängstigend verfallenen, der Wirklichkeit abgekehrten Landhaus inmitten eines unerträglich wuchernden Pflanzenreichtums versucht Joel wochenlang vergebens, seinen Vater ausfindig zu machen. Rätsel plagen seine Einbildungskraft, Trugbilder verwirren ihn, Lieblosigkeit schüchtert ihn ein und die merkwürdig übertriebene Liebe seines Vetters erregt seinen Abscheu. Schließlich entdeckt er seinen Vater: einen Kranken, Geistesgestörten, einen Fremden. Aber diese Welt der Geheimnisse und der Verschlossenheit, in der Joel steht, klärt sich damit nicht.

Was er auch aufspürt, es bleiben Geschichten, märchenhaft und unglaubwürdig, sie lassen sich nicht in Joels Wirklichkeit umsetzen. Das Grausige, das gefährliche Schweigen ringsum, die Scheinwelt der Erwachsenen im Herrenhaus, die Versponnenheit: sie bleiben Selbstzweck, sie lassen keine Beziehung zu Joel aufkommen, ihre Unwirklichkeit wird immer unwirklicher und ist endlich eben deshalb nicht mehr wirksam, nicht mehr beängstigend. Zu blumenhafter Schönheit wächst das Unheimliche empor, man staunt es an, freut sich an ihm. Joel aber muß damit fertigwerden, daß er selber wirklich ist und lebt und wächst und wegstrebt aus diesem Märchen. Will er das aber noch? Wird er nicht mehr und mehr selber Bestandteil des Märchens?

Stil und Stoff scheinen sich vollkommen zu decken. Die Feinfühligkeit des Kindes findet in der Darstellung ihre Entsprechung. Aber verzaubert diese Darstellung nicht zu sehr Vorgänge und Stimmungen, die verdüstern müßten? Dieser sumpfige, stickige, wuchernde Süden, dieser Modergeruch, dies von Gewächsen und Spinnweben wie von Traumgespinsten umgarnte Landhaus – immer wieder wird ihr Schrecken, aber auch ihr Charme umgesetzt in eine Prosa, die vielfältig und üppig ist, man möchte sagen, sie ist ebenfalls subtropisch. Man sollte Capote jenes lustvolle Entsetzen gar nicht verdenken, mit dem er genießt, wovor er erschrickt. »Die Welt war ein Ort zum Fürchten, ja, er wußte es: nichts bleibend.« Aber das Fürchten ist graziös, es gewinnt von Seite zu Seite an Reiz. Das Unheimliche ist nicht unheimlich genug, und der am Anfang noch außerordentliche sensible Junge wird später mehr und mehr der typische sensible Junge. Die Angst ist schön wie eine tropische Blüte, ein orchideenhaftes Gewächs ist der Schauder, Fürchten macht ein wenig Spaß. In dem ganzen Roman, der fast ausschließlich von Qualen handelt, gibt es keinen Zug, der Qualen hervorbringt. Keine Häßlichkeit, keine Niederträchtigkeit. Ein sanftes trauriges schönes Lied. Während mancher Passagen glaubt man, in ein Kinderbuch von der besten Sorte zu blicken, es hieße etwa: »Die spannenden und schmerzlichen Abenteuer des kleinen Joel Knox bei seinen seltsamen Verwandten und wie schließlich doch ein junger Mann aus ihm wurde.«

Immer wieder haben Spiegel bei Capote eine wichtige Funktion und immer wieder zeigen sie eine verzerrte oder verschwommene oder verzauberte Wirklichkeit. Welche Wirklichkeit sie im vorliegenden Buch auch zeigen, sie ist immer leicht verschleiert. Dieser so sensitive und imaginative Roman hält deswegen nicht die Höhe der Erzählungen »Miriam« oder »Baum der Nacht«, in denen Capotes Spiegel noch sehr blank gewischt und sehr genau waren.

Weder auf Verherrlichung harter Männergeschichten, noch auf Bezauberungen aus ist William Faulkner. Mit dem Roman »Sartoris« eröffnet er seinen Südstaaten-Zyklus, jenen Komplex antik anmutender Schicksalstragödien, den später die Trilogie der Bände »Das Dorf«, »Die Stadt« und »Das Haus« abschließt. Schon hier im Sartorisroman erscheint der opportunistische Schurke Snope, dessen ganze Sippe dann die Familien und Städte der Trilogie heimsuchen wird, hier noch als zwar bereits intrigierende, doch machtlose Randfigur am Anfang seiner gaunerhaften Karriere. Sartoris – diesen Namen trägt eine jener alten Südstaatenfamilien, deren Starrsinn und Tragik von jeher Faulkner den Anstoß zu seiner Epik geliefert haben. Stolz und Unbeherrschtheit hindern sie am Einklang mit der veränderten Welt, die wenigstens äußerlich und offiziell Sklaventum und Herrentum abgeschafft hat. Schon in »Sartoris« geht es um die alte schmerzhafte Spannung, um den Gegensatz zwischen Norden und Süden. Angst und Hoffnung angesichts der unbekannten, unkenntlichen, der unbegreiflichen und unerbittlichen Kräfte, die Schicksal oder Gott oder unabänderliche Weltordnung heißen mag, sie sind die Wesenszüge auch dieses Romans, eines wahrhaft monströsen Werks, dem kleinlich-säuberlich nachspürende Beurteilung nicht gerecht werden kann. Faulkners Schreiben ist eine Art dämonischen

Beschwörens. Sein antiker Schicksalsbegriff schließt eine allesgutmachende Gnade aus. Aber er glaubt an die unermüdliche Stimme des Menschen, mehr noch, er glaubt daran, daß der Mensch unsterblich sei, ». . . weil er eine Seele, einen Geist hat und darum fähig ist, mitzufühlen, zu opfern und zu erdulden.« Faulkners Metaphysik hat ihr eigenes Pathos erschaffen, ein anthropomorphes und »abstraktes« und antikes Pathos. Es überfordert sich selber niemals, das wachsame Auge des sachlichen und äußerst präzisen Beobachters verschließt sich nie vor der Welt dieser oft unmäßigen Prosa.

Jena-Paul Sartre sagt: »Plötzlich schießt die Handlung wie ein Meteor aus der Tiefe dieses Dramas.« Was ist also das Dramatische im Roman »Sartoris«? Es ist das: Ein echter Sartoris wird nicht fertig damit, daß die Glanzzeit der Südstaaten vorüber ist. Der jüngste und vorläufig letzte Sartoris, der Bayard heißt wie sein Großvater, kehrt als Deserteur aus dem Krieg zurück, in dem er Flieger war, in dem er seinen Bruder verlor, seinen Bruder, den er liebte, als er überhaupt noch lieben konnte, denn jetzt kann er nicht mehr lieben, und er empfindet den Tod des Bruders als eigene Schuld. Die Welt, in die er zurück muß, erscheint ihm als sinnlos und hassenswert, die fade Welt seiner aussterbenden Sippe, töricht verkrallt in Hoffnung auf Aufschub und auf das Wiedererwachen vermoderter Traditionen und staubiger Vorurteile. Bayard entscheidet sich sowohl gegen das Mitmachen als auch gegen wirksamen Protest. Er probiert es mit dem Rausch wilden scharfen Vergnügens. Der Krieg hat keinen Dünkel ausgemerzt. Gegen das Neue kennt die Sartorissippe nur eine einzige Waffe: ihre Arroganz. Einen kleinen Schritt in die Zukunft macht der junge Bayard und heiratet die sanfte Narcissa. Aber zurückhalten kann sie ihn nicht auf seinem zielsicheren Weg, der ohne Auswege ist und ein paar Umwege macht in Verbitterung und Trotz und der endlich in den Tod führt.

Bayards Traurigkeit, so sehr sie auch die eines Sartoris ist, gleicht dennoch nicht der eigensinnig zurückblickenden seines Großvaters: wäre ihm die vergangene Welt auch erhalten geblieben, er hätte sie so wenig geliebt wie die, in der er zu leben hat. Zu welcher Zeit auch immer – die Glyzinien hätten für ihn muffig gerochen. Wäre Faulkner ein jüngerer deutscher Autor und hätte er nicht anläßlich seiner Nobelpreisrede 1950 ängstliche Gemüter dessen versichert, daß er ein lebensbejahender Dichter ist, man würde ihn des Nihilismus und des Defaitismus bezichtigen. Als Bayard über sein Leben nachdenkt, tut er es folgendermaßen: ». . . vor ihm die lange Spanne des natürlichen Lebens eines Menschen. Dreimal zehn und noch zehn Jahre sollte man den zähen Leib in der Welt herumschleppen und ihn um seine dringenden Anforderungen betrügen. Siebenzig Jahre, sagte die Bibel. Siebenzig. Und er war erst sechsundzwanzig. Nicht viel mehr als ein Drittel hatte er hinter sich. Verdammt noch mal.« Aber Narcissa, Bayards zwar melancholisches, doch sanft einverstandenes Gegengewicht, wiegt am Ende einen neuen winzigen, einen von den ins Sterben geflüchteten Sartorismännern überantworteten Sartorissäugling in ihren Armen, und sie gibt ihm keinen der angestammten Sartorisnamen, und es bleibt sogar offen, ob er überhaupt den »wilden Blick« aller Sartorisgenerationen bekommen werde. Möglich also, daß dieser großartige, dieser »zersetzende« Roman nach all seiner Gewalttätigkeit jenen versöhnenden Schluß bietet, der den Leser so angenehm zu berühren pflegt.

Es sei noch ein kritischer Blick auf die Übersetzung erlaubt: Selbstverständlich ist es schwierig, einen englischen Dialog, der in der Anrede zwischen zweiter Person Singular und zweiter Person Plural keinen Unterschied macht, ins Deutsche zu übertragen. Die Vertraulichkeit zwischen Bayard und Narcissa wächst sehr zögernd in ihren Unterhaltungen: aber darf der Übersetzer bestimmen, ab wann sie »Du« sagen? Und was ist ein »Klütenpedder«? Man hat den Südstaaten-Faulkner so ungern auf Plattdeutsch. Aber bayrisch wäre ja auch nicht besser.

Drei Autoren. Dreimal der Süden Amerikas, drei Sorten Alkohol. Derjenige Faulkners ist am hochprozentigsten.

(1962)

DJUNA BARNES
EINE NACHT MIT DEN PFERDEN

Mit ihrem Roman »Nachtgewächs« (Erstausgabe 1936 bei Faber and Faber, London) fand vor zwei Jahren bei uns in Deutschland diese 1892 geborene amerikanische Autorin einen ebenso ehrfürchtig bewundernden wie kleinen Leserkreis: er war dem Neske Verlag dafür dankbar, daß er sich einer Dichtung annahm, von der T. S. Eliot sagte, »nur eine an Lyrik geschulte Sensibilität« könne sie »völlig würdigen«. Weil es keinen Klappentext gibt, erfährt man nicht, in welchem Verhältnis die zehn Stücke des Bandes »Eine Nacht mit den Pferden« zum Gesamtœuvre stehen. Wahrscheinlich um des Titels willen, nicht wegen einer künstlerischen Vorrangstellung, hat »Eine Nacht mit den Pferden« die Sammlung benannt: Pferde, immer wieder Pferde, einzeln, in Trupps, vor Gespannen, stark, schön und verwegen – sie repräsentieren in diesen Texten die leidenschaftliche Sehnsucht nach etwas Maßlosem und Unbezähmbaren. Diese Sehnsucht, das engagierte Verlangen nach Loslösung, spricht sich aus im Bekenntnis einer schwindsüchtigen Frau, die für ihren an Dinglichkeit und Tatsächlichkeit gebundenen Mann nicht mehr erreichbar ist: »Es gibt eben kein Elend auf der Welt, das für mich groß genug wäre, und es gibt auch kein Mitleid, wie du es empfinden müßtest; nicht ein einziges Wort gibt es auf der Welt, das mich heilen könnte; die Buße richtet mich nicht zugrunde – es ist da etwas, das alles übersteigt – es ist Leiden ohne Ende, es ist wie ein Leben ohne Schlaf; es ist etwas Maßloses. Ich bitte um überhaupt nichts, weil es nichts gibt, was einem geschenkt werden kann . . .« (»Der Sturzweg«).

Derart aufschlüsselnde Formulierungen stehen da und dort und immer wieder werden sie geprägt von den Frauen dieser gerafften Dramen des Scheiterns und des Versagens, der Vergeudung menschlichen Daseins. Diese Frauen sind in einem unüblichen Sinn »unverstanden«, und weil sie es sind, sind es auch die Männer. Ob Sanftheit, Haß oder Gleichgültigkeit ihr Zusammenleben bestimmt, es bleibt der Abgrund zwischen ihnen. Djuna Barnes' Frauen sind stets rätselhaft und verstiegen, entschlossen passiv, aber hoffnungslos besessen von Hoffnung. In wörtlicher und in übertragéner Bedeutung sind sie Exilierte.

Eine empfindliche, ausrufende Prosa trifft den entweder exaltierten, oder matten, oder verzweifelten Ton, für sie alle, die sich »für den Tag des Gerichts« gerüstet haben. In ihnen ist »etwas Trauriges . . . traurig nur, weil es da ist.« Sie sind Gefangene ihres Hierseins. Einer der Ehemänner dieser Frauen – meist »Damen« vor dem Hintergrund seltsamer Palais und Parks – vermag immerhin festzustellen: ». . . sie war ›Salzwasser‹ und hatte eine ›unpersönliche Gemütskraft‹, sie forderte weder Aufmerksamkeit für sich, noch benötigte sie diese. Sie war zusammengesetzt aus hingebungsvollen Vorzügen und war einem genau festgelegten Gelände der Abstraktion verpflichtet, immer bereit zu einer ausgezeichnet vorbereiteten Begegnung mit der Entfremdung; . . . unbegreiflich wie eine Entscheidung beim Schach . . . was sie auch tat, immer geschah es . . . wie nach den Regeln des alten Spiels.« Obwohl auch er auf der Strecke bleibt, wird ihm mehr Einblick zugestanden als den Männern der anderen Texte, in denen immer der so eigensinnige wie vergebliche Kampf gegen das Alltägliche ausgefochten wird.

Die beiden ersten Stücke sind Monologe, an eine imaginäre »Madame« gerichtet. So wenig wie alle anderen – selbst wenn Bauern, Schneider, Diener die Helden sind – führen sie in eine greifbare, bürgerliche, körperlich-stoffliche Welt.

In leichtem Sprechton, der ein wenig über der Erde zu schweben scheint, tarnen sie ihr lebenbedingendes, herrisches Nichts-Verlangen. Ein Zauber über den Personen, ihren Handlungen, ihren Sehnsüchten gibt den zwei Monologen die Färbung des Erträumten, den Stimmen, die sie sprechen – es ist im Grunde einunddieselbe Stimme – das weiche, zwischen Elegie und Pathos schwankende Timbre Somnambuler. Die Dame Elvira weiß von der »Welt«, an der sie ein leidenschaftliches Desinteresse hat, daß von ihr »ein Geräusch, . . . ein Geheul« erzeugt wird: »sie nennen es Zivilisation. Das ist alles draußen, alles verrückt, das ist alles wahnsinnig.« (»Ausgelöscht«). »Ach, wie unnötig, wie unnötig!« sagt Madame von Bartmann, nachdem sie vergebens versucht hat, die eigene Tochter in ihre Art zu leben einzuweihen. »Denke nach . . . über alles, und *tue* alles, *alles*!« Die Tochter, verschreckt und verständnislos, kann im Sinn der Mutter keine »richtige Frau« werden, sie entschlüpft in die Verlobung mit einem Büroangestellten. (»Aller et Retour«).

Wendet der von der Frau ausgehende Antrieb sich ins Reale, so ist er auf Vernichtung aus: der durch weibliche Grausamkeit seinem Lebensbereich entrissene Reitknecht wählt den Tod unter den Hufen seiner Pferde – in der Titelgeschichte, dem konventionellsten Text des Bandes. Der still-bescheidene armenische Schneider erwürgt ein gestohlenes Kaninchen, um seiner boshaften Freundin zu gefallen, denn er kommt »zu dem unvermeidlichen Schluß, daß alle Helden Männer waren, die töteten oder getötet wurden.« Mit seiner Tat zerstört er sich selbst. (»Das Kaninchen«).

Passivität und Aktivität stehen sich als Polarität des Guten und des Bösen gegenüber, unversöhnbar bis zur Bezwingung des Guten, Schwachen durch das Böse, Starke. Ein armseliger Hausierer dient als Medium bei Doktor Katrins Entmaterialisierungsprozeß: ihn zum Geliebten zu nehmen, ist für sie eine Methode des Selbstmords; während sie ihr Ziel erreicht, den Tod, bleibt er nach dieser Metamorphose übrig als Bettler und Trinker, als endgültig Verlorener. (»Die

Ärzte«). Als »eine Frau von Welt« bezeichnet ein unglücklicher kleiner Junge die geheimnisvolle Carmen la Tosca, die ihn angesichts seines Kummers auffordert, an die Tiere zu denken: »Was würde all das, du, deine Brüder und deine Schwestern und all deine Nöte schon einem Tier bedeuten?« (»Ein Junge stellt Fragen«).

Thematik, Fabel und Stimmung sind enthalten in Kernformulierungen wie diesen: »Gibt es etwas, das einmal als verlorenes Paradies gelten könnte? – dann ist es, ein unersetzlicher Verlust, jeder Park in Paris, den man nicht mehr aufsuchen kann.« Über die jahrzehntealte Freundschaft zwischen einem Mann und einer Frau, die mit der Andeutung von Liebe endet: »Sie waren Seiten in einem alten Buch, die zusammenkamen, als man es schloß.« (»Eine Passion«).

Diese Texte – der längste erreicht den Umfang von 16 Seiten – bringen es bei äußerster Verkürzung fertig, komplette Existentialien zu liefern: dies geschieht auf den paar Seiten, die Djuna Barnes für ihre schlüssigen und präzisen Vorgeschichten benötigt, die auskommen ohne chronographisches Nacherzählen; ihr Ende wird jeweils zum Schnittpunkt mit mehr oder weniger knappen Abschlußdialogen, in denen Hoffnungen sich geschlagen geben, Unheil besiegelt wird, die Entscheidung auf das Nichts, auf die Entfremdung fällt.

Für ihr Thema hat Djuna Barnes eine eigene Sprache geschaffen. Ihrer Passion für Melancholie gibt die Verzweiflung vor einer zweiten Sintflut Nahrung. Bei aller reizvollen, hin und wieder verspielt sich gebenden Weltabgekehrtheit geht es ihr um Möglichkeiten zu leben. Sie zeichnet sich ab in der Interpretation des Gebotes »Liebe deinen Nächsten wie dich selbst«: ». . . man müßte ein wenig wie alle sein, und zugleich man selbst, dann wäre man beides, barmherzig und stark.«   *(1962)*

Ein Vierteljahrhundert nach ihrem Erscheinen in den Wochenendunterhaltungsbeilagen der New-Orleanser Zeitung »Times-Picayune« und in deren literarischer Zeitschrift »Double Dealer« (die auch auf die Entdeckung Hemingways stolz sein darf), hat Carvel Collins die ersten Prosa-Arbeiten Faulkners wiederentdeckt. Er vereinigte die elf Kurz-Skizzen des Sammeltitels »New Orleans« (aus dem »Double Dealer«) mit den sechzehn umfangreicheren Stücken aus der »Picayune«, und brachte, versehen mit einem besonders ausführlichen, durch biographische Details aufschlußreichen Vorwort, einen Band heraus, der den Faulkner des Jahres 1925 vorstellt, jener Zeit, da er als Postmeister und Lyriker nach New Orleans zog und dort anfing, Prosa zu schreiben, nicht unbeeinflußt von Sherwood Anderson.

Den Anfang dieser sogleich gelungenen Versuche machen die Kurzskizzen »New Orleans«, sie eröffnen auch nun im Buch die Reihe der chronologisch angeordneten Texte: Miniaturen, Mikro-Porträts aus den Straßen dieser Stadt, die Faulkner mit dem Augenblick seines Einzugs beschäftigt und angeregt hat.

Kurz sind die Intervalle zwischen den Arbeiten und sie waren gewiß keineswegs Ruhepausen. Collins erzählt im Vorwort von einer »besseren Dame«, die Faulkner nach seiner Schreibmethode ausgehorcht hat und die auf ihre Frage, ob er einem voraus festgelegten Stundenplan folge oder nur arbeite, wenn der Geist ihn triebe, zu hören bekam, »nur wenn der Geist ihn triebe; aber der triebe eben jeglichen Tag«. Dieser erstaunliche Geist, der zusammen mit Vitalität und eigensinnigem Fleiß Faulkners Riesenwerk bedingt, ist gegenwärtig in jedem dieser »Sketches«, obwohl sie so schnell aufeinanderfolgen. Mit dem Ende des Jahres 1925, aus dem sie alle stammen, nähern sie sich späteren Themenkreisen der Faulkner'schen Epik. Motive der Orleans-Skizzen werden mit Stoff aufgefüllt und erscheinen wieder in den umfangreicheren Stücken der »Times-Picayune« (»Der Flickschuster«, »Frankie und Johnnie«); angereichert, umgestaltet, erweitert wird man sie wiedererkennen in den späteren großen Romanen: Vorstufen zukünftiger Techniken, Skizzierungen kommender Benjys, Snopes und Bundrens.

Damals schon hat Faulkner sein literarisches Ziel gekannt und diese erste Prosa ist so etwas wie die Urschrift zu seinem Werk. Die outcasts, verkrachte Existenzen, haben von allem Anfang an seine Imagination beschäftigt. Der Titel »Aus dem Gesellschaftsleben von Chartres Street« ironisiert snobistische Gesellschaftsspalten; Faulkner porträtiert nicht die Lords, die Bankiers, die Diplomaten, die Leute von Einfluß und Vermögen, sondern macht zu seinen Helden Bettler, Krüppel, heruntergekommene Jockeys, Rennplatzschlepper, Schmuggler, Bankräuber, Handwerker, Gastwirte. Es sind arme Leute, mehr oder weniger unehrlich, tumb oder gerissen, selten rechtschaffen im herkömmlichen Sinn, aber immer aus irgendeinem Grund des Mitgefühls wert. Oft sind es Männer, die resigniert haben, ». . . die einsehen gelernt haben, wie das Leben nicht nur leidenschaftlich oder freudig erregt sei, sondern auch nicht einmal sonderlich kummervoll.« Man sieht: schon der junge Faulkner hat sich mit Klischee-Alten nicht abgegeben. Der alte Flickschuster resümiert: er wisse nicht mehr, ob er je traurig gewesen sei, er habe zwar gewußt, was Freude ist und was Kummer ist, nun aber könne er sich nicht mehr entsinnen: »Ich bin sehr alt: ich hab' viel vergessen.«

Doch trotz stoischer Fügung und leidenschaftslosem Einverständnis haben diese Männer Spürsinn für die geheimen, unsterblichen Hoffnungen des Menschengeschlechts. Seltsam reine, naive, friedfertige Abgesandte, Reinkarnationen Christi oder direkte Nachfahren seiner Jünger, überbringen ihre frohen Botschaften. In der Geschichte »Geburtsort Nazareth« ist es ein sanftmütiger siebzehnjähriger Vagabund: ».. . ihn so zu sehen, in seiner abgetragenen Kleidung, mit dem reinlichen jungen Gesicht, und dem wohltuenden Glauben, daß das Leben, die Welt, unser Geschlecht, doch an irgendeiner Stelle gut und heil und schön sei, war tröstlich zu schauen.« Ein verkrüppelter betrunkener Bettler bringt es fertig, im Konflikt mit bürgerlicher Wohlanständigkeit und Polizeigewalt seine unergründliche Würde zu bewahren; in seiner Niederlage ist doch er es, der als der Sieger erscheinen kann, als Cäsar, geschmückt von unsichtbaren Lorbeeren.

Zwei Wettbummler, hoffnungslos in Streit geraten über ihren guten Fang: einen Geldgeber; ein aufschneiderischer Jockey; ein großspuriger durchtriebener Alkoholschmuggler – noch in der bissigsten Verspottung bleibt der Erzählung von ihren gaunerhaften Miseren ein geradezu liebevoller Unterton. Fast sanften Texten wie »Sonnenuntergang« (die Suche nach Afrika, jenseits des Mississippi, endet mit dem Amoklauf des törichten, vereinsamten und verstörten Negers) oder »Noch bist du Lehrling, mein Junge« (als Mädchen erscheint der Tod einem jungen Strolch im Augenblick, da er sein Leben ändern will), stehen die bitterbösen Grotesken »Yo Ho und zwei Buddeln voll Rum« und »Der Rosenkranz« gegenüber. Daneben dokumentieren andere Geschichten einen hintergründigen listigen Humor: »Ein Glückstag« (eines findigen, unverwüstlichen Bettlers) oder »Der Lügner« (einer, der für seine Lügengeschichten berühmt ist und der, nachdem er zum ersten Mal eine wahre erzählt hat, verbittert, im Bewußtsein, daß ».. . seine Glaubwürdigkeit als Lügner für immer dahin war.«)

Daß eine so interessante und lohnende Entdeckung, wie sie Carvel Collins gelang, hier in Deutschland um einen Übersetzer von schöpferischen Qualitäten bereichert wird, um den einfallsreichen und auf seine Weise nicht minder denn Faulkner erstaunlichen Arno Schmidt, ist eine überaus erfreuliche Zutat bei dieser an sich schon so erfreulichen Publikation.   *(1962)*

VIRGINIA WOOLF
DIE WELLEN
ZWISCHEN DEN AKTEN
DIE DAME IM SPIEGEL

Virginia Woolf, zusammen mit James Joyce, Faulkner und Marcel Proust Begründerin des modernen Romans – dem sie eine sensible und vergleichsweise einfache Abart des Joyce' schen »Interior Monologue« einverleibte – hat von 1882 bis 1941 gelebt. Thackeray war ihr Großvater, ein viktorianischer Geistesgeschichtler, Sir Leslie Stephen, ihr Vater, Leonard Woolf, den sie heiratete, wurde ihr Verleger. In schönen gelben Bänden publiziert nach und nach der S. Fischer Verlag ihr Werk.

»The Waves«, Virginia Woolfs viertes Buch, stammen aus dem Jahr 1931, einer schwierigen Lebenszeit der Autorin; hierzu gehört es, daß in diesem Roman die Wirklichkeit kaum noch greifbar ist. Wirklich wird sie nur in der Spiegelung durch das Bewußtsein. Das Bewußtsein aber löst Raum und Zeit auf, das Leben erscheint als flüchtig und doch unbegrenzt, vergleichbar der riesigen Masse Meer, dessen an- und abflutende Wellen als Symbol für sechs Lebensläufe dem Roman den Titel gaben. Die sechs jungen Leute offenbaren in langen, lyrischen, einander umschlingenden und umspülenden Monologen sich selber: ihr Geschick, ihre psychische und physische Beschaffenheit; und in diesen Innenaufnahmen, die jeweils gemacht werden nach dem die Wirklichkeit sich sozusagen zurückgezogen hat, erscheinen auch die andern fünf, einer im Aspekt des andern. Vorgänge werden nicht direkt wiedergegeben, sondern umgewandelt durch das assoziierende Bewußtsein. Der innere Monolog, dies Charakteristikum der Romane Virginia Woolfs, verdrängt in den Wellen jedes andere Formprinzip. Handlungsabläufe sind unwesentlich, es wird nichts beschrieben, nichts abgeschildert. Insofern bedeutete diese »streams of consciousness«-Technik den Bruch mit der europäischen Natur-

und Fabelepik. Virginia Woolf hat in ihrem kunst-
ästhetischen Aufsatz »Modern Fiction« (1923) mit Romanciers wie Wells, Galsworthy, Benet und anderen Zeitgenossen, die sie als »materialists« bezeichnete, weil sie über
triviale vergängliche Dinge schrieben und das Leben ent-
schlüpfen ließen (»life escapes«), in der folgenden Äußerung
abgerechnet: »Leben ist eine halbdurchsichtige Hülle, die
uns vom Beginn des Bewußtwerdens bis zum Ende umgibt.«
Die sechs Leben in den »Wellen« erscheinen hinter einem
Ajour realer Bezüge; innerhalb der Assoziationen wird die
Wirklichkeit angeblendet und dies Verfahren gibt wieder,
was das Gedächtnis aufbewahrt hat und womit es seine
spezifische, seine wahre Chronologie herstellt: der Aus-
schnitt aus einem Sommer der Kindheit folgt auf etwa eine
Momentaufnahme aus dem Internat oder aus einer Ehe, und
von erheblichen Ereignissen blieb lediglich, aber scharf die
Erinnerung an einen bestimmten Duft, an ein Geräusch, an
eine Wahrnehmung des Tastsinns. Verloren ist alles, greifbar
nichts, bewiesen nur der Tod eines der sechs: mit der
Unermüdlichkeit von Wellen schwemmt er sich immer wieder in die Gedächtnisse der andern herauf, dieser Tod ist für
jeden der fünf ein anderer Tod, er wird wieder fortgetragen,
doch nur, um wiederzukehren mit seinem Treibgut aus
Schuld, Leid, Zweifel und Angst. Obschon die sechs keinen
einzigen der üblichen und roman-»wirklichen« Auftritte
haben und nur durch das existent sind, was sie empfinden
und denken und wessen sie sich erinnern (oder was ihretwe-
gen empfunden und was über sie gedacht und was von ihnen
erinnert wird), entsteht eine präzise, unerschütterliche Analyse ihrer Charaktere, während ihre äußeren Lebensumstän-
de, ihre Schicksale, Lebenssituationen, die nicht seelischen
Konflikte fast austauschbar und etwas verwischt im Schatten
liegen, es sind sozusagen die Wellentäler dieses Bewußtseins-
meeres.
»Between the Acts« erschien 1941 posthum in einer Ausgabe, die Virginia Woolf nicht mehr letztmalig für den Satz

hatte durchsehen können. Ihr Mann aber, obwohl er ein-
räumt, daß die Autorin wahrscheinlich »recht viele kleine
Berichtigungen und Verbesserungen« gemacht hätte,
glaubte, die Herausgabe verantworten zu können, und nach
einigen bescheidenen Erklärungen des renommierten Über-
setzerehepaars Herlitschka, Schwierigkeiten mit einem nicht
druckfertig gemachten Manuskript betreffend, darf man sich
darüber freuen, daß die Bedenken nicht überhand genommen und die Beteiligten die Publikation ermöglicht haben.
Der Schauplatz des Romans ist ein englischer Landsitz. Die
Handlung läuft in einem Zeitraum von einigen Tagesstunden
ab. Es ist Sommer, man empfängt zwei unerwartete Besu-
cher, ein ländliches Festspiel wird vorbereitet und schließlich, am Nachmittag vor zahlreichen Gästen, auf einem
Rasen aufgeführt. Das alte Haus mit seiner Terrasse, seinem
Garten, dem Teich und einer berühmten Aussicht, die Personen, ihre Launen und Eitelkeiten und das, was unentwegt
in ihnen vorgeht (und ihre sprunghafte, brüchige Bewußt-
seinswirklichkeit ist) – es wird präsent in einer notizenhaften
und durchsichtigen Prosa, die den Verwandlungsreichtum
und die Vielfältigkeit eines solchen Tages involviert. Die
Dorfbewohner beweisen Virginia Woolfs Theorie mit ihrem
historischen Schauspiel. In seinen Auftritten aus der elisabe-
thanischen, der klassizistischen und der viktorianischen
Epoche werden Emotionen und Assoziationen der Zuschauer reflektiert. Vergangenheit gewinnt Boden in der Gegenwart. Und die »durchsichtige Hülle Leben« nimmt das auf,
was das Bewußtsein als wirklich akzeptiert. Die technische
Virtuosität der Komposition (ohne die selbstverständlich
sofort dies ganze Unternehmen fragwürdig wäre) erreicht
eine penibel genaue Vergegenwärtigung des Bewußtseins-
stroms bei den Akteuren und bei deren Publikum, das als
Abschluß der Schau Spiegel vorgehalten bekommt: nun wird
fast zu deutlich, was schon vorher ja klar war und jetzt allzu
unverkennbar als Symbol auftritt.
Die erstaunlichen Einfälle der Woolf'schen Imagination wir-

ken sprühregenhaft und luftig, führen aber zu äußerst präzisen und überzeugenden Bildern. »Er fühlte den Champagner sich verflüchtigen und beeilte sich, bevor ihm die letzte Spur von Jovialität entzogen würde, das möglichste herauszuholen, als würfe er vor dem Schlafengehen einen letzten Blick in ein hell erleuchtetes Zimmer.« Ungemein englisch ist der Sprechton, der die ungemein englische Szenerie entwirft. Seine Andeutungen scheinen kühl und sind kühn. Die schwierige Belästigung durch eine unbrauchbar gewordene Ehe wird nur von einigen dieser nervösen, raschen, nippenden Assoziationen angetupft: und eben dies ist ihre wirksamste Evokation. In diesem Roman gibt es vielleicht drei Sätze – drei festere Fäden im Filigran der 204 Seiten Prosa – die von der scheuen und unverschämten, von der vorsichtigen und rücksichtslosen, von der neuen und eingewurzelten Sympathie der verheirateten Isabella zu dem verheirateten andern Mann reden – aber das ganze Buch redet von nichts sonst. Dies verbotene und noch gesperrte Gefühl macht sich innerhalb der andern Szenen als innere Mitte breit und seßhaft. Sämtliche Gefühls- und Erlebnisvaleurs beziehen sich auf sie und um sie baut die sanftfarbene englische Kulisse sich auf. Während X mit Y und Z mit Q beschäftigt ist, wissen wir doch nach wie vor und unablässig im Zentrum Isabella mit ihren gewagten Erwartungen.

Es gibt nur die Romane Virginia Woolfs selber, die den Romanen Virginia Woolfs an Rang und in der Form vergleichbar wären; die durchbrochenen Charakterisierungen, die Impressionismen der inneren und äußeren Schauplätze sind die Erfindung dieser genialen Schriftstellerin, die auch in ihren Erzählungen gewissermaßen aus dem Versteck eines bloßen Hinweises überaus definitive Mitteilungen getrieben hat. So reckt aus dem pointillistischen Sturzregen schimmernder und flackernder Bilder am Ende eine harte Entscheidung sich auf: in der Titelgeschichte des Insel-Bandes »Die Dame im Spiegel«. Verspielten Assoziationen folgt die desillusionierende Entdeckung, daß man, entblößt aller

Vorbehalte und Tarnungen, nichts sei als ein nacktes ekliges Nichts. Die Dame (wieder eine Isabella) erlebt plötzlich und unerwartet vor ihrem Dielenspiegel den Verlust all des Versöhnenden, womit Eitelkeit und Verlogenheit sie zum sogenannten Lebenskampf ausgerüstet haben: »Sie stand vor dem Tischchen, sie stand ganz still. Sogleich begann der Spiegel ein Licht über sie auszugießen, das sie unveränderlich zu machen schien; das, wie eine Säure, alles Unwesentliche und Oberflächliche wegzuätzen und nur die Wahrheit übrig zu lassen schien ... Alles fiel von ihr ab ... Hier endlich war sie selbst. Sie stand nackt in dem unbarmherzigen Licht. Und es war nichts da. Isabella war völlig leer. Sie hatte keine Gedanken. Sie hatte keine Freude. Ihr lag an niemand. Und ihre Briefe – die waren Rechnungen. Seht nur! Wie sie dort stand, alt und eckig, geädert und gefurcht, mit ihrer hochrückigen Nase und ihrem runzeligen Hals, nahm sie sich nicht einmal die Mühe, sie zu öffnen. – Leute sollten keine Spiegel in ihren Zimmern hängen haben.« Ein Gewebe, farbig und schillernd, aus Vergangenheit, Gegenwart und Zukunftshoffnung ist auch die Geschichte »Der Juwelier und die Herzogin«. Der Hochmut und die Geltungsucht erscheinen gleichermaßen als Schuld und als Schwäche. Auch in dem Text »Der Scheinwerfer« zwingt das Leitmotiv – die unfixierbare Zeit, das wirklichkeitschaffende Bewußtsein und der unchronologische Ablauf der Lebensgeschichte – einen Moment der Gegenwart zum Verschmelzen mit einem Moment der Vergangenheit; und hier, am Ende, steht der erhellende, der zugleich vage und definitive Satz: »Das Licht. ... fällt immer nur so auf einzelne Stellen.« Wie das Licht des Scheinwerfers betastet das des Bewußtseins Einzelheiten, setzt sie neu zusammen und gibt den Erscheinungen eine andere Farbe; so entwirft es die wahren Bilder der wahren, nun erst wirklichen Wirklichkeit. »Das Vermächtnis« wird einem verwitweten Mann von der eigenen Selbstsucht beschert; beim Tod seiner Frau muß er erkennen, daß er blind war und betrogen wurde; doch der

Vorwurf fällt auf seine Indifferenz. Die Entdeckung dieser jahrelangen Täuschung, an der nichts mehr rückgängig zu machen ist, entfernt ihn von allem, was vorher sein Leben war. Und auch in der »Jagdgesellschaft« findet sich wieder das diffizile Gespinst aus Vergangenheit, Gegenwart und Zukunft, aus Visionärem und Realem. Nicht nur in den Romanen, auch in diesen fünf Texten wird die einzigartige und unverwechselbare Kunst der Virginia Woolf evident: eine Art von inwendiger Darstellung, die mit dem herkömmlichen Roman Schluß gemacht hat. Virginia Woolf, die von Joyce gelernt hat und von ihm nahm, was sie für ihr eigenes Werk wirksam machen konnte, wird ihrerseits nie aufhören, Anregungen zu geben und Einfluß auszuüben auf Prosaisten nach ihr. *(1963)*

MALCOLM LOWRY
UNTER DEM VULKAN

Meister und ihre Meisterstücke haben es oft schwer; häufig gelten sie jahrelang als Geheimtips unter einigen Eingeweihten, ehe ihr Rang sozusagen offiziell wird. Dem Engländer Malcolm Lowry ging es fast genau so schlecht wie beispielsweise Italo Svevo, dessen Renaissance allerdings noch weiter von seinen Lebzeiten abgerückt ist. Lowry starb 1957 mit achtundvierzig Jahren, und das, was man die literarische Welt nennt, nahm keine Notiz davon. Zwar war zehn Jahre zuvor sein Hauptwerk »Under the Volcano« erschienen, 1951 übrigens auch in einer deutschen Fassung. Aber erst Jahre nach seinem traurigen Alkoholikertod wurde diese schwierige Schriftstellerexistenz und mit ihr das Werk, die Geschichte der Selbstzerstörung, Lowrys eigene Geschichte, entdeckt. Man muß hoffen, daß es diesmal gelingt, den Autor so bekannt zu machen, wie er es verdient und in den USA, Frankreich und England inzwischen auch ist.

Zwölf Jahre lang, von 1934 an, hat Lowry schreibend sein eigenes Sucht-Inferno durchforscht. Im zweiundvierzigjährigen Ex-Konsul Geoffrey Firmin kann man ihn wiedererkennen; ein Selbstbildnis mit Variationen, autobiographischen Details, aber weit mehr Erfindungen, die das Buch über sogenannte Konfessionsprosa hinausheben. Die klinische Genauigkeit der Beobachtung einer Sucht erscheint als Engagement beider: des Autors und seines Helden. Der Roman, auf 393 Seiten ein einziger Tag: Allerseelen 1939 – mit Rückblenden und Assoziationen allerdings die komplette Lebens- und Krankengeschichte eines Alkoholikers – spielt in einer von zwei Vulkanen versperrten Endstation, der mexikanischen Stadt Quauhnahuac. Ein angemessener Platz für Verdammte, die in ihre Verdammnis einwilligen. Den Konsul verfehlen die Rettungsversuche der Leute, die ihn lieben: seiner Frau, seines Halbbruders, ohne Rausch läßt er sich auf die Welt nicht mehr ein, selbst der Rausch erleichtert sie ihm ja zu wenig. Unattraktive Überredungen zur Nüchternheit können ihm nicht einleuchten, während er unaufhörlich und halb freiwillig damit beschäftigt ist, sich selbst zu zerstören, um sich selbst zu befreien. Mit zahllosen Schlucken aus zahllosen Flaschen muß er immer wieder durch sämtliche Trinkerstadien, und melancholisch, euphorisch, weinerlich, illuminiert und deprimiert hetzt trödelt zittert er auf dieser Höllenfahrt, auf der niemand ihn mehr einholt. Denn im Grunde liebt er sein tödliches Treiben, schätzt Schnäpse und ihre Metamorphosen hoch ein. Also trinkt er sich durch den Tag, was bliebe ihm auch übrig, aber keineswegs planlos, sondern höchst konzentriert auf ein Idealmaß, das es nicht gibt, während Frau und Bruder ihm nachjagen, während die Allerseelen-Fiesta in einer apokalyptischen Mischung aus Lebenslust und Totenklage in des Konsuls Rauschdelirien mehr und mehr zu einem Jüngsten Gericht ausartet. Aus der theatralischen Landschaft ragen die Stammkneipen als tröstliche Unterschlupfe, und das »Farolito«, die letzte Cantina der Tagesreise in den Abgrund, mit dem letzten Schnaps, endlich scharfem und unsentimentalem Mescal, vor dem ihn charakteristische Trinkervorsicht bis zum Schluß warnte, diese Zuflucht erscheint wahrhaftig sicherer als jede ausnüchternde Idylle.

Kein unwahres Wort in dieser Darstellung des Trinkens als einer komplizierten und unerträglichen Sache, die nicht ohne groteske Würde und natürlich nicht ohne Tragik, aber frei von beschönigender Romantik ist. Das wahnsinnige Verlangen nach dem Rausch wird nicht euphemistisch aufgezäumt, nicht weinerlich verwässert, auch nicht blindlings angeschwärzt als billige Ausflucht; es bedeutet hier den zugleich schäbigen und erhabenen, den unruhigen und leichtfertigen und unabweisbaren Wunsch, die Welt wäre anders, den Wunsch nach Vortäuschung und Übertreibung; dieser unlöschbare Durst, der doch nur eine Reaktion ist auf den nicht erfüllten Wunsch nach einem Leben, das man ertragen kann.

Im Nachwort rümpft Dr. Rudolf Haas ein wenig hausbakken die Nase über »moderne Erzählexperimente«, auf die Lowry verzichtet habe. Daß dies nicht zutrifft, beweist eine überaus erfinderische, ebenso präzise wie imaginative Prosa, die, von einer Mikrostation zur nächsten, diese Hetzjagd in den Untergang bald aus ironischer Distanz, bald aus leidenschaftlich teilnehmender Nähe verfolgt. *(1964)*

CARSON McCULLERS
DAS HERZ IST EIN EINSAMER JÄGER
UHR OHNE ZEIGER

Heute streitet man sich auch in Deutschland nicht mehr um Rang und Ruhm von Carson McCullers, deren erster Roman *Das Herz ist ein einsamer Jäger* bereits 1940 von renommierten Kritikern des englischen Sprachgebiets gepriesen wurde. Er machte die dreiundzwanzigjährige Autorin auf der Stelle berühmt und gewissermaßen zur Kollegin großer Schriftsteller wie Dostojewskij, Melville und Faulkner, der selber ihr Werk verehrt hat. Man schlug sie für internationale Preise vor und gab sie ihr nicht, wahrscheinlich, weil sie ohne sogenanntes Anliegen unprätentiös schreibt und daher als zu wenig kompliziert erscheint.

Äußerlich angelsächsisch angenehm, sind die Editionen ihrer Romane und Erzählungen beim Diogenes Verlag eine höchst erfreuliche Unternehmung, vor allem wegen früherer Mißerfolge Carson McCullers' gerade in Deutschland. »Das Herz ist ein einsamer Jäger« – ein gefühlvoller Titel, ausnahmsweise diesmal aber keine ins Sentimentale verfälschte deutsche Übersetzungsbenennung, sondern die Entsprechung des Originals. Und während das Buch selber nicht an die Arbeit einer Anfängerin denken läßt, bleibt doch sein riskant melancholischer Name als Reminiszenz an die Jugend der Verfasserin, die in einer erstaunlichen und, wie mir vorkommt, amerikanischen Mischung jeweils beides war: weich und spröde, romantisch und realistisch, empfindsam und streng.

Der Roman spielt im Staat Georgia, in einer häßlichen heißen Industriestadt nach dem Vorbild von Carson McCullers' Geburtsort Columbus. Personen erfindet sie mit Hilfe der Erinnerung; ihr mitleidiges Engagement gilt den Sonderlingen, die in diesen öden merkantilen Städten geradezu als Mißgeburten gelten, einfach, weil sie – durch körperliche oder geistige oder seelische Anomalie – nicht zu den andern passen, nicht mitmachen in deren Alltag: Taubstumme, Trinker, vage Weltverbesserer, alle mit der Sehnsucht nach undurchschaubarer Erlösung. Fünf solcher Helden treten hier auf, in einer Komposition von fünf Einzelhandlungen mit gemeinsamem Thema: die Isolation des Menschen und sein lebenswichtiges Verlangen nach dem unbekannten Ziel. In dem Taubstummen Singer sucht es sich einen Gegenstand. Mit rätselhafter Sanftheit wirkt er als Anziehungskraft auf alle die, von denen sein Gebrechen ihn absondert. Seine

Gegenwart hat Heilkraft, die Haltlosen und die Verzweifelten retten sich zu ihm, dessen Ruhe bloß Beherrschung ist und der selber sich keinem anvertraut: während er sich von den Erregungen der andern beanspruchen läßt, quält ihn die Liebe zu seinem taubstummen Freund Antonapoulos, den man von ihm getrennt und ins Irrenhaus gebracht hat. Er lebt nur für die paar schwierigen Stunden im Jahr, die er mit ihm verbringen kann, und konsequent erschießt er sich nach dessen Tod. Die übrigen vier Einsamen verlieren ihre Zuflucht. Jake Blount, »der einzige in der Stadt mit Wut«, verhinderter Sozialreformer und Revolutionär, Trinker aus Zorn und Schwäche, konnte nur in der Gesellschaft des Taubstummen Beruhigung finden: eine Art Frieden, bekömmlichen Kontrast seiner Alltagsmisere als Karussellmechaniker. Und für das Mädchen Mick verkörperte Singer das Anrecht auf Träume von Musik und von einem Land mit Schnee. Seine Stummheit war als Zärtlichkeit auszulegen, sein Schweigen, das sanft wirkte, als Einverständnis mit ihren Passionen für Unmögliches und Hochfliegendes. Der marxistische Wohltäter und Rebell, der Negerarzt Copeland, traf in Singer den ersten und letzten Weißen, der andächtig und mehr noch: sogar liebenswürdig zu ihm war. Als ein allerdings passiver Freund hörte Singer auch diesem Einsamen zu, schien schweigend die Auflehnung gegen das Joch der Unterwürfigkeit, der Trägheit und des sozialen Elends zu billigen. Schließlich fand auch der warmherzige, gehemmte Kneipenwirt Brannon sich bei Singer ein, wenn auch nur, um stumm wie der Stumme die therapeutische Gegenwart auszunutzen, diese Bestrahlung wortloser Freundlichkeit, in der sie alle vier ihre gemeinsame Sehnsucht nach Zärtlichkeit zu befriedigen versuchten. – In Abarten und Schattierungen sind ihre Melancholien sich ähnlich. Verstört, aber hartnäckig beharren sie auf ihren von der Wirklichkeit verstümmelten Hoffnungen, und dieser Eigensinn bleibt so lange sinnvoll, als Singers Sanftheit ihr recht gibt. Erst sein Selbstmord beendet abrupt die modifizierte Erträglichkeit und fordert neue Selbständigkeiten. In einem Massenkampf auf dem Rummelplatz versiegen Blounts soziale Bekehrungsversuche. Für Mick wirkt der Schock dieses Todes als Anstoß, erwachsen zu werden: unangenehm genug als Verkäuferin im Woolworth, ohne Zeit für euphemistische Träume. Den kranken Copeland erobert seine verständnislose Familie zurück, und nie wieder wird der zu oft mißhandelte Stolz des Negers sich in Liebe verwandeln können. Brannon beschließt, niemand einzelnen mehr zu lieben, sondern allen Gästen und der Nacht seinen großen Vorrat an Gefühl zur Verfügung zu stellen, der Nachteil aller Verfolgten und Verlorenen, für die er als einziger Wirt der Stadt seine Kneipe offenhält – eine trübselige Kneipe inmitten einer trübseligen Stadt; aber ihr Licht brennt und ist wirksam.

Durch Kühnheit sprachlicher, thematischer oder formaler Erfindungen überrascht dies Buch zumindest heute nicht. Aber was simpel erscheinen mag, ist Methode: ohne Interpretation indirekt darzustellen. Daß angelsächsische Autoren erstaunlicherweise meistens auch genau das erreichen, was sie beabsichtigt haben, bewies also bereits mit ihrem ersten Buch Carson McCullers, von der V. S. Pritchett sagte: »Wie alle genialen Dichter überzeugt sie uns davon, daß wir im Leben etwas übersehen haben, was ganz offenkundig vorhanden ist. Sie hat das unerschrockene ›Goldene Auge‹.«

In dem späteren Roman »Uhr ohne Zeiger« blickt dies unerschrockene Auge auf das, was die Autorin schlimmer dünkt als der Tod: auf den Verlust des eigenen Ich. Sie geht dabei von der These aus, jeder Mensch habe die Verantwortung für seine eigene Existenz als das wichtigste ethische Gebot übernommen. Ihr Held, der Apotheker Malone, erfährt, daß eine spät entdeckte Leukämie ihn unaufhaltsam dem Sterben zuführt; er kennt seine knappe Gnadenfrist, weiß, daß er wenig zu leiden haben wird, daß sein mildes, sanftes, eintöniges Leben allmählich ebenso mild und sang-

und klanglos aufhört. Während ihm zunächst nur fassungsloses Selbstmitleid und egoistische Angst zu schaffen machen, stellt ein Satz aus einem Buch ihn plötzlich dem weit größeren Schrecken, der gespenstigeren Wahrheit seines Daseins gegenüber: dem verlorenen Ich, das so viel bedeutet wie verlorenes, vertanes Leben. Dies beunruhigt ihn, so lang er keinen Entschluß fassen kann, aus der Gleichförmigkeit des mitmacherischen Kleinstadtalltags auszubrechen; schließlich ist es eine Entscheidung gegen Gewalt und für sein Gewissen, die ihn befreit und der er ein fast zuversichtliches Sterben, ja sogar ein gewisses Einverständnis mit seinem Tod verdankt.

Wie in ihrem Erstling mischen sich Präzision und Sentiment in einem Stil mitfühlender Sachlichkeit. Carson McCullers ist auf bewundernswerte Weise immer distanziert und engagiert zugleich. Nie fehlt die abstandnehmende Ironie, nie aber auch die Absicht einer bestimmten Mitteilung. Und so gibt auch in diesem Buch das Südstaatenthema, der unleidliche Gegensatz zwischen Schwarz und Weiß, den Selbstverwirklichungsversuchen Malones den typischen McCullers-Rahmen. Im Mittelpunkt dieser Kontrasthandlung steht der senile, konservative, optimistische, lebenslustige Richter Clane, dessen Sohn nach verlorenem Kampf für die Rechte der Neger Selbstmord beging, nicht zuletzt durch die Schuld des engstirnigen Vaters. So muß auch der Richter, aller Vitalität und stumpfsinnig-unerschütterlichen Lebensfreude zum Trotz, unter seiner Abart von Kummer leiden, und zwar immer dann, wenn der kluge Enkel Jester dies allzu selbstgefällige Gewissen, dies allzu leicht versagende Gedächtnis mit Fragen behelligt. So hartnäckig der Richter sich an sein greisenhaftes Anrecht auf törichte Weltfremdheit klammert – er schmiedet absurd reaktionäre Pläne zur Revanche der Südstaaten –: der Enkel Jester, Malones Weg in den Tod, und schließlich der junge Neger Sherman, sie alle verhindern, daß er sich ganz im Unwirklichen einrichten kann.

Schnee – auch Malone träumt davon, wie im ersten Roman das Mädchen Mick. Und nicht nur diese zwei, auch die übrigen Leute der beiden Bücher scheinen aus einer einzigen Stadt zu stammen, ihre ähnlichen Südstaatenträume zu träumen, ähnliche Sorgen und ähnliche Freuden in ähnlichen Wohnungen, Gärten, Straßen zu haben. Es sind diese Leute und ihre Sehnsüchte, Leiden und Hoffnungen, über die Carson McCullers genug wußte, um ihnen in Romanen, Erzählungen und Stories Denkmäler zu setzen, die in den Bereich der Weltliteratur gehören. *(1965)*

MARY McCARTHY
DIE CLIQUE

Den ungeheuren Erfolg von Amerikas First Lady of Letters auch bei uns wollten die wenigsten Beobachter allein dem Buch, die meisten hauptsächlich, einige sogar ausschließlich der Verlagswerbung zuschreiben. Auch aus solchen Unterstellungen spricht wenig Sympathie. Während die Auflage dem 200. Tausend näherrückt, versuchen noch immer grämliche, plötzlich und diesmal erstaunlich seriös sich gebende Tadler vom kalkulierten Erfolg und von extremer Propaganda zu reden. All diese mißgünstigen, skeptischen Nörgeleien kommen mir vor wie Blinde-Kuh-Spielen angesichts der Tatsache, daß keine noch so geschickte Lancierung, keine wie immer raffinierte und aufwendige Reklame und kein Trick einem Buch zu Berühmtheit und Kaufkraft verhelfen können, wenn nicht das Buch selber seinem Anspruch gegenüber standzuhalten vermag. Ein amerikanischer Bestseller mit so positiver Beurteilung im Ursprungsland hat bei uns heute auf jeden Fall Marktchancen.

Nicht nur Offenheit und Deutlichkeit nimmt man bei uns schreibenden Frauen übel, auch außergewöhnliche Intelligenz, die Mary McCarthy immerhin konzediert wurde, scheint unbeliebt zu sein. Die literarische Herkunft der Autorin, die Literaturkritik, suggerierte flugs das Klischee vom »eiskalten Intellekt«, (in »eiskalt« drückt sich die Abneigung aus), der zum Karikieren wohl und zum Essay selbstverständlich ebenfalls, zum Erzählen aber absolut nicht legitimiere – eine höchst fragwürdige Annahme, die von einer sanft-unaufgeklärten Benommenheit des Schreibenden ausgehen möchte. Sogenannter eiskalter Intellekt fällt aber auch wiedermal bei Mary McCarthy keineswegs unangenehm auf, auch ihr schadet Intelligenz beim Schreiben durchaus nicht. Dennoch verfügt diese Erzählerin über Unbekümmertheit, die nötig ist, um das Riesenunternehmen, einen Roman mit neun Heldinnen, neun Lebensläufen samt Rückblenden auf neun verschiedene soziologische Staffagen überhaupt zu riskieren und dann zu Ende zu führen. Ohne Geduld, Selbstkritik und methodischen Eifer hätte dieser Roman nicht entstehen können, und ohne die Genauigkeit, mit der die Autorin ihren Stoff kennt, ohne die Schärfe ihres Blicks und die kritisch kontrollierte Besessenheit der Anteilnahme wäre er nicht so bewundernswert gut gelungen.

Mary McCarthys fröhliche Sorglosigkeit und Selbständigkeit gegenüber zeitgenössischen Schreibweisen verschaffte einer speziellen Sorte von Neidern das Alibi, weil dies ein unterhaltender Roman sei, brauchten sie ihn nicht ernstzunehmen. Der, wie man sagt, leicht lesbare Text ist aber die präzise Entsprechung einer formalen Absicht und insofern Mary McCarthys Beitrag zum Roman. Sie scheint mir zu wachsam, zu intelligent, zu kritisch zu sein, um irgendwas, das sie gern erreicht hätte, zu verpassen und diesen Schaden danach zu übersehen. Das heißt, wenn sie zum Beispiel nicht verfremdet hat, dann wollte sie es einfach nicht. Es kommt mir anmaßend vor, das, was nicht vorhanden ist, als nicht erreicht zu denunzieren. Ich glaube, weil diese Lektüre das Dilemma des Romans vergessen läßt und weil sie Vergnügen bereitet, so daß sie wirkt, als wäre sie bloß zum Vergnügen da, wird sie als leicht und als zu leicht befunden. Dies sei ein

Frauenbuch, lautet ein anderer gönnerhaft-abschätziger Einwand, der mir ebenfalls nicht einleuchtet. Die neun Absolventinnen des renommierten Vassar-College im Staat New York (die Autorin weiß Bescheid, weil sie dort selber studiert hat), deren Lebensschicksalen die Handlung bis zum Jahr 1940 folgt, haben immerhin alle miteinander ausführlich und gründlich mit Männern zu tun. Sie treffen sie im Beruf, auf Gesellschaften, sie werden von ihnen geheiratet, auch nicht geheiratet, nett behandelt, von oben herab behandelt, schlecht behandelt, sie erleben männliche Verhaltensweisen während mehr oder weniger unangenehmer, meistens enttäuschender Liebschaften. Wie kann es für Männer unwichtig sein, diesen Stoff in der scharfen Sicht einer höchst gescheiten, informierten, allerdings kritisierenden und nie sentimentalen Frau kennenzulernen? Freilich fehlen freundliche Beschönigungen ganz. Von Ehrfurcht, Verehrung und blinder Liebe wird hier zwar auch geredet, niemand aber ist ihrer würdig. ·

Der Verdacht soll nicht aufkommen, eine Männerfeindin habe sich allerlei Haß von der Seele geschrieben. Vielmehr hat die Autorin offenbar Spaß am Leben und selbstverständlich an einem mit Männern. Frauen behandelt sie nicht schonender, aber sie weiß mehr über sie: als Frau. Das ist eine reelle, eine zuverlässige Art zu schreiben: nur von dem, was man weiß. Aller leidenschaftlichen Eloquenz bei weiblichen Themen wie Säuglingsernährung, Kochrezepten, Emotionen stillender Wöchnerinnen – aber es schadet auch Männern nicht, davon zu hören – steht mindestens ebenso viel Engagement bei »männlichem« Stoff gegenüber – falls man diese Unterscheidung überhaupt mitmachen und bejahen will. Das Kapitel über Empfängnisverhütung zum Beispiel müßte anstandshalber für beide Geschlechter gleich interessant sein; genauso die Aufschlüsse über New Yorker Theater-Betrieb, amerikanische Verlagsgeschäfte, psychoanalytische Behandlungsmethoden und ihre Wirkung auf Patienten, Reaktionen auf die Wirtschaftskrise, Parties, Eheschwierigkeiten. Es sind von Szene zu Szene prägnante Kurzdiagnosen, die sich eine wie die andere der zentralen Frage nach dem Sinn dieses american way of life mit seinen zivilisatorischen und nicht immer auch menschlichen Errungenschaften angliedern und unterordnen. Diese bald mokant, bald sarkastisch, immer auch etwas melancholisch gestellte Frage beherrscht die gewaltige indiskrete Ausführlichkeit, das ganze wortreiche, kluge und unterhaltsame Geplauder. Die Clique, freilich ein kleiner gesellschaftlicher Bereich, führt amerikanischen Lebensstil vor. Daß man ausgerechnet im halbwegs amerikanischen Westdeutschland hierfür Interessenten gewinnen konnte, sollte doch keinen wundern. So war es, alles in allem, gar nicht nötig, diesen Erfolg mehr zu manipulieren als andere auch. Keiner kommt ganz von selbst, das steht fest, und dies Buch hat ihn aus mehr Gründen verdient als manches andere. Und er war zu erwarten. Es ist zu einfach, einen Bestseller von vorneherein anrüchig zu finden. Und beleidigt sich so zu stellen, als wäre Werbung etwas Böses. Und bei einem Erfolg sich a priori mit Mißtrauen zu wappnen. Diese Reaktionen, an denen die schlechten Beispiele schuld sind, dürfen sich nicht selbständig machen. Übrigens wirkt nichts veraltet, nichts überholt in diesem Roman, der doch in den 30iger Jahren spielt: daran kann höchstens das Kapitel über Priss erinnern, wo Flaschenernährung comme il faut ist und Stillen eine Sensation. Ich glaube, man denkt jetzt wieder anders darüber.

(1965)

JEROME D. SALINGER
KURZ VOR DEM KRIEG GEGEN DIE ESKIMOS UND ANDERE KURZ-
GESCHICHTEN
FRANNY UND ZOOEY
FÜR ESMÉ

Es war Holden Caulfield, der »Fänger im Roggen«, dessen sperrige Anziehungskraft zu spät, aber schnell Jerome D. Salinger auch in Deutschland fast populär gemacht hat. Das gelang erst, nachdem von Böll eine Übersetzung aus dem Jahre 54 bearbeitet worden war. In der Reihe »Die kleine Kiepe« erschien allerdings schon 1961 der Erzählungsband »Kurz vor dem Krieg gegen die Eskimos«, doch wurde er nicht berühmt wie der Roman, Geschichtenleser sind rar. Vorher galt Salinger bei uns bestenfalls als Geheimtip unter den Liebhabern der Kurzprosa, bekannt unter Kennern, während in Amerika seit dem Kriegsende sein Ruhm und sein Einfluß wuchsen; man vergleicht seine Wirkung auf die amerikanische Jugend nur der Scott Fitzgeralds und Hemingways auf die Jugend der Zwanziger Jahre. »The Catcher in the Rye«, in viele Sprachen übersetzt, hat in der Originalausgabe eine Auflage von mehr als einer Million Exemplaren erreicht. Dieser immer noch viel größere Erfolg in Amerika mag damit zu tun haben, daß der von Salinger geschaffene Typ des unlustigen, müde-aufsässigen Individualisten in Deutschland weder häufig noch beliebt ist. Wenn schon Zorn, dann lieber nicht so illusionslos-depressiv, lieber berserkerhaft, denn so ist er als jugendliches Ungestüm leichter abzutun. Jedoch: auch bei uns hat Holden Caulfield ja sich Sympathien erworben, dies beweist die Auflagenhöhe und stimmt froh. Denn obschon es immer wieder die gleichen Leute sind, die die richtigen Bücher richtig zu schätzen wissen, so stellt doch der Nachweis zufrieden, daß der Kreis dieser Leute gar nicht so klein sein kann.

Salingers Helden, alles andere als heldenhaft, sind Teenager und Twens, seine Schauplätze deren Colleges in der Nähe von New York und die Familienwohnungen in New York selber. Umgeben von gutwilligen, einfältigen, scheinheiligen Mitmachern probieren sie Auflehnung nur aus und scheitern an ihr, zum Leiden stimuliert durch komplizierte Empfindlichkeit. Die Ursache ihres Grolls ist Traurigkeit, böse sind sie aus Kummer, ihre Krankheit heißt Enttäuschung: sie sind ausgerüstet mit zuviel Fantasie, Sensibilität und Intelligenz, es quält sie der Zwiespalt zwischen dem Anspruch, den sie an ihr Leben stellen, und der Öde, die es bietet. Das, was man etwas albern als »Herz haben« bezeichnet, ist sämtlichen Salinger-Typen eigen, und gerade deshalb fluchen und verzweifeln sie so häufig. Sie sind Einzelgänger, die keine Lust haben, sich zu verteidigen, Rebellen, aber nicht militant. Sie wollen allein sein, aus instinktiver Abneigung gegen sogenannte Gemeinschaft. Ihre Enttäuschung ist vor der Erfahrung da, sie sind jung und doch schon fast weise.

In der Geschichte »Kurz vor dem Krieg gegen die Eskimos« ist kein derartiger Krieg in Vorbereitung, wird keiner stattfinden: ein Wesensverwandter des Holden Caulfield, der vierundzwanzigjährige Franklin, ersinnt ihn aus Empörung über die stupide, sich selbst befehdende Gesellschaftsordnung, sein Haß schließt Wehrmeldeämter, Colleges, Flugzeugfabriken und die törichten traditionellen Ressentiments des zwanzigsten Jahrhunderts ein, verschont aber das kleine Mädchen Ginny, mit dem zusammen dieser Franklin ein typisch salingersches Dialog-Gespann ergibt: der junge Mann, störrisch und unzufrieden, krank vor Melancholie, ohne Elan und Hoffnung, offenbart sich auf eine mürrischgescheite Weise dem eigentlich zum Verstehen noch zu jungen Mädchen, dessen Sensibilität gleichwohl die schwierige Unschuld und die leidenschaftliche Niedergeschlagenheit des jungen Mannes spürt. Die Geschichte enthält die wichtigsten Salinger-Charakteristika: es wird fast nur geredet, argumentiert, wenig Szenerie, verschwiegene Gefühle, die plötzlich aber, durch minutiöse verändernde Handlungen sich zu erkennen geben. Hier wird ein Hühnersandwich zum Schlüssel der Geschichte: im Verlauf ihrer Unterhaltung drängt Franklin es Ginny auf; ihr jedoch, der nach Essen nicht zumute ist, gelingt es, dies fragwürdige Geschenk heimlich in ihrer Manteltasche zu verstauen. Auf dem Heimweg, nach der Begegnung mit Franklin, die in jeder Hinsicht neu, bestürzend und faszinierend für Ginny war, »griff sie in die Manteltasche und fand das halbe Sandwich. Sie nahm es heraus, ließ schon den Arm sinken, um es auf die Straße fallen zu lassen, steckte es aber dann in die Tasche zurück. Vor ein paar Jahren hatte sie drei Tage gebraucht, um das Küken loszuwerden, das sie tot im Sägemehl auf dem Boden ihres Papierkorbs gefunden hatte.«

Die Sympathie, die Salingers junge Leute in derart seltenen Glücksfällen unerwartet füreinander entdecken, ist immer vorsichtig und ohne Überschwang, aber gerade deswegen zuverlässig. »Der Lachende Mann«, im gleichnamigen Text, ist der mißgestaltete, schreckeinflößende, von gefährlicher Einsamkeit umwitterte Fabelheld einer Fortsetzungsgeschichte, die der Führer einer Pfadfindergruppe für seine Gefolgsleute erfindet. Doch nicht die fantastische Mißgeburt der wöchentlichen Erzählungen, sondern der Erzähler selber steht im Mittelpunkt des Interesses, ihm gilt die Verehrung seiner jungen Zuhörer, die er per distance an Glück und Scheitern einer kurzen Liebesaffäre teilnehmen läßt. Auf dem Höhepunkt seines Liebeskummers bringt der Häuptling die Geschichte des Lachenden Manns zu Ende: der Tod des Helden beschließt sie endgültig und damit einen Lebensabschnitt für alle, die sich mit ihr beschäftigt hatten. In der satirischen Erzählung »Die blaue Periode des Herrn de Daumier-Smith« entdeckt der Icherzähler, Kurslehrer an einer obskuren Fernschule für Malerei, unter anmaßenden und albernen Briefschülern eine begabte Nonne. Während er sich abplagt mit der Unterweisung von Hausfrauen und Fotografen, die sich zu Rembrandt und Walt Disney bekennen, träumt er von der schöpferischen Schwester Irma. Das

Veto ihrer Oberin vernichtet seine Kraft, den heuchlerischen Dienst an »Les Amis des Vieux Maîtres« fortzusetzen.

Zwei ehemalige Schulfreundinnen betrinken sich, die eine aus Langeweile, die andere aus Kummer; vertieft in alte Schul- und Klatschgeschichten. Daneben beharrt die eigensinnige Einbildungskraft eines Kindes auf ihrer Welt; in »Onkel Wackelpeter in Connecticut«. Künstlich und fragil steht die frenetische und jammervolle Lustigkeit der beiden Frauen der eindeutigen, paradoxerweise realeren Phantomwelt des Kindes gegenüber: es hat die überzeugenderen Beziehungen zu seinen bloß erfundenen Freunden.

Der Band »Franny und Zooey« besteht aus zwei Erzählungen, die thematisch zusammengehören. In der Einwanderer-Sippe Glass, einer Familie schwieriger Wunderkinder, sind Franny und Zooey die beiden jüngsten von sieben Geschwistern, und noch nicht frei vom Einfluß Buddys, der nach dem Selbstmord des ältesten Bruders Seymour ihre geistige Erziehung fortsetzt: mit freundlich distanzierter Autorität. Franny, einundzwanzigjährige Studentin, und Zooey, der fünfundzwanzigjährige Schauspieler, waren wie die andern Glass-Geschwister in ihrer Kindheit Mitwirkende einer Rundfunkserie namens »Das kluge Kind«, einer Quiz-Sendung für Kinder. Aus dem fast zwei Jahrzehnte betragenden Altersunterschied zwischen dem ältesten Sohn Seymour und Franny, der jüngsten Tochter, ergab sich eine Art dynastischen Erbanspruchs der Familie auf die Kluge-Kind-Sendung. Diese Betätigung, die zu verfrühtem Ruhm und Starkult geführt hat, aber auch die Erziehung durch die beiden ältesten Brüder und deren Eklektizismus, machen Franny und Zooey das Leben als Erwachsene schwer. Sie sind zu kritisch, zu sensibel und zu intelligent, um ohne Widerstand und ohne Qualen die Diskrepanz hinzunehmen, die sich zwischen ihren Erwartungen und der Wirklichkeit auftut. Leiden und Ungeduld, Überdruß und Unbehagen und schließlich die Sehnsucht nach Erlösung, bis zu mystischer Verstiegenheit, bringen Franny in eine Krise: in der ersten

Erzählung. In der zweiten befreit Zooey sie, denn er durchschaut ihre Angst davor, zu werden wie alle, und ihre Rettungsversuche, zu denen die abgeschiedenen Bereiche fernöstlicher Mystik herhalten sollen. Franny klammert sich an Tröstungen, die ihr so gut gefallen, weil sie ihr so fern liegen. Mit dem banalen, kränkenden Alltag haben sie nichts zu tun; deshalb beharrt Franny auf ihnen und findet aus demselben Grund an ihnen keine Hilfe. Zooey gelingt es im Verlauf zweier Predigten, Franny aus der gewaltsamen Esoterik zurückzuholen. In der ersten Predigt beweist er ihr, wie unglaubwürdig und ungerecht ihre religiösen Wunschvorstellungen seien. Denn, und dies erfährt Franny in Zooeys zweiter Predigt, Gott, den sie sucht, ist genau da, wo ihre Überheblichkeit keinen Spaß dran hat, ihn zu sehen, im Geringsten, das Seymour einst als die DICKE FRAU gekennzeichnet hatte. Daran erinnert Zooey seine Schwester: »Es ist mir gleichgültig, wo ein Schauspieler spielt. Es kann im Sommertheater sein, es kann im Rundfunk sein, es kann im Fernsehen sein, es kann in einem verdammten Broadway-Theater sein, wo das Publikum aus den Elegantesten, Wohlgenährtesten, Sonnengebräuntesten besteht. Aber ich werde dir ein schreckliches Geheimnis erzählen – hörst du mir zu? Da UNTEN SITZT KEINER, DER NICHT SEYMOURS DICKE FRAU WÄRE. Und das schließt deinen Professor Tupper ein, Mädchen. Und Dutzende von seinen blöden Vettern. Es gibt nirgendwo IRGEND einen, der nicht Seymours Dicke Frau wäre . . . Und weißt du noch nicht . . . WER DIESE DICKE FRAU IN WIRKLICHKEIT IST? – Aber Mädchen, Mädchen. Es ist Christus selber, Christus selber, Mädchen.« (Dies Zitat wird zugleich auch wohl das Wort Predigt abschwächen, oder abwandeln, denn im üblichen Sinn paßt es durchaus nicht, wenngleich das, was Zooey vorbringt, vom Gewicht einer Predigt ist.) Rings um die Dialoge, Argumentationen, Telefonate schließen sich die konkreten Details der salingerschen Prosa. Obschon nur drei Mitglieder der individualistischen Glass-Familie auftreten – neben den jüngsten Geschwistern die zugleich prosaische und verstiegene Mutter namens Bessie, eine ehemalige Vaudeville-Tänzerin, gesprächig, unerbittlich in ihrer Liebe, voll Humor und Würde –, werden sie alle miteinander präsent, ihr Glass-Charakter, ihre Glass-Komplexe, das Clanhafte und Introvertierte. Salingers Erzählweise ist imgrunde konventionell, er ist noch der allwissende Autor. Der Sprechton wirkt kunstlos und dies ist seine Kunst. Unbezweifelbar ist die Lebendigkeit seiner Porträts, die ohne Beschreibung zustandekommen; er vergegenwärtigt seine Leute durch die Art, in der sie reden, und durch das, was sie reden, und was sie verschweigen. Was man bei uns im allgemeinen Schriftstellern vorwirft: Unwandelbarkeit bis zum Auf-der-Stelle-treten, erscheint beim Amerikaner Salinger als legitim, ja liebenswert. Dies Beharren auf seinen Motiven, auf seinem Grundthema, ja auf denselben Leuten – der Glass-Familie schreibt er mit der Zeit, wenn auch weit ausgestreut in einzelnen Erzählungen, eine Art Familienchronik –, seine Unbeirrtheit darin, nicht im eigentlichen Sinn »moderne Prosa« zu verfassen, diese Verstöße gegen den literarischen guten Ton weisen ihn selber als Einzelgänger von der Beschaffenheit Zooeys aus: »Pfui Teufel ... alle diese hochgestochenen Collegeboys, die die literarische Zeitschrift ihres Campus herausgeben. Da ziehe ich jederzeit einen redlichen Gangster vor.« Diese Schwätzer, die mit dem größten Wohlbehagen sich in der Trivialität ihrer angeblich weltoffenen Lebensbereiche wohnlich einrichten, diese stets munteren Mitläufer verabscheut Salinger, eins mit seinen Helden.

Für das, was nur die Kurzgeschichte vermag: die Essenz eines Lebens durch einige Momentaufnahmen und ausgebaute Augenblicke zu erfassen, liefert die Mikrotragödie »Ein herrlicher Tag für Bananenfisch« (aus dem kleinen Erzählungsband »Für Esmé«) geradezu ein Musterbeispiel. Die nur angedeutete Handlung entwickelt sich auf Umwegen: über ein Telefonat zwischen Seymours Frau und seiner Schwiegermutter – womit Oberflächlichkeit und Öde als deprimierende Kulissen einer Alltagswelt hingestellt werden –, und über einen Dialog, den Seymour am Strand mit einem kleinen Mädchen führt und der schon ahnen läßt, daß Seymour allerhöchstens noch mit anmutigen, fantasiebegabten Kindern sprechen kann. Dies indirekte Verfahren, durch das gleichwohl alles Wichtige spürbar wird, verblüfft am Schluß mit der schaurigen Pointe von Seymours Selbstmord.

Salingers Erzählungen können sich dessen rühmen, Leser neugierig zu machen. Titel führen immer in die Irre und es wird stets von den ersten Zeilen an etwas Unvorhersehbares erwartet, jedoch gewissermaßen unter der Hand, die Spannung ist in der Atmosphäre gespeichert. Und diese Atmosphäre, innerhalb einer oft bloß skizzierten Szenerie, ist niemals künstlich, sondern immer zuverlässig wahr. »Für Esmé – mit Liebe und Unrat«, heißt der volle Titel der Geschichte, die den Band benannte. Für den Icherzähler ist sie eine Art Auftrag: kurz vor der Invasion, gegen Ende seiner Ausbildungszeit in Devonshire, lernte er das Mädchen Esmé kennen, dessen anspruchsvolle Unschuld, Charme und naiv-ernsthafte Ambitionen ihn beeindrucken, und dem er eine Geschichte verspricht, mit Gefühl, aber auch mit »Unrat«. Den liefert ihm in den folgenden Kriegsjahren sein eigener Nervenzusammenbruch. Und entdeckte er nicht eines Tages unter alter Post und vernachlässigtem Besitz ein nie geöffnetes Päckchen und einen Brief Esmés, dann hätte er vielleicht nie zurückgefunden zu Ruhe, Schlaf und einer neuen, vorsichtigen Zuversicht.

»Hübscher Mund – grün meine Augen« ist wieder eine Telefon-Geschichte. Ein Ehemann sucht Beistand ausgerechnet bei dem Mann, der seine Ehe bricht. Während die Frau des mit Recht Eifersüchtigen ungerührt neben dem Ehebrecher sitzt und dem Gespräch zuhört, wandeln sich die Gefühle der Männer: der Ehemann nimmt plötzlich mit einer Lüge seine untreue Frau in Schutz, der Ehebrecher verliert daraufhin den Geschmack an der anrüchigen Affäre. Zwischen beiden bleibt die Frau ahnungslos und unverändert. »Unten beim Boot« macht mit einer älteren Schwester von Franny und Zooey bekannt: Boo Boo erzieht ihren kleinen Sohn Lionel, einen notorischen Ausreißer, auf dessen Sensibilität die der Mutter mit typisch angelsächsischem understatement antwortet: fast ein pädagogisches Exempel – nur würden wohl wenige deutsche Mütter es akzeptieren wollen. Überhaupt gilt zwischen Salingers Eltern und ihren Kindern der Begriff Autorität nicht. Die Eltern erkennen, ohne je auf Respekt und Ehrfurcht zu pochen, die Gleichberechtigung und häufig sogar die Überlegenheit ihrer Kinder an. In der Geschichte »Teddy« erscheint das unvermeidlich: der Zehnjährige ist ein Wunderkind, befragt von Professoren, seine Klugheit von Bandaufnahme zu Bandaufnahme steigernd. Bei all dem macht er sich nichts aus dem erschütterten Staunen, das er mit Gaben weckt, die ihm normal vorkommen. Traditionelle menschliche Sentiments, die übliche Art der Liebe, das herkömmliche Verständnis des Begriffs Gefühl mißbilligt er. »Wenn ich Gott wäre, verlangte ich bestimmt nicht, daß mich die Leute gefühlsmäßig lieben. Das ist keine zuverlässige Liebe.« Dieser Ted erscheint als Reinkarnation eines indischen Weisen, durch dessen Stimme Salinger unsere Denk-Routine beanstandet. Es sieht so aus, als arbeite Salinger mit leichter Hand: das wird es ihm nie ganz leicht machen in Deutschland, wo es Autoren seines Schlags kaum gibt. *(1965)*

WALTER HELMUT FRITZ
ZWISCHENBEMERKUNGEN
ABWEICHUNG

»Achtsam sein« hieß 1956 der erste Gedichtband von Walter Helmut Fritz, der 1964 zum erstenmal auch Prosa veröffentlichte: »Umwege«, ein Band mit kürzeren Stücken, bewies sofort Sicherheit auf dem andern Terrain. Der Erstlingstitel konnte immer noch gelten, und auch seine zwei neuen Bücher, die beide dieses Jahr erschienen sind, erwecken die gleiche Reminiszenz. Wie ein Kennwort paßt das gelassene Programm zu diesem konsequenten Schreiben.

Die achtsamen Leute bei Walter Helmut Fritz wollen während ihres Aufenthalts zwischen Geburt und Sterben auf der Hut sein vor sich selber, gleichwohl in der Gewißheit, daß sie dauernd und unausweichlich etwas Besseres, Befriedigenderes verfehlen, während sie, lebend, zerstören und verletzen. Durch Zwang wird nicht erreicht, was erstrebenswert wäre, etwa: gut zu sein – so vage das klingen mag. Oder: den Veränderungen der Zeit auf der Spur zu bleiben und die eigene Existenz als ein kleines historisches Ereignis zu begreifen. Solche bloß zurückhaltend angesteuerten Ziele rücken durch Bewegungen der Sprache in eine Greifbarkeit. Schreibend verwirklicht Fritz sein Vorhaben gegen die Zeit und ihre Entstellungen des Gelebten. Die Prosa-Aufzeichnungen »Zwischenbemerkungen« liegen als glaubwürdige Station auf dem geraden Weg von den Erzählungen des letzten Jahres zum ersten Roman »Abweichung«. In diesen unpathetischen Denkübungen offenbaren sich die Willensanstrengungen des Sensiblen gegen die Vergänglichkeit, gegen die Umwandlungen, die an Personen von der Zeit vorgenommen werden, sie suchen Abläufe zu analysieren, um sie zu verstehen, Früheres wiederzufinden, um zu verstehen, ob man selber der war, den man dafür hielt. Diese vorsichtig-gründlichen Selbsterforschungen, jeweils bloß einige Zeilen lang und alle in gemeinsamem Zusammenhang, gehen voreiligen Übereinkünften aus dem Weg. Gedankengängen und Emotionen wird bis zuletzt mißtraut. Von den hier präsentierten Personen, deren seelischen Efforts Fritz nachgeht, ist in der 3. Person Plural die Rede, sie haben keine Namen: so entsteht Abstand, der den Raum, in dem sie sich befinden, übersichtlich macht. »Sie« empfinden mit Bestürzung und Beklommenheit die Abstufungen von dem, was sie füreinander und für sich selber vorhaben und wünschen, und dem immer etwas Farblosen, dem enttäuschenden Ersatz-Anderen, das sie erreichen. Sie bemühen sich, Erinnerungen zu »bewachen«, »aufzuschreiben, was war«: um so vielleicht Bereiche des bloß Feststellbaren zu verlassen. In diesen gar nicht munter-optimistischen und lösungsfreudigen Sprech- und Denkbewegungen erkennt man Aspekt, Tonart und Thema des Autors wieder, wenn auch in strengerer, die Knappheit bis zur einfachen Nennung zwingender Ausdrucksweise. Behutsame und genaue Sätze, einer von Fragen bewohnten Stummheit abgerungen, gehen dieser Stummheit wieder entgegen, auf der Suche nach Antworten. »Es gab etwas, das abwich.« Der Satz von Italo Svevo, Motto des Romans »Abweichung«, läßt auf keiner der 176 Seiten von P. und M. ab, den Personen, die man aus den »Zwischenbemerkungen« wieder anzutreffen meint, um einen Schritt von der Anonymität unpersönlicher Untersuchung freigegeben. Was abwich von einem Vorsatz, von einer Hoffnung, von einer Erinnerung, wird ihnen schließlich erkennbar: als ihr Leben. Abweichung ist das Resultat ihrer gemeinsamen Anstrengung und ihrer guten Absicht zu leben. In der Beobachtung und ihrer Beschreibung befinden sie sich auf Erkenntniswegen. Sie streben nach Vergewisserungen, registrieren sich durch die Faktizität, die ihnen darum doch als nicht weniger fragwürdig erscheint; Vorgänge und Abläufe verändern sich in ihr. Was ist noch sichtbar, was hat Anspruch, für wahr und wirklich genommen zu werden, was war tatsächlich? Eine Heirat, ein Umzug, das Zusammentreffen und Zusammenleben von zwei Leuten, die sich allem Anschein nach lieben, das Anwachsen von Erinnerungen, unzuverlässig wie alles, was diese beiden teilen und was die gemeinsamen Jahre wegrücken und deformieren, der Alltag in einem neugebauten Hochhaus – sind das womöglich bloß Wahrscheinlichkeiten, bloß Aussichten, denkbar, anwendbar, erfahrbar? Ließen P. und M. sich auf andere Beziehungen ein, hatten sie einen kleinen Sohn, verging ein Vierteljahr? Fixierend, aufschreibend wird Umwelt erkundet, häufen sich Erlebensvarianten, setzt eine mögliche Wirklichkeit sich zusammen. So wie bei P. und M. mag sich, in alltäglichen Geschehnissen und in der üblichen Bindung aneinander, die Existenz eines Mannes und die einer Frau manifestieren: Fritz probt hier sozusagen Möglichkeiten durch. Seine Methode verfehlt nicht den Effekt der Fremdheit, obwohl zum Inventar der P.schen Welt sich sogleich der Kontakt des Wiedererkennens einstellt. P.s und M.s Funktionieren in den angebotenen Wirklichkeitsausschnitten zwingt den Leser zur Identifikation. Denn nicht um ihrer selbst willen, nicht aus purem Objektivismus heftet die hartnäckige Deskription sich den Geringfügigkeiten und den Einzelheiten an. Der Mensch, der sie vornimmt, bleibt in ihr gegenwärtig. Seine besondere Sehweise macht sie interessant, färbt sie persönlich, während sie den Zweck erfüllt, Stück für Stück der Wirklichkeit habhaft zu werden. Aussparungen verdichten die verschiedenen Abschnitte des Buches zu Konzentraten. Die Dialoge wirken als Beispiele, in ihnen gerinnen die freundlich-matten, ausweichenden Unterhaltungen der einander Entfremdeten. Der Monolog einer Frau, zweieinhalb Seiten lang, beinhaltet das Schicksal ihres Lebens. Einige Wenn- und Warum-Sätze bringen es fertig, einen Verkehrsunfall durch Frage, Imagination und Andeutung zu rekonstruieren. Das Schreiben dieses Autors nähert sich kühl und vorsichtig seinen Gegenständen, fängt Stimmen auf, zwingt Augenblicke zum Stillstand. Handlung wird als Vorschlag angeboten, Erfahrungsmöglichkeiten präsentieren sich, Skepsis kontrolliert, was schließlich, erst nach einem Zögern – so scheint es – sich zur Formulierung bereit erklärt. Es entsteht Prosa, der Tricks und Abschweifung nicht liegen, ruhige klare Prosa, das Ergebnis eines eigensinnigen Bestehens auf Genauigkeit.   *(1965)*

Johannes Bobrowski ist am 2. September gestorben. Er war
erst achtundvierzig, und sein zu früher und unerwarteter
Tod hat alle, die ihn kannten, beunruhigt und bestürzt. Er
stammte aus Tilsit und lebte als Verlagslektor in der DDR:
dort und in Westdeutschland erschienen seine Bücher, dort
und in Westdeutschland besaß er Freunde; damit nahm er
eine Art Zwischenposition ein, man traf ihn hier und dort
auf Schriftstellertagungen, seine Person erbrachte den Beweis für die Möglichkeit des Kontakts, sie war fast ein
Symbol dafür. Mir ist es nicht recht, daß jetzt die politische
Niedergeschlagenheit über diesen Tod der privaten und
persönlichen Trauer den Vorrang nehmen will. Freunde
beklagen den Verlust dieses liebenswürdigen, gescheiten und
bescheidenen Mannes, doch die Hauptsorge ihrer Nachrufe
scheint zu sein, wie nun ohne Bobrowski, dies Beispiel für
Takt, Versöhnlichkeit und politische Aktivität, die literarischen Beziehungen zwischen den entzweiten Deutschen
weitergehen sollen. Zu den verschiedenartigen Emotionen,
die ein solcher, gewissermaßen öffentlicher Sterbefall herauf-
beschwört, kommt noch, bei einem Schriftsteller, so etwas
wie Mitleid mit seinen unausgeführten künstlerischen Vorhaben, mit seinem ungeschriebenen Werk. Das, was vorliegt,
muß nun durch einen Gewaltakt alles sein, was er hat äußern
können. Dem Rezensenten wird unsachlich zumute und er
findet das in diesem Fall vielleicht sogar angebracht. Sein
Geschäft kommt ihm jetzt fragwürdig vor. Die Rezension,
geschrieben, damit auch der Autor sie lese – falls der das
nicht ablehnt – hat einen Partner verloren. Mein Autor lebt
nicht mehr. Wenn ich Hans Werner Richter wäre, der am
Grab den Toten bat, »ein Auge auf uns zu behalten«, könnte
ich mir eine überbrückbare Distanz einbilden. So aber muß
ich mein Selbstgespräch vergeblich an dieses verlorene Gegenüber richten.

»Levins Mühle« ist der erste Roman Bobrowskis, der zwei Lyrikbände veröffentlichte: 1961 »Sarmatische Zeit«, 1962 »Schattenland Ströme«. Für beide wurde er mit Preisen ausgezeichnet, ebenso für den Roman. Bobrowskis Gedichte hingen eng mit den Erinnerungen an sein Geburtsland zusammen. Thema, Schauplatz und Diktion auch der Prosa bleiben da zuhause, in den östlichen Gegenden seiner Herkunft. Traumwandlerisch sicher bewegt sich dort der Erzähler des balladesken Vorgangs, wie sein Großvater Levins Mühle wegschwemmte. Er zeigt die farbige Bevölkerungsmischung aus Polen, Deutschen, darunter Juden, Zigeuner, Arme, Reiche, Unterdrückte, die aufbegehren wollen, Unterdrücker, die diesen uralten ungerechten Kampf gewinnen, wenn sie auch moralisch unterliegen. Bobrowski verlegte die Handlung in die siebziger Jahre des vorigen Jahrhunderts, aber das macht sie nicht unaktuell: es sind bereits Deutsche, die sich nicht mit den andern vertragen. Und weil es außerdem ein Jude ist, Levin, den man verfolgt und vertreiben will, entbehrt dieser Blick zurück durchaus gemütlicher Beschaulichkeit. Daß die »34 Sätze über meinen Großvater« keine friedliche Abendlektüre für Leser sind, die gern an die »gute alte Zeit« glauben möchten, verrät unter anderm der 15. Satz, im 9. Kapitel der ländlichen Chronik: »Der 15. Satz gehört nicht zur Handlung. Wenn auch zu uns, er heißt, nicht ganz genau: Die Sünden der Väter werden heimgesucht an den Kindern bis ins dritte und vierte Glied.« So spricht der Autor auch von sich und von uns, von Schuldigen, von einer Kette, die kein Ende hat. Und sein 34. und letzter Satz lautet nur: »Nein.« Es ist ein Nein gegen Leute, die ihre Schuld nicht anerkennen wollen und darauf bestehen, in Ruhe gelassen zu werden.

Allerdings ist Bobrowskis Schreibmethode sanft; er präsentiert seine unbedeutend bloß scheinende, vorbotenhafte Dorfangelegenheit mit einer gütigen Schwäche für die ländlichen Details, mit nachsichtiger Liebe zum klotzig-einfachen Gerede und zur stupiden Dickköpfigkeit, seine behutsame

Kleinmalerei basiert auf der Sympathie für die Geringfügigkeiten des westpreußischen Dorfalltags: ihre Zusammensetzung ergibt Atmosphäre und Authentizität. Bobrowski hört, schreibend, auf das holprige schwerfällige Sprachdurcheinander. Sein Erzähler rückt nicht in besserwissendem Abstand weg von den moritatenhaften Ereignissen am polnischen Weichselnebenfluß, der Drewenz mit Levins Mühle. Aus dem Umkreis des Dörfchens Neumühl und des Städtchens Briesen ruft Bobrowski die Stimmern der Bauern, Zigeuner, Musikanten, Ansiedler zusammen; dieser polyphone Chor ist zuständig, man glaubt ihm jedes Wort. Die hitzigen Streitereien um Vorrecht und Besitz, die Bobrowskis kleinen Leuten zu schaffen machen, stehen im Zusammenhang mit den großen politischen Vorgängen jener Zeit. Die Zusammenstöße und Feindseligkeiten des nächsten Jahrhunderts kündigten sich schon an, die Germanisierungspolitik schickte Haß und Unzufriedenheit als Symptome voraus. Im Gezänk der Neumühler erscheint ein deutschpolnischer Kulturkampf gewissermaßen en miniature und noch fast privat. Auch für diese Dorfbewohner geht es, im unausrottbaren Gegensatz von Recht und Gewalt, um Leben und Tod. Die entlegene und wiederbelebte Vergangenheit bekommt in Bobroswkis Schilderung das Gewicht eines Orakels, dessen Spruch die Gegenwart wahrgemacht hat. Als Vorzeichen erscheinen diese Jahre, die dennoch Abgeschiedenheit und etwas Entrücktes behalten: das bewirkt die Prosasprache Bobrowskis, in der die Welt seiner Lyrik aufbewahrt bleibt. *(1965)*

SIMONE DE BEAUVOIR
EIN SANFTER TOD

»Man stirbt nicht daran, daß man geboren worden ist, nicht daran, daß man gelebt hat, und auch nicht am Alter. Man stirbt an *etwas*.« Das war, bei der Mutter von Simone de Beauvoir, ein Sarkom, erst im Endstadium entdeckt, die bösartige Ursache eines alten, lästigen, und doch für harmlos gehaltenen Darmleidens. Ein simpler Unfall, der erst nach der Diagnose im Zusammenhang mit dem Carcinom erscheint, verschlug die siebenundsiebzigjährige Frau ins Krankenhaus; sie verließ es nicht mehr. Eher zufällig und aus Genauigkeit einem schlechten Allgemeinbefinden gegenüber, geriet sie in die Mechanik der Untersuchungen: die ließen keinen Zweifel an der schon nicht mehr abwendbaren Zerstörung des Körpers. Die schreckliche Gewißheit hielt man vor der Patientin geheim, man verschwieg das schon so lang gesprochene Todesurteil, das sich nach dem Gesetz der Krankheit und der aufschiebenden, dann bloß noch betäubenden Medikamente vollzog.

So lebt jemand, dessen Tod unmittelbar bevorsteht, sterbend in einer Lüge, gebildet aus Krankenhaus und dem Mitleid der Angehörigen. Wenn auch von Liebe und Sorge eingegeben, ist dies seelische Vakuum doch grausam, die Verständigung wird zum Austausch von Heucheleien und Beschwichtigungen verstümmelt. Zwischen der Person im Bett und denen, die das Sterben beobachten, bestehen keine normalen menschlichen Beziehungen mehr. Die Mitwisser des Sterbevorgangs schützen sich selber durch unerbittliches Verschweigen vor der Panik mit dem Namen Wahrheit. Sie dem zum Tode Verurteilten zu gestehen, würde die Besuche im Krankenzimmer unermeßlich erschweren.

Françoise de Beauvoir, die Mutter der Autorin, hatte sich ihr Leben lang vor Krebs gefürchtet. Ergebung lag ihr nicht, auch nicht in ihrem hohen Alter, das ihre Leidenschaft für jede einzelne Lebensminute und für jeden bewußten Atemzug überhaupt nicht abschwächte. Damit erwies sich den betroffenen Verwandten die Beruhigung, mit Siebenundsiebzig sterbe es sich leichter und geradezu im Einverständnis, als Fiktion, für diesen Fall unbrauchbar. Sie sahen dem Kampf einer zähen Passion für das Leben zu. Die Patientin konzentrierte ihre letzten Widerstandsenergien auf die Zuversicht, bei ihrem zwar langwierigen, aber doch unbedenklichen Leiden handle es sich um eine Bauchfellentzündung.

Sie fand sich, etwas kläglich, aber gutwillig, dazu bereit, nach einer Entlassung aus dem Krankenhaus mit geringeren Kräften auszukommen. Sie zwang sich zum Essen, einer wahren Folter. Keine Verordnung war ihr zu anstrengend, wenn sie dem Ziel, ihrer Genesung, nützte. Aber je mehr ihr moribunder Körper verfiel, desto häufiger erschien ihr in Alpträumen der gewalttätige Abschied vom Leben. Dann rief sie ihre beiden Töchter, die abwechselnd bei ihr wachten, zu Hilfe, besessen von dem einzigen Wunsch, weitermachen zu dürfen. Keinen Moment während ihrer qualvollen Sterbetage willigte sie in die Niederlage ein; zu leben, das war es allein, woran ihr lag, und mit ihrem katholischen Glauben hatte das gar nichts zu tun.

Ihre Hartnäckigkeit kam der berufsmäßigen Defensive der Ärzte gelegen. Genau wie für die Patientin war auch für sie angesichts der unheilbaren Krankheit das Lebensalter kein Kriterium. Ohne persönliches, nur mit wissenschaftlichem Engagement wandten sie ihre raffinierte Therapie gegen diesen Zerfall, dessen Ende sie ungefähr terminieren konnten. Niemand glaubte zu irgendeinem Zeitpunkt an ein Wunder, jedoch verhinderte das keine technische Meisterleistung: die sinnlose Operation, die Quälerei der Untersuchungen, die strapaziösen Gegenmaßnahmen. Die Bitten der Töchter, dies Sterben zwar nicht abzukürzen, aber auch nicht aus barem medizinischen L'art pour l'art zu verlängern, ignorierten sie; für alles, was unter dem Namen Erbarmen für den Tod plädierte, besaßen sie kaum Verständnis.

»Sanft« sei der Tod mit Françoise de Beauvoir verfahren, fand die Schwester. Der gutbezahlenden Privatpatientin im Einzelzimmer eines modernen Krankenhauses entging keine Wohltat gegen das Sterben und keine Dienstleistung gegen das Leiden. Sie bekam die wirksamsten Medikamente, eine

Privatschwester bewachte sie nachts zusammen mit einer ihrer Töchter, so daß immer jemand eingreifen konnte, wenn die Angst eines Alptraumes zu unerlaubten Einsichten führen wollte; eine Heilgymnastin zwang sie, für eine nicht existierende Zukunft beweglich zu bleiben, sie lag in einem Bett, dessen Vibrationsmatratze ihren sterbenden Körper massierte. Konnte sie nicht essen, dann versorgten Sonden und Injektionen den verlorenen Organismus mit Vitalstoffen, die ihm nicht mehr nützen würden; und ehe sie den Tod erkannte, schläferten sie die vorzüglichen Drogen ein. So sanft kam der Tod also zu ihr. Um so sanft zu sterben, muß man wohlhabend sein, und man muß mitlügen können. Man nahm dieser Patientin die zwei oder drei gepeinigten Momente übel, in denen sie nicht mitspielen wollte und verlangte, über die Wahrheit zu reden.

Was erleichtert die sogenannte Sanftheit eines solchen Todes wirklich? Verringert sie die Angst und das Aufbegehren der Sterbenden, schwächt sie Mitleid und Schmerz der Verwandten ab? Gar nicht. In ihrem außerordentlichen Bericht sucht Simone de Beauvoir nach der Wahrheit, die zwischen den Reflexen des Gefühls und den Einsichten der Intelligenz liegen muß. Sie ermittelt durch eine rigoros präzise Selbsterforschung unerwartete Empfindungen, erstaunliche Ängste und ein zu spät formuliertes Schuldbewußtsein. Die Todesnähe widerrief die früheren lauen Beziehungen zwischen Mutter und Tochter, die Entfremdung zwischen ihnen hob sich plötzlich auf; und nur Gleichgültigkeit, die es jetzt nicht mehr gibt, könnte zum »sanften« Tod ein »sanftes« Beileid verschaffen. Simone de Beauvoir bejahte bis zum letzten Augenblick den Widerstand der Mutter, sie fühlte sich in ihrer Machtlosigkeit und Unaufrichtigkeit diesem Sterben gegenüber »als Helfershelfer des Schicksals, das ihr Gewalt antat«. In ihre Niederschrift bezieht sie eine Analyse des ziemlich banalen, von Konventionen und Vorurteilen eingeengten Lebens der Mutter ein, immer auf der Suche nach einer Verbindung zwischen seiner geläufigen Mittelmäßig-

keit und der einsamen Erfahrung ihres schrecklichen Todes,
den man wie jeden anderen Tod »natürlich« nennen würde:
grauenhafte Ironie der Gepflogenheiten. Mitleid und verspä-
tete Zärtlichkeit färben die unerbittliche, von der Genauigkeit kontrollierte Selbstprüfung. Nur aus der Kraft, die
Wahrheit anzunehmen, kann eine Art Trost entstehen, das
ist das unemphatische Resultat dieser Untersuchung. Die
engagierte und dabei doch auf Distanz bedachte Prosa ist
ruhig und umschweiflos, vom Zwang zu beobachten geprägt, ohne Schonung für irgendwen, sie ist sachlich und
dann wieder auf die ehrlichste Weise unsachlich, weil sie
menschlich ist. Indem Simone de Beauvoir aufschrieb, wie es
war, rückte sie der individuellen und zugleich allgemeingül-
tig-trivialen Methode des Todes näher, dem »unverschulde-
ten Gewaltakt« an der Mutter.   *(1965)*

MICHEL BUTOR
DER ZEITPLAN

Nur eine Simplifikation konnte die heterogene Gruppe jüngerer französischer Autoren im gemeinsamen Begriff des
»Nouveau Roman« zusammenfassen; vereinigt sind sie nur
dadurch, daß sie keineswegs »objektive« Romane schreiben,
so oft das auch behauptet wird. Dies tut weder Robbe-Gril-
let, in dessen auf Millimeter versessener Dingwelt sich doch
die subjektiven Gemützustände spiegeln, noch Nathalie
Sarraute mit ihren »objektiv« überhaupt nicht darstellbaren
seelischen Innenräumen. Michel Butor verzichtet sogar nicht
einmal auf eine Art romanhafter Handlung, auf persönliches
Schicksal eines »Helden«, dessen Mitteilung in der herge-
brachten Form der Tagebuchniederschrift vorliegt. Die gemeinsame Absicht der nouveaux romanciers, gegen Klischees und Indirektheit der traditionellen Literatur anzuge-
hen und mit den Werkzeugen unbestechlicher Beobachtung

neue Positionen zu finden, diese Absicht verfolgt Butors Ichfigur, der Korrespondenz-Volontär Jacques Revel, indem er der fremden Stadt mit topographischen Fixierungen und der Zeit mit chronographischer Ausdauer zu trotzen versucht. Seine Ahnung davon, daß er das Dunkel nicht aufhellen wird, daß sein Eindringen und Untersuchen die Gewebe der Verwirrung dichter vermaschen werden, daß die Mystifikationen zunehmen – sie hindert ihn nicht daran, bis zum letzten Augenblick Widerstand zu bieten.

»Die Lichter wurden zahlreicher. Es war der Augenblick meines Eintritts in diese Stadt, der Augenblick, als mein Aufenthalt in ihr begann, das Jahr, von dem nun mehr als die Hälfte verflossen ist . . .« Im Mai beginnt Revel mit der Fixierung des Oktober. Von Anfang an wird die Feindschaft zwischen ihm und der Stadt nicht in Frage gestellt. Sein Aufenthalt in ihr – ein Jahr ohne Urlaub – ist ein Exil. Diese englische Industriestadt mit dem fiktiven Namen Bleston – er steht für Birmingham – diese nebelreiche, regenreiche, rußgeschwärzte, unförmig große Stadt stellt sich Revel als Monstrum entgegen. Sie weist ihn ab, läßt ihn scheitern und quält ihn doch immerfort von neuem zu feldmesserhaft peniblen Untersuchungen ihrer Straßen und Bezirke, in denen er sich gleichwohl bis zum letzten Tag verirrt, drängt ihn, unermüdlich forschend, erinnernd, ausgrabend, diese gemeinsame Haßbeziehung aufzudecken. Besessen von dem rachsüchtigen Verlangen, seinen Argwohn gegen die Stadt zu konkretisieren, arbeitet Revel sich durch den Schlick der Vergangenheit, verfängt sich dabei mehr und mehr in Rätseln, kann einen als Unfall getarnten Mordversuch nicht aufklären, wird durch seine Beschäftigung mit der Vergangenheit blind gemacht für die Gegenwart, in der er zweimal in der Liebe verliert, in der bis zum letzten Tag Sprachschwierigkeiten ihn isolieren, in der ihn unauffindbare Kränkungen verfolgen. Unwissenheit sondert ihn wie einen Kranken ab. Aber bis zuletzt versucht er, sich das Unbekannte zu erschließen: auf zahllosen Busfahrten, auf Streifzügen durch die eintönigen Straßen, in Museen und Kirchen, in den Pubs und auf den Jahrmärkten, überall geht er den Lebensgewohnheiten, den zersetzenden Methoden und der Geschichte Blestons nach. (Übrigens kann man hier bei Butor auch die von zahllosen Erzählern verkitschte und geschändete Szenerie des Jahrmarktes wieder voll genießen.) Die Personifizierung der Stadt ist von bestürzender Wirklichkeit. Bleston ist eine chaotische Welt, der Revel ebenso zäh wie vergeblich seine Tat des Notierens entgegensetzt. Das ungreifbar Unheimliche findet immer wieder einen Weg ins Reale: es bedient sich zum Beispiel der zahllosen, die Bezirke der Stadt durchwandernden Feuersbrünste, die sich nicht aufklären lassen.

Der Verlust der Gegenwart – die, bei Butor, im Gegensatz zu Proust, einzig verfügbare Zeitdimension – ist mit der ersten Eintragung schon offenbar. Wandteppiche, die den Theseus-Mythos darstellen, ziehen Revel immer wieder an: in Theseus erkennt er sich selber, Bleston ist sein Labyrinth, mit dem er in dem Augenblick zu ringen aufhört, ». . . da der große Zeiger die Vertikale erreicht hat und da nun meine Abfahrt diesen letzten Satz beendet.«

Diese Prosa mit ihren schlangenartigen, oft seitenlangen, keine Detailschuppen auslassenden Sätzen – von Helmut Scheffel bewunderungswürdig übersetzt – mit ihren Wiederaufnahmen und Rückwärtsbewegungen, diese Prosa ist sowohl durchsichtig und präzise als auch imaginativ. Von beklemmendem Reiz ist hier sogar noch das Ermüdende; die Stagnation des Auf-der-Stelle-Tretens – vom Juni an beginnt Revel, das bereits Notierte durchzulesen – ergibt einen seinem Thema vollkommen adäquaten Text von ungewöhnlicher und faszinierender Schönheit.   (*1966*)

PHILIP ROTH
ANDERER LEUTE SORGEN

»Schreiben ist für mich das Bemühen, den menschlichen Charakter und das menschliche Geschehen wahrheitsgetreu wiederzugeben«, äußerte im Vorwort zu seinem ersten Buch, dem Erzählungsband »Goodbye, Columbus«, der jüdische Amerikaner Philip Roth, der noch nicht vierzig ist und schon zusammen mit Saul Bellow, Bernard Malamud, John Updike zu den besten zeitgenössischen amerikanischen Autoren gehört. Sein deutschsprachiges Debüt verschaffte uns der Rowohlt Verlag; dafür ist ihm zu danken, ausdrücklich, denn der Autor Roth scheint für den deutschen Beifall nicht prädestiniert zu sein. Unter Lesern und Kritikern hat er bisher bei weitem nicht die Aufmerksamkeit erregt, die ihm gebührt und mit der renommierte Kollegen des englischen Sprachbereichs keineswegs gespart haben. Dort findet man sein Talent erstaunlich, seine psychologische Einsicht überzeugend, man bescheinigt ihm »ein phänomenales Ohr für die tägliche Rede« und leidenschaftliche Anteilnahme an seinen Mitmenschen. Hierzulande aber begegnet man nicht selten Schriftstellern aus der angelsächsischen Erzähltradition mit einer gewissen Lustlosigkeit, ein Phänomen, das der Untersuchung wert wäre.

So konnte unter den Neuerscheinungen des vergangenen Jahres der Rothsche Roman »Anderer Leute Sorgen« keinen Platz auf Bestsellerlisten einnehmen, obwohl sein Umfang von 665 Seiten dafür geradezu wie eine Garantie wirkt. Thema, Erzählhaltung und persönlicher Sprechton blieben den kurzen Prosastücken nah; schreibend kümmert auch im Roman Roth sich wieder um jüdische Leute in Amerika. Als die »Sorgen« dieser Minorität bezeichnet der Titel bescheiden ihre komplizierten Lebensschicksale. Den deutlichen Porträts fehlt bei Roth nie der anziehende Rest von Unaufgeklärtem; in noch so präzisen psychologischen Studien bleiben sie doch unberechenbar und widersprüchlich.

Roth hat sich wohl nicht vorgenommen, eine Tendenz zu veranschaulichen – er mag ein Moralist sein, aber sein Fabuliervergnügen verhindert den Beigeschmack der Lehrhaftigkeit. Er präsentiert Menschen, die von den ersten Seiten des Buches an für den Leser existieren und an die er über die letzten Seiten hinaus glaubt wie an wirkliche Lebewesen. Man kann vergessen, daß sie Roths Erfindungen sind; ihre sorgenreichen Geschichten bringt er in diffiziler Komposition zusammen und macht von Anfang an auf sie neugierig. Sensibel und ironisch, kennt und versteht er die minuziösen, tückischen, unbenennbaren Schwierigkeiten zwischen Menschen. Als Erzähler ergreift er nicht Partei, weil er sich nicht nur auf einen Aspekt beschränkt. Mitleid empfindet er für alle, es äußert sich als Aufmerksamkeit. Er erzählt Geschichten, die ihn, kritisch, selbst interessieren, von Leuten, für die er, ohne sie blindlings zu bejahen, etwas übrig hat: das ist eine gute Voraussetzung, Leser zu erwärmen. Wie manche seiner angelsächsischen Kollegen unterstützt auch Roths literarische Qualität der Vorzug, zusätzlich gut zu unterhalten.

Schauplätze und Milieu sind genau getroffen: die New Yorker West Side mit ihrer Bourgeoisie, die Universitäten von Iowa und Chikago samt Studenten- und Dozentenalltag. Handlungsabschnitte und Vorgänge werden aus verschiedenen Erzählblickwinkeln wiedergegeben; entweder berichtet der Autor, oder, in der Ichform, eine seiner Hauptfiguren, und es gibt Abläufe, die aus beiden Positionen, zweimal, gesehen und dargestellt werden. Hierdurch entsteht neben der Abwechslung Vielschichtigkeit, die Wirklichkeit wird doppelbödig, ihre Erscheinungen erweisen sich, in mehreren möglichen Interpretationen, als verwirrend relativ.

Fabelteile zu registrieren, genügt auch bei Roths in sechs Bücher eingeteiltem Roman nicht, ebenso wenig die Aufzählung der Menschen und der Szenen, wo ihre Beziehungen untereinander in Spannungen und Komplikationen sich dokumentieren. Im Mittelpunkt steht der reiche Dozent Gabe

Wallach, er hält die Handlungsfäden in der Hand, registrierende Intelligenz, die den Autor vertritt. Gabe fühlt den Sorgen der andern gegenüber so eine Art missionarischer Verpflichtung, aber er verfügt auch über genug eigene Probleme: sein verwitweter Vater verfolgt ihn mit der rührenden und lästigen Bürde von Liebe und Anhänglichkeit, und sein Verhältnis zur geschiedenen Martha, einer resoluten und von Aufrichtigkeit besessenen Frau, geht an Zögern, Mißverständnissen und Ungeduld zugrunde. Die dauernd verworrene Gemütslage von Paul und Libby, die zu früh geheiratet haben, kein Kind bekommen können und, als Dozentenehepaar ohne Geld und voll komplizierter Melancholieanfälle, mit Gabe befreundet sind, versucht er durch die Beschaffung eines Adoptivbabys aufzubessern: seine Anstrengungen, die, um dies zu erreichen, nötig sind, ergeben einen Kurzroman im Roman, ebenso die Geschichte einer Abtreibung, die Roth fast ausschließlich in Rede und Gegenrede von Paul und Libby Hertz sich selbst herstellen läßt, oder Pauls, des knapp sechs Jahre Verheirateten, Odyssee nach New York, wo er anläßlich des Begräbnisses seines Vaters der Ehe zu entgehen erprobt und es nicht kann; abgeschlossene Prosastücke für sich auch der aufgefächerte Thanksgiving Day des dritten Buchs oder der Tag eines kleinen Mädchens, das den kleinen Bruder aus dem Bett geworfen und dabei getötet hat: in der Mischung aus realen Wahrnehmungen und Alptraumwahnvorstellungen, Gleichgültigkeit, die sich rechtfertigen will, und Angst, in der die Liebe zu dem kleinen Verlorenen sich zum letztenmal äußert, Roth zeigt hier eine Meisterprobe seiner Einfühlungsgabe.

Die bevorzugte Dialogform entspricht jener künstlerischen Absicht, die der zitierte Satz aus dem Vorwort zu »Goodbye, Columbus« ausdrückt: Wahrheitstreue erreicht Roth besonders zuverlässig durch dieses Mittel der Selbstdarstellung. In ihren unermüdlichen Gesprächen geben die Partner sich zu erkennen, und der Autor, der sich nicht kommentierend einschaltet, kürzt, rafft und schneidet nicht: so läßt er die endlose Qual ihrer Repliken mit Widersprüchen, Wiederholungen, Annäherungsversuchen und den stets triumphierenden Mißverständnissen sichtbar werden. In einem einzigen langen Dialog lebt die ganze Geschichte einer Ehe auf. Exakte Ergänzungen der Charaktere gelingen ihm unaufhörlich in Miniaturen von Lebensäußerungen: so erscheint zum Beispiel Marthas Großzügigkeit klar in der nur scheinbar belanglosen Erlaubnis für ihre kleine Tochter, einen neuen Pullover auch nachts anzulassen.

Neurosen und Komplexe, Depressionen und Psychosen, in vielen Einzelerzählungen innerhalb des Romans bekundet und in einem großen, sowohl aktuellen, als auch zeitlosen Bild amerikanischer Gesellschaft zusammengefügt, die Krisen und existentiellen Hoffnungen jener Handvoll Leute vermögen Beunruhigung und Anteilnahme hervorzurufen; das Engagement für sie wird in dem Maß persönlich, wie man diese Sorgen anderer Leute zu den eigenen macht. Philip Roths Leser werden fast ungeduldig auf sein nächstes Buch warten. *(1966)*

VIRGINIA WOOLF
DIE ERZÄHLUNGEN UND FLUSH

Die Erzählungsauswahl hat, für eine englische Ausgabe von 1943, die Autorin selber noch ungefähr so geplant, wie sie uns nun vorliegt. Ihr Mann und Verleger, Leonard Woolf, belegt und verteidigt in seinem Vorwort jede einzelne Abweichung beim Versuch, die Absicht seiner Frau auszuführen. Er gibt zu bedenken, daß mindestens vier der von ihm in den Band aufgenommenen Prosastücke sich »gerade nur in dem Zustand« befinden, der einer ersten Skizzierung folgte, die Verfasserin »hätte gewiß noch recht viel an ihnen gearbeitet, bevor sie sie veröffentlicht hätte«. Sie dennoch nicht in jener »Lade« liegenzulassen, in der Virginia Woolf ihre Notizen, Vorstufen und Projekte sammelte, diese Produkte schöpferischer Erholungspausen während der Arbeit an Romanen, diese sensiblen Reaktionen auf Alltagseindrücke, sie also unbearbeitet zu publizieren, war bei einer Schriftstellerin von solchem Rang fast unbedenklich zu verantworten. Erste Fassungen bei ihr versprechen immer noch, auch für hohe Ansprüche, genug Qualität: das wäre ein Argument. Selbst da wo die Skizze noch zu deutlich im Frühstadium steckenblieb, nicht umgesetzt, bloßer Entwurf, kann die Veröffentlichung doch eine Art von bildungsbeflissener und sicher unschädlicher Neugier rechtfertigen, die gern in die Werkstatt des Schriftstellers eindringt. Leonard Woolf erlaubt einen Blick auf den Schreibtisch und den Arbeitsprozeß seiner Frau, die vielleicht – und das wäre das zweite Argument – als Mitbegründerin des modernen Romans mehr Diskretion gegenüber ihren Rohmanuskripten gar nicht erwarten darf.

Das Material aus der Schublade wurde oft erst bearbeitet, wenn der Redakteur einer Zeitschrift (etwa THE FORUM, HARPER'S BAZAR, HARPER'S MONTHLY MAGAZINE, THE ATHENAEUM) um eine Erzählung bat. Dann erst eigentlich entstanden jene ätherischen Gebilde, die den Bewußtseinsstrom zum Sprechen bringen und die man nicht Erzählungen nennen möchte, denn fast nie kümmern sie sich um deren klassische Gebote, kennen keine fest umrissenen, abgeschlossenen Ereignisse, Handlung taucht nur in Splittern auf und wird selten in Abläufen zu Ergebnissen gebracht. Der innere Monolog hat gewissermaßen die Rolle des Erzählers übernommen. In ihm sammeln sich Wahrnehmungssprenkel, etwas wie eine Kameratätigkeit des Sensoriums setzt ein und nimmt die Wirklichkeit auf, die Inventarisierung geschieht durch Assoziationen, weiterrückend von Bild zu Bild. Ausgangspunkt kann beinah jedes beliebige Detail sein, aber es gibt für Virginia Woolf kennzeichnende, man kann mit ihnen rechnen: das unglückliche Gesicht einer miesen kleinen älteren Frau, der Geruch einer Blume, eine bestimmte englische Frühsommerbeleuchtung, eine Stecknadel, ein Klecks, ein Fleck an der Wand, Cocktail-Party-Geplapper, ein Blumenbeet und seine Passanten, Musik eines Streichquartetts. Wie Lichtschuppen, die durch Laub fallen, so erscheinen und vergehen die herbeigeholten Beobachtungen und Reflexionen, die Fakten und Psychogramme, sie blinken auf und wechseln, verstreut, flüchtig und nur für einen Moment präzise, für den Moment, in dem das Bewußtsein sie fixiert und vergrößert. Nebensächlichkeiten, Beiwerk, Accessoires wuchern und wachsen im Verlauf derartiger Vorstellungsverknüpfungen und ergeben, wie in den Romanen, viele knappe, nicht durch Ausführlichkeit, sondern gerade in der Andeutung exakte Milieustudien, Mikro-Innenaufnahmen, Einblicke ins Unbewußte, aber auch, in den etwas handlungsbetonteren Stücken oder im aufgefangenen Parlando der Teegesellschaften, Konzertbesucher, Spaziergänger und Party-Gäste, Sozialkritik mit stets höchst englischem Air. Immer wieder wird man auf die hübschen, elegischen Kaminfeuer treffen, auf Chrysanthemen in Kristallvasen, sanfte Rasenlandschaften, betupft von Sommerkleidern, Kammermusik, auf viel Tee und wenig Alkohol. Vom Zubehör ihrer Gegenwart monologisiert Virginia Woolf sich leicht und übergangslos weg, auch in die Historie; diese ihrem Wesen verwandte Objektwelt der Blumen und Spiegel und Lichttricks inspiriert unermüdlich sensitive Recherchen in jede Lebensrichtung: »Wie bereitwillig unsre Gedanken auf einen neuen Gegenstand hinschwärmen, ihn, so fieberhaft wie Ameisen einen Strohhalm schleppen, eine kleine Strecke weit tragen und dann liegenlassen . . .« Angelsächsisch ist auch Virginia Woolfs vorsichtig und kühl spottender, intelligenter Humor, ironisch bleibt sie ladylike in einer so angenehmen Weise, die wohl wirklich nur Engländerinnen vormachen können.

Den Selbstgesprächen, Reflexionsverknüpfungen und Assoziationsketten dieser »Erzählungen« gegenüber wirkt die

Spanielgeschichte FLUSH fast volkstümlich, wenn auch durch sie ein Porträt der Elizabeth Barret-Browning entsteht, jener empfindlichen und auch bei Hundeanekdoten meistens eher bedauernswerten Lyrikerin, die in der Mitte des 19. Jahrhunderts trotz Flush mehr gelitten als gelacht hat. (In Rilkes Übertragung wurden ja ihre »Portugiesischen Sonette« auch bei uns bekannt.) Ihre Liebesgeschichte mit Robert Browning und ihr durch physische Leiden und erhöhte Sensibilität schwieriger Alltag stellt sich uns hier aus der Spanielperspektive dar, ein vermutlich hauptsächlich für Hundefreunde reizvolles Verfahren. Die Wiedergabe von Umwelteindrücken nimmt Virginia Woolf per Flush vor: Professor Grzimek würde da sicher einiges nicht glauben. Aber darauf kommt es wohl auch nicht an. Manche Leser mögen die Autorin von FLUSH bevorzugen: hier erzählt sie eine zusammenhängende Geschichte, erzählt »richtig«, zeigt darüber hinaus sogar noch deutlich, was man ein »warmes Herz« nennt. Mir erscheint (zum Teil vielleicht bloß aus mangelnder Leidenschaft für Hunde) FLUSH als nette Abschweifung einer Schriftstellerin, die mit ihrem übrigen Werk neben Joyce, Proust, Kafka, Svevo, Faulkner und wenigen andern zu den großen Erfindern innerhalb der modernen Prosa zählt.   *(1966)*

STANLEY ELLIN
DIE SEGENSREICH-METHODE UND ANDERE SELTSAME
GESCHICHTEN

Der Titel der Geschichtensammlung, die uns vor ein paar Jahren auf die besondere Ellinsche Weise das Gruseln lehrte, »Sanfter Schrecken«, er könnte auch noch für das zweite Buch gelten. An den ersten Sätzen erkennt man den Autor wieder: Mr. Treadwell war ein kleiner, liebenswürdiger Mann, der für eine gutgehene Firma in New York arbeitete und dessen Stellung bei dieser Firma ihn berechtigte, sein eigenes Büro zu haben. Sofort verdächtigt der Kenner so viel Harmonie, und Ellin wird ihn nicht enttäuschen. Seine netten kleinen Männer in ihren säuberlichen Arbeitswelten geraten unfehlbar auf zumeist seelische Abwege, die ins Verderben führen. Dem liebenswürdigen Treadwell wäre bis an sein Lebensende nicht bewußt geworden, daß er kein auffallend guter Mensch ist, hätte die »Gesellschaft für Gerontologie« ihm nicht einen überzeugungskräftigen Vertreter geschickt. Der kommt mit einem grotesken, böse verlockenden Angebot: dank einer raffinierten Technik, die mit der lästigen Gefühlsabhängigkeit der Alten von ihren jüngeren Familienmitgliedern rechnet, ganz sanft, ausgedacht von Herrn Segensreich, können die Greise aus der Welt geschafft werden, ehe dies der natürliche Tod besorgt. Die Gesellschaft beschäftigt junge »Gönner«, Ermittler, die sich bei den auf Parkbänken und in Leihbüchereien vor sich hin nörgelnden alten Leuten umhören, das ist der erste Teil der Aktion. Die Überredung der Verwandten der zweite. Den Schlußpunkt setzt ganz unauffällig der segensreiche Mord, in dieser Altersstufe leicht als Schwächeanfall zu tarnen. Schrecken, mehr oder weniger sanft, entsteht hier zwar auch durch die makabre Erfindung selber, durch ihre kriminelle Menschenfreundlichkeit; noch mehr aber regt dann auf, wie gut der Kniff bei den liebenswürdigen kleinen Mr. Treadwells ankommt. Schock, ihre erste Reaktion, wandelt sich bald in Zustimmung. Die Moral von der Geschichte – nein, ich verrate sie nicht. Denn es gibt auch hier noch eine Pointe, wie meistens bei Ellin.

Überhaupt wären Inhaltsangaben unfair. Das Personal der Ellin-Geschichten eignet sich vorzüglich zu den Psychokrimis, denen er sie mit nachsichtiger Grausamkeit unweigerlich ausliefert: es sind Glaubensfanatiker, verkrampfte Lehrerinnen, »Heiler«, kleine Jungen in abseitigen Trancezuständen, Liebhaber von Flöhen, arglose Vertreter, die sich in penibel durchdachten Nebenberufen als Handlanger von

Versicherungsbetrügern nützlich machen, ordnungsliebende, gewissenhafte Brandstifter, redliche Elektrorichter, Erpresser mit Gemüt. Umständliche, vielfach deutsche Namen passen zu ihnen, diese Beidenbauers, Gotteslohns, Immergrüns zeigen sich als schlichte Sonderlinge mit der Gabe zum deus ex machina, sie führen Aktenmappen oder kleine Lederkoffer mit sich, in denen sich selbstverständlich bei weitem nicht immer gutbürgerliches Inventar befindet, genauso wenig wie in ihrem geschickt maskierten Innenleben.

Ellin ist ein Meister in der Schilderung von Zuständen seelischer Bedrückung, von undurchschaubaren Feindseligkeiten. Entsetzen stellt sich innerhalb seiner »Fälle« gewissermaßen von selber her und zwar in aller Ruhe: Sätze ohne Ausrufungszeichen beschwören das Unheimliche. In Ellins Welt besitzt das Irreale mehr Einfluß als das, woran seine kleinen verqueren Spießer sich mittels ihrer fünf Sinne halten können. Fiktion und realer Bezug halten sich dennoch die Balance. Wenn er vorführt, wie ein großes Unternehmen scheinbar friedfertig und wohlmeinend, aber antigesellschaftlich auf dem Prinzip der sieben Todsünden aufbaut, verfällt er doch keinem spukhaft von aller Wirklichkeit abrückenden Märchenton. Im Gegenteil: seine Umkehrung von Vorzeichen, seine widersinnigen Programme und tödlichen Postulate, invertierte Tabus, stehen – ganz harmlos und zugleich ganz gespenstisch – der Wirklichkeit so nah, wie wir gar nicht wünschen können.   *(1966)*

JOHN UPDIKE
DER ZENTAUR

Das dritte Buch des vierunddreißigjährigen John Updike widerlegt die Behauptung, die Herkunft von der kurzen Prosa müsse einem Schriftsteller beim Schreiben von Romanen schaden, denn wieder sind es gerade short story-Methoden und die Genauigkeit der Beobachtung, die Aufmerksamkeit für Details, für das, was gewissermaßen in der Luft liegt, die ihm nützen. In der Aufsplitterung in psychische und szenische Miniaturen entstand beim ersten Roman Updikes, THE POORHOUSE FAIR, unter dem Titel DAS FEST AM ABEND 1959 bei uns erschienen, das Mosaik eines Armenhauses in New Jersey. Und von neuem brachte beim zweiten Roman RABBIT, RUN (HASENHERZ, 1960) sein Sinn für die Bedeutung des vermeintlich Unscheinbaren, das nur der besonderen Sehschärfe auffällt, Gewinn für die Gesamtkomposition, der ja die Präzision vieler Einzelbilder durchaus nicht abträglich ist.

DER ZENTAUR schildert mit zahllosen triftigen Kleinigkeiten, Ablenkungen und lebenswichtigen Trivialitäten die drei letzten Tage eines amerikanischen High School-Lehrers; mitbeschworen werden Szenerie und Milieu einer pennsylvanischen Kleinstadt, das Leben der Schule und der Familien. Die allegorische Stilisierung des George Caldwell zum Zentaur geht längst nicht so weit, wie der Titel fürchten läßt, auch bleibt sie immer glaubwürdig. Caldwell, ein müder und deprimierter Chiron, tappt seinem gefürchteten unbekannten Tod entgegen, ein schwieriger und peinigender Weg, auf dem er wahrhaftig einem angeschossenen, großen und erschöpften Fabeltier ähnlich wird. Das nahgerückte Sterben, diese rätselhafte Bedrohung, schärft ihm den Blick für sein Leben; als vertan und mittelmäßig verachtet er es zornig. Vergebens fragt Caldwell sich nach den existentiellen Antworten durch, die seine Lebenszeit und deren Ende so spät noch aufschlüsseln sollen. Seine leidenschaftlich protestierende Stellungnahme gegen sich selber hebt die verzweifelt verabscheute Durchschnittlichkeit wieder auf. In Kapiteln, die diese zugleich ernsthaften und törichten, diese humanen Anstrengungen der Identifikation bald durch einen Erzähler beobachten, bald in der Erinnerung des Sohnes Peter wieder auftauchen lassen, wird das Einfache und doch Erhebliche, das Normale und Bedeutungsvolle des Caldwellschen Alltags gegenwärtig, mit seinen kleinen nachhaltigen Qualen, mit seinen Sorgen durch Beruf, Krankheit, Liebe, mit Autofahrten und Autopannen, Schlaf in miesen Hotelzimmern, mit Armut und Stolz, Teenager-Dialogen in Luncheonrooms, Zukunftsangst, Schmerzen, Familienbindungen. So geschieht viel, indem eigentlich wenig geschieht. Updike macht die kleinen Angelegenheiten wichtig: Alltagszubehör, das Innere einer Autoreparaturwerkstatt oder eines Lehrerzimmers, eines Farmhauses, eines alten Buick – genau so gut gelingen ihm die Innenaufnahmen der psychischen Vorgänge und der Beziehungen zwischen Menschen. Mit Präzision und unermüdlicher Aufmerksamkeit für Inventar und Personal, mit dieser literarischen Form der Anteilnahme und des Mitleids, führt er schreibend in eine komplette Welt; er kennt sie genau, hat sie nicht erfunden und schildert sie doch nicht ab: seine Erzählweise erscheint nur auf den ersten Blick einfach und fast traditionell, wozu auch die sozusagen einfache und traditionelle Thematik, die Beschäftigung mit den »alten« Stoffen Liebe, Schuld, Tod verleitet. Die literarischen Gegenstände und Updikes Bescheidwissen ergeben doch keine updikesche Privatangelegenheit. Sich seiner Welt erinnernd, nacherzählend, was er von ihr weiß, formt er sie doch neu, absolut unauffällig und ohne modernistische Strapazen, und so entsteht eine literarische Welt, so werden ihre Banalitäten relevant, erst durch Kunst wirklich. Updikes Kunstverstand sorgt dauernd für überzeugende Darstellungen, vom ausgezeichneten Anfang an, der einen der schlimmen Augenblicke in Caldwells Leben aufspießt und in seine qualvollen, gewissermaßen exakt durchlittenen Sekunden zerlegt: den Lehrer trifft während des Unterrichts ein stählerner Pfeil in den Fußknöchel, abgeschossen von einem seiner arglosen Feinde, seiner gehässigen Anhänger: der Schüler. So führt Updike durch ein kennzeichnendes Handlungsdetail unmittelbar ins Zentrum. Immer glückt ihm wie hier die Umwandlung trivialer Abläufe ins Entscheidende. Genaue Momentstudien versetzen in die Innenbereiche seiner Szenen, die wie Filmsequenzen konkret werden. Durch Beschreibung, die an Gründlichkeit den Übungen des nouveau roman kaum nachsteht, inventarisiert er doch nicht eine müde abstrakte Objektwelt zusammen, die sich damit selbst erklärt und selbst genügt; Schauplätze und Gegenstände machen vielmehr nur mittels ihrer Bedeutung für die Romanpersonen von sich reden und sich nennenswert, Einzelheiten, Beobachtungen, die parallellaufen, Separatvorgänge stehen nie für sich.

So kann es nicht als Koketterie oder vergebliche Mühsal erscheinen, wenn innerhalb der Leidenszustände des sensiblen Caldwell die Gegenwart mythisch zerfließt, oder wenn die Imagination Peters, oder des Erzählers, oder des Vaters selber – dreier Leute mit ähnlichem Erzählaspekt, ähnlicher Empfindlichkeit – die Realität verwandelt. Es gibt innerhalb dieser Passagen visionäre Spiegelungen, unheimlich und schwer zu vergessen, dabei bewundernswert mit der Wirklichkeit verzahnt und in sie geschoben: Trancebeklemmungen und Wahnvorstellungen verlieren nie den Kontakt mit realen Bezügen, sie stammen stets von diesen ab, so daß Realität und Trugbild sich als eine einzige unsichere Welt aufdrängen, so z. B. immer wieder im Verlauf von Caldwells Unterrichtsstunden, wo der Lehrstoff sich verlebendigt. Caldwell doziert: »Als die Dämmerung kam, verbreiteten sich überall auf dem Meeresboden die wichtigsten Tiere der Welt, sie sind sehr häßlich und heißen Trilobiten.« Daraufhin nimmt sein fantasiegeübter, mit Ängsten erfahrener Blick wahr: »Ein Junge aus der Fensterreihe hatte eine Einkaufstüte in die Klasse geschmuggelt und schüttete jetzt, gepufft von einem anderen Jungen, ihren Inhalt auf den Boden: einen Klumpen lebendiger Trilobiten. Die meisten waren 3 oder 5 cm lang . . .« Damit beginnt die unheimliche Metamorphose der Klasse und ihres Inventars, die wachen überscharfen Traumwahrnehmungen zeigen das ungebührliche und schreckerregende Treiben der Urweltlebewesen mit den realen Anwesenden der Gegenwart. Caldwell glaubt den Einbildungen, er kennt sich aus mit seinen Phobien und hält sich an sie: was bliebe ihm anderes übrig? Er ist kein munterer typischer Amerikaner, kein Optimist und beherzter Selbsterzieher.

Updike kommt bei seinen Verwandlungen stets ohne die pedantisch-hilflosen Überleitungen wie »es sah so aus« und »ihm war als ob« aus. Was er präsentiert, real oder irreal, das ist so, wie er es präsentiert, also entscheidet über die Wirklichkeit von Eindrücken nicht der Verstand, sondern das Unbewußte. In den von Peter aus der Rückschau erzählten Abschnitten geben diese Traumübergriffe sich als besondere, erhellende Momente, die Joyce Epiphanien nannte, glimpses bei William Carlos Williams. Augenblicke enthüllen plötzlich und nur für ihre kurze Dauer überraschende Bedeutung, scheinen sich zu erweitern, werden transparent, mehrdeutig. Peter, zu dessen Sensibilität das allergische Leiden paßt, mit dem er geschlagen ist, Psoriasis, eine Hautkrankheit von verletzender Häßlichkeit, Peter, der allergisch ist gegen fast alles, »ja eigentlich gegen das Leben überhaupt«, Peter sorgt sich in dauerndem Schwanken zwischen Scham und Liebe um den Vater: mit seiner Stimme erzählt Updike von einer sehr wirklichen und lebensnotwendigen Liebe, die sich hochtrabender Gefühle viel seltener bewußt ist als der Beschämung, der Gereiztheit, der Unruhe umeinander. Aus den tausend Nichtigkeiten, die den Familienmitgliedern nicht nichtig sind, entsteht ihr Zusammenleben authentisch. Peter, nach Jahren zurückversetzt in seine engagierte Beobachterrolle als Sechzehnjähriger, leidet so viel später noch mit dem Vater und unter ihm, fühlt, wann er sich lächerlich macht, verachtet ihn liebend, fürchtet und betet für ihn. Die Mutter, der Großvater, der Schulleiter, Lehrer, Schüler, Handwerker sind bloß ihrem Anteil an der Handlung nach Randfiguren, sie leben durch ein paar Sätze, sind bekannt und doch nicht ganz zu durchschauen, und dann wiederzuerkennen, sie sind Menschen mit ihrer Fähigkeit zu überraschen.

Ich kann mir nicht vorstellen, womit dieser Autor scheitern könnte: in seinem Roman gibt er dafür keine Hinweise, selbst wenn er sich an Bilder wagt, die anderswo verdrießen würden: ein »dankbar sprudelndes Herz« verzeiht man ihm, obschon mit der vorsichtigen Hoffnung, die Übersetzung sei daran schuld. Höhepunkte reihen sich aneinander: Peter offenbart der Freundin Penny seine Entstellungen durch die Psoriasis; eine Hotelnacht; ein Religionsgespräch zwischen dem pathetisch suchenden Caldwell und dem durch einen Flirt überaus abgelenkten Reverend March während eines Basketballmatchs – wieder einem Höhepunkt für sich; Morgenstimmungen an Frühstückstischen und schließlich dauernd die schwierige leidenschaftliche Bindung von Vater und Sohn, den beiden Hauptfiguren, die Updike auf Fahrten im tückischen ausgedienten Buick innerhalb der übrigen Erzählung dramaturgisch isoliert. Updike, unbekümmert gegenüber Sparsamkeitsmaßnahmen, schreibt dennoch auf seine Weise ökonomisch, Aufbau und Form, Rollenverteilung und Schlußsteigerung mit Schneesturm und Selbstmord – wobei das geringe Unbehagen über die wiederaufgenommene Mythossymbolik nicht ins Gewicht fällt – sie sind Meisterstücke.

Mit meiner Bewunderung für dieses manchmal beinah sentimentale Erzählen, das partienweise noch allwissend ist wie eh und je, sage ich selbstverständlich nichts gegen Skepsis und Mißtrauen der lieber mutmaßenden Autoren. Denen kann man nicht zu Updikes Unbekümmertheit raten, die nur Genialität legitimiert, und vielleicht auch ein spezifisch angelsächsisches Erzähltemperament.   (*1967*)

VLADIMIR NABOKOV
FRÜHLING IN FIALTA

»Dachte ich wohl, daß ich ihn zum letzten Mal sähe?
Natürlich dachte ich das. Gerade das dachte ich: Da sehe ich
dich nun zum letzten Mal, denn so denke ich immer, und
über alles, über alle. Mein Leben ist ein ständiges Abschied-
nehmen von Dingen und Menschen, die oft gar nicht achtge-
ben auf meinen bitteren, irrsinnigen, flüchtigen Gruß.« Mit
diesen Schlußzeilen der 1934 in Berlin geschriebenen Erzählung »Dem Andenken L. I. Schigajews«, deren russisches
Original in New York erschien, charakterisiert Nabokov
seine eigene, vom Schicksal der Emigration aufgezwungene
Beziehung zu Menschen, Szenerien und Gegenständen. Aus
dem ersten Exil, seit 1925 Berlin, floh er 1936 nach Frankreich, von da gelang ihm 1940 der Ausweg nach den USA. In
Berlin und Paris hatte er in russischer Sprache Romane und
Erzählungen veröffentlicht: unter dem Pseudonym V. Sirin,
einer fiktiven Schriftstellerfigur, die er selber in seiner Autobiografie »Andere Ufer« als exilrussischen und wahlver-
wandten Kollegen von höchstem Rang rühmt und bewundert. Diese ironische und zugleich ernstgemeinte Feier zu
eigenen Ehren führt trickhaft zu einem Vexierbild, das sich
erst nach genauem Hinsehen als Selbstanzeige zu erkennen
gibt. So souverän und amüsant hat Nabokov, der englisch
schrieb, mit sich selber, mit dem erfundenen »Vorbild« Sirin,
das es ihm erlaubte, nebenher noch russisch zu schreiben, die
literarische Aufmerksamkeit doppelt beschäftigt.
Der vorliegende Band bietet aus einem Œuvre von über
60 Texten kürzerer erzählender Prosa die ausgezeichnet re-
präsentierende Auswahl von 23 zwischen 1925 und 1952
entstandenen Stücken; die bibliografischen Angaben im An-
hang dieser bisher umfangreichsten Sammlung Nabokov-
scher Erzählungen mit ihren Auskünften über Entstehungs-
zeit und -ort, über die benutzten Textvorlagen, Druckge-
schichten und vielfältigen Übersetzungen – auch der ver-

schiedensten Übersetzer, unter ihnen Nabokov selber – ergeben ihrerseits ein Lebenslaufgerippe, das knapp mit Jahreszahlen und Städtenamen die Exilwechsel dieses Schriftstellers anzeigt. Gegen die Vielzahl und die Sprunghaftigkeit von Namen und Sprachen, die hier über die Unruhe einer äußeren Biografie informieren, sträubt sich aber Nabokovs geradezu unwandelbar scheinende Individualität als Schriftsteller, ein erstaunliches Phänomen, das sich im Werk – mit Romanen, Gedichten, Erzählungen, Essays ungewöhnlich umfangreich – immer wieder offenbart. Thematik, Anlaß, Tendenz, Schreibweise und ästhetisches Vorhaben bleiben sich von Stück zu Stück im Band »Frühling in Fialta« ähnlich, unempfindlich gegen den Abwechslungsreichtum äußerer Einflüsse; was man Entwicklung nennt, scheint der Nabokov dieser Erzählungen nicht mitgemacht zu haben und das heißt bei ihm: er hat ihrer nicht bedurft.

Über sein Suchbild-Ich V. Sirin schrieb er: »Die besten seiner Werke sind die, in denen er seine Gestalten zur Einzelhaft in ihren Seelen verurteilt.« Damit benennt er die eigenen Prosa-Arbeiten, oder doch zumindest jene 23, die Dieter E. Zimmer gut auswählte und in seinem Nachwort konkret und einfühlend interpretierte. Wir lesen Liebesgeschichten, zusammengestückelt aus flüchtigen, aber wirksamen Begegnungen, lesen vom schwierigen dringlichen Zusammensein zweier Leute zwischen D-Zug-Abfahrtzeiten, von Exilierten, die zwischen Berlin, Paris, der Riviera auch noch beim Verweilen gewissermaßen unterwegs sind, nie zur Ruhe kommen, nirgendwo seßhaft werden und einander aus den Augen, aber nicht aus dem Gedächtnis verlieren können. In einer Art impressionistischer Beschreibung, die sich vor Ausführlichkeiten und Pedanterie zu hüten weiß, entstehen gleichwohl Kolorit und scharf umrissene Bilder: von Schauplätzen, derer sich die Erinnerung und das Heimweh wieder bemächtigen, von Personen, hintergründigen Typen, die bei aller Genauigkeit der ironischen Dechiffrierung ihr Rätsel behalten, jenes wichtige Rätsel, das sie zu Menschen macht. Nabokov erzählt sozusagen lächelnd und im Parlando von Eifersuchts- und Emigrationsmiseren, vom Scheitern der Schüchternen und von den Abseitigkeiten unglücklicher Eigenbrötler, von so Leuten, die ihre mißlungene Lebensgeschichte etwa dazu gebracht hat, allen Ehrgeiz und alle Liebe, deren sie fähig sind, nur noch Schmetterlingen zuzuwenden. In abrupten Bildreihen, von der Imagination geliefert, zeigt sich verwandelt die Wirklichkeit, magisch-visionär wächst das Böse, Vulgäre, Stumpfsinnige an und das reale Zubehör eines Kleinstadtmuseums in unheimliche Traumbereiche hinaus. Der notorisch Einzelne, der zum Individualisten Prädestinierte, kehrt in seiner komplizierten, meistens trüben Situation von Text zu Text wieder. In der subtilen Einzelbeobachtung, der Durchblendung und Erhellung von Momenten, die er am unbemerkten Vorübergehen hindert und deren vermeintliche Unscheinbarkeit er widerlegt, erinnert Nabokov hier oft an Proust, auch an Virginia Woolf, ironischer allerdings und viriler als beide. Sanft in Satiren, pointiert, bevor Sentimentalitäten aufkommen, Emotionen sich schaustellen könnten, genau und doch brillant, gegen Mißgriffe immun als Stilist, beim Beobachten unbeirrbar, bleibt der Erzähler dieser Geschichten stets in der Nähe des Lesers, in der Nähe seiner Figuren und Stoffe, redet mit sachtem, erstauntem Humor fiktive Zuhörer an oder führt Selbstgespräche, gibt aber keine Noten, mischt sich nicht ein, weder mit Mitleid, noch Sympathie, noch kommentierend; die Elegie entsteht jeweils von selber und erst beim Adressaten, außerhalb der erzählten Angelegenheiten. Unmöglich, den ästhetischen Reiz und den Glanz dieser Prosa in einer Rezension abzubilden. Keine Geschichte des Bandes dürfte in der rühmenden Nennung und Besprechung fehlen. Schriftstellern muß dieser Nabokov, der Nabokov der Erzählungen, als eine Art Lehrmeister gelten: nach den vorzüglichen Romanen »Pnin«, »Lolita«, »Sebastian Knight« etc. übrigens kein verblüffendes Lese-Resultat. Und deutsche Leser vor allem sollte er in großer Zahl finden, deutsche Leser für die Anmerkungen, die den ehemaligen und potentiellen Nazis gelten, für die ironischen Kurzcharakteristiken und snap shots, die typische Deutsche in Gesprächen, Verhaltensweisen, äußerer Erscheinung auf keine angenehme Weise wahrhaftig zeigen: wie sie zumindest einmal waren, wie Nabokov in seiner erzwungenen Außenseiterrolle sie hat kennenlernen müssen.   *(1967)*

JOHN UPDIKE
GLÜCKLICHER WAR ICH NIE

Längst können wir uns über die außerordentlichen erzählerischen Qualitäten John Updikes einig sein, seit drei beweiskräftigen Romanen gut genug informiert, und so erscheint das ausführliche Lob, das auch sein neuestes Buch verdient, fast als überflüssig, als selbstverständlich.

Nach Handlungsschauplätzen angeordnet, gruppieren sich die einundzwanzig Erzählungen des umfangreichen Bandes in drei Abschnitte, betitelt: »England und Neu-England«, »New York« und »Pennsylvania«. Von Text zu Text sind einzelne Figuren wiederzuerkennen, autobiografisches Zubehör verbürgt sich für Authentizität, Szenerien und Milieus ähneln einander häufig, bereits verwendete Themen kehren wieder: mit dieser Beschränkung auf das, worin er sich genau auskennt, erreicht Updike Intensität und Zuverlässigkeit. Immer wirkt die Objektwelt inspiratorisch auf sein Schreiben ein, ihm fällt die Wirklichkeit bestürzend auf, es geht ihm wie der Hauptfigur der ersten Erzählung, dem amerikanischen Theologen Burton, den es in eine englische Zahnarztpraxis verschlagen hat: »Die Pinzetten, die spitzen Untersuchungssonden, der Bohrer, der Wattebehälter aus Zelluloid, die winzigen Wattetampons, die Metallmanschette, die eine Flamme einfaßte, die emaillierte Konstruktion neben ihm, die tausend nützliche Vorrichtungen beherbergte, die gekachelten Wände, die Fensterrahmen, die Dinge draußen vorm Fenster – alles strömte auf seine Sinne ein und lud sie mit Kraft und Entzücken.« Aus diesen überdeutlichen Momenterhellungen entsteht der künstlerische Impuls. Die Verwandtschaft kurzer Prosastücke – für sich stehend oder innerhalb der längeren Erzählungen – mit Gedichten von William Carlos Williams, wundert daher nicht: auch sie sind angewiesen auf diese »glimpses«, die eine sensible und eigensinnige Empfänglichkeit für die Details aufnimmt und festnagelt. Die Details sind der geschärften Aufmerksamkeit Updikes wichtig, er nennt sie »die Finger des Riesen«. Zu dieser Konzentration auf das Naheliegende, scheinbar Banale, paßt Updikes Ausdauer beim Erzählen alltäglicher und insofern lebenswichtiger Angelegenheiten: die kleinen wichtigen Quälereien innerhalb des normalen und nur dem oberflächlichen, weit entfernten Zuschauer glatt und friedlich verlaufenden Zusammenlebens zwischen Leuten, die sich gern haben. Immer wieder in der Ehe die Ehefrau, der nicht ganz nahzukommen ist, Träume, die dem Mann eine andere, verfügbarere Frau heranschaffen, Untreue, die gerade noch vermieden wird und doch mit Schuld belastet. Geschichten von jungen Vätern und ihren kleinen Töchtern und die scheue hartnäckige, von Ängsten eingefaßte Liebe zwischen ihnen. Kein der eigenen Biografie entnommener Bestandteil rückt diese zärtlichen, klarsichtigen, genauen Kinderportraits in die Nähe von töricht-privaten Tagebucheintragungen, denen die verwandtschaftliche Bindung den Blick getrübt hat.

Nicht nur Schauplatz und Held, auch Motive, Augenblicke, Emotionen und Reflexionen kehren von einem dieser Meisterstücke zum andern wieder: der Unfall einer Katze, die Angst vor dem Tod, die genaue Beobachtung des Alters, vorgenommen an einer Großmutter, an einem Großvater, die genaue Beobachtung der verwandtschaftlichen Liebe, die Schwierigkeit und das Bedürfnis zu glauben, die dauernd grüblerische Auseinandersetzungen mit der Religion anregen, Zusammengehörigkeit von Familienmitgliedern und ihre Mißverständnisse, ihre Streitereien aus Sympathie, dicke Frauen. Dieses Schreiben befindet sich immer in Reichweite jener »fernen, scheuen Macht, die sie alle an diesen Platz gestellt und die diese Wände gemacht hatte und den einsamen Baum draußen, der die ersten Blätter entfaltete unterm gelben Nachthimmel von New York.« So, von den Studien der Dingwelt, von den Gegenständen ausgehend, erreicht Updike Grenzen des Erratbaren. Das Transzendente drängt sich als unermüdliche Frage in die realen Gegenwartsausschnitte. Updike füllt jede Zeile mit seinem Verlangen nach Erkenntnis, dies Verlangen zwingt zur Genauigkeit bei der Wahrnehmung dessen, was wahrzunehmen ist: immer auf der Suche. Es gibt in diesem Band Geschichten, die man sich als Vorarbeiten zu neuen Romanen wünscht, und solche, die mühelos den früheren Romanen einzugliedern wären: so ließen sich die Stücke »Taubenfedern« und »Flügge« als Kapitel des Romans »Der Zentaur« denken, andere Beiträge wirken wie autobiografische Variationen zur großen Autobiografie, die sich, zersplittert in ihre widerstandsfähigsten Elemente, im Gesamtwerk dieses Autors zu erkennen gibt. *(1967)*

MARY McCARTHY
DER ZAUBERKREIS

Nach 5 Büchern sollte Mary McCarthy endlich auch bei uns ohne beglaubigende Präliminarien auskommen – dennoch muß einer Lesergruppe, der diese Frau einfach zu gescheit ist, die literarische Qualität von Buch zu Buch beteuert werden. Mary McCarthys Entdeckung von vorsichtig tabuisierten psychischen Abläufen entmutigen, weil kein schönes Pathos sie korrumpiert und den Feinschmeckern die Welt behaglich auspolstert. »Es ermüdete sie, die Wahrheit zu kennen und zu wissen, daß sie immer mehr Raum einnahm und für Hoffnung und Illusionen immer weniger Platz ließ,« erkennt die skeptische, die vergeblich romantische Heldin dieses Romans, Martha Sinnot; auch für sie gilt, was ihre Autorin über John, Marthas zweiten Mann, ermittelt: ». . . er fing an, die Dinge in diesem klaren, scharfen Licht zu sehen.«

Dies »klare, scharfe Licht« strahlt alle Personen an, die Mary McCarthy zum ironisch-meditativen Roman des künstlerisch ambitionierten Dorfes New Leeds versammelt. Hierhin, an die Ostküste von Connecticut, New York in Reichweite, hat es die Sinnots zum zweiten Mal verschlagen, und mit der übrigen, seßhaft gewordenen Künstlerclique, die etwas erlahmt, aber beharrlich ihre Unbürgerlichkeit feiert, verfallen sie den Klatsch- und Tratsch-Gesetzen, die in einer solchen Sackgasse für höhere Gestrandete gelten. Die Autorin führt rasch hinter die hübschen Außenwände dieser Pseudo-Idylle mit guten Freundschaften, ergiebigen Gesprächen über Kunst, Ästhetik, Liebe, netten Picknicks, ehrgeizig bildungsversessenen Lese-Aufführungen Racinescher Dramen, zeitvertreibenden Ränken. Dahinter steckt mehr, steckt eine – für die Leser überaus unterhaltsame, für die Betroffenen höchst peinliche – Auswahl von Komplikationen, Sorgen, Verfehlungen. Der Schein hat also wie immer getrogen, und Mary McCarthy erbringt, portraitierend, erzählend, den Nachweis.

Ihre empfindsame Klugheit, ihre Leidenschaft für genaues Nachdenken macht den Protagonisten von New Leeds das Leben schwer. Nie gelingt ihnen die wehmütige Trennung von »Hoffnung und Illusionen« endgültig, sie sind zu sensibel und zu intelligent, um als vollendete Rationalisten glücklich zu werden. Vernunft wird nur durch gute Bekanntschaft mit der Unvernunft gewonnen und immer wieder ironisch sublimiert und immer wieder auch verloren. Martha verspürt ein unkonventionelles Bedauern, wenn sie ihre absolut harmonische Ehe inquiriert, ihre Unzufriedenheit wird nur durch selbstquälerische Verfeinerung des Denkvorgangs möglich: »Sie ›liebten‹ einander noch, aber diese Liebe war heute weniger ein Versprechen denn eine Lebensgegebenheit. Wenn sie noch einmal vor die Wahl gestellt sein würden, entschiede sich keiner von ihnen anders. Keiner von ihnen wüßte jemanden, den er dem andern vorgezogen hätte. Keiner konnte sich einen idealeren Partner vorstellen als den, den er hatte. Von ihrem Standpunkt aus gesehen und für ihre Zwecke konnten die Dinge nicht besser sein, als sie waren. Das gerade war das Trostlose: für sie beide, so wie sie konstituiert waren, in alle Ewigkeit, war dies das Optimale, darüber hinaus gab es nichts.« Dies individuelle Optimale, bitter entdeckt und nicht zu korrigieren, genügt den Ansprüchen von Mary McCarthys Romanfiguren beinah nie, und sie haben wenig Lust, sich mit ihm abzufinden. Aber auch Überschreitungen bringen nichts ein, und keine decouvrierende Erkenntnis verhilft zu lukullischer Katharsis. Martha macht die Empfindung vor, mit der sich jemand, der zu präzise und zu hartnäckig grübelt, unbehaglich fühlt, sie resümiert den Zustand nach der aufklärerischen Denkarbeit pessimistisch: »... wenn das, dachte Martha schneidend, ›Reife‹ war, dann konnte sie ihr gestohlen bleiben; dann wollte sie beinah lieber tot sein. Mehr als einmal war ihr in den Sinn gekommen, rein als Spekulation, daß sie vielleicht tatsächlich tot war.« Aber das ist sie nicht, noch nicht, und statt in den Tod treibt vorläufig das Unglück ihrer glücklichen Ehe sie in den Ehebruch, und auch dieser – ein nach romanhaftem Herkommen vielfach läuternder, insgesamt erfrischender Prozeß – nützt keinem Beteiligten. Mary McCarthy bleibt sachlich: Miseren heben sich nicht gegenseitig auf, Lügen schaffen einander nicht aus der Welt, ein Mißstand bleibt ein Mißstand und ein neues Übel wirkt nicht als deus ex machina, es geschieht nicht plötzlich ein Wunder, das die Befriedigungsgrenzen ungeahnt erweitert. So viel »klare Selbsteinschätzung«, von Martha und ihren

Freunden vorgeführt, wird »mit den Jahren immer be-
schwerlicher«.

Vergebens strengt Martha sich an, auf dem Schauplatz ihres
ersten Scheiterns in der Ehe mit dem tyrannischen Schriftsteller Miles nun mit dem optimalen Partner John, der ihr
das Klima von New Leeds verordnet hat, in der Gegenwart
zu leben. John will, liebevoll therapeutisch, daß Martha ein
Theaterstück zuende schreibt, will, daß sie ruhig wird und
frühere Spannungen vergißt, aber statt in die Zukunft geht
der Blick zurück, New Leeds kassiert Marthas gute Vorsät-
ze, die Vergangenheit mischt sich dauernd ein, so lang, bis
Martha dies selber wünscht, worauf der gefürchtete Miles
seinen despotischen Zauber wieder aktualisieren kann, denn
er möchte, obschon ebenfalls glücklicher als zuvor verheiratet, die erste Frau nochmals in Liebesausübung domestizie-
ren – ein Vorgang, der sich ereignet, vom Empiresofa und
von Unerlaubtheit erschwert. Dieses zuverlässig geröntgte
Fabel-Zentrum umgibt New Leeds mit seinem Personal,
seinen Geschichten.

Die gescheiten Untersuchungsergebnisse über die unbelieb-
ten Lustlosigkeiten veranschaulicht Mary McCarthys unbestechlicher Blick für die Komik des Tragischen.   *(1968)*

SYLVIA PLATH
DIE GLASGLOCKE

Worüber unempfindliche Leute nicht weiter reflektieren,
weil es ihnen als normal erscheint: das Leben bis zum
sogenannten natürlichen Tod, hat Sylvia Plath nicht zu
reflektieren aufhören können, und sie kam dabei zu keinem
aufheiternden Ergebnis. Ihre Sensibilität und eine besondere
Sehschärfe, durch die sie mit traumatischer, quälender Deutlichkeit wahrnahm, was andere zu ihrem Glück übersehen,
ließen ihr keine Ruhe, versperrten ihr bequeme Kompromis-

se. Zu leben fand Sylvia Plath schwierig, immer schwieriger, überdies stets unbefriedigend und schließlich, ganz konsequent, unmöglich; deshalb versuchte sie viele Male, damit aufzuhören, und sie hörte 1963, einunddreißigjährig, damit auf, freiwillig also, falls das überhaupt freiwillig ist.

Gerade war ihr Roman *The Bell Jar* – seit dem Frühjahr 1968 als *Die Glasglocke* für die Bibliothek Suhrkamp aus dem Amerikanischen übersetzt – im Original erschienen; sie wollte nicht mehr wissen, wie ihr unverkennbar autobiografisch gesicherter Bericht, den sie ihrer Ich-Erzählerin Esther Greenwood aufträgt, in literarischen Kreisen wirken würde. Mit ihrer Umwelt, so mußte es ihr wohl scheinen, hatte sie längst genug bittere Erfahrungen gemacht, und ihrer Verletzbarkeit war kein Zuspruch, keine Vertröstung und Ablenkung, aber auch nicht einmal mehr medizinische Hilfe gewachsen.

Sylvia Plaths erster Lyrikband, *The Colossus,* veröffentlicht zu ihren Lebzeiten, machte Eingeweihte auf sie aufmerksam. Mehr Publikum und Anerkennung gewann sie nach ihrem Tod: Die unter dem Titel *Ariel* versammelten Gedichte aus dem Nachlaß erregten literarisches Aufsehen, selbstverständlich nebenbei auch profitierend vom Aufsehen des Privaten. In ihrer melancholischen Biografie läßt Sylvia Plath Esther Greenwood allerdings am Leben. Esther, begabte, selbstkritische Collegestipendiatin aus New England, ist zusammen mit elf anderen Mädchen als Gewinnerin des Preisausschreibens einer Modezeitschrift für einen Monat Gast in New York. »Wir waren also zwölf in dem Hotel, auf dem gleichen Stockwerk, am gleichen Flur, in Einzelzimmern, eins neben dem anderen, und das erinnerte mich an mein Wohngebäude im College. Es war kein richtiges Hotel – ich meine, ein Hotel mit Männern und Frauen durcheinander auf dem gleichen Stockwerk. Dieses Hotel – die ›Amazone‹ – war nur für Frauen . . .«

Daraus ergibt sich für Esther keineswegs ein um so argloseres Vergnügen. Sie ermittelt im Gegenteil über sich selber, woran nichts zu manipulieren, nichts zu ändern ist: »Ich hätte wahrscheinlich begeistert sein sollen, wie die meisten anderen Mädchen, aber ich konnte mich einfach nicht dazu bringen. Ich fühlte mich sehr still und sehr leer, wie sich das Auge eines Orkans fühlen muß, das träge in der Mitte des Klamauks dahintreibt.« Esther weiß gleichzeitig: »Dabei sollte das für mich die schönste Zeit meines Lebens sein. Angeblich wurde ich von 1000 anderen College-Mädchen, wie ich eins war, in ganz Amerika beneidet . . . Ein Mädchen lebt neunzehn Jahre lang in irgendeiner Stadt, weit ab vom Schuß, sie ist so arm, daß sie sich noch nicht einmal eine Zeitschrift leisten kann, und dann bekommt sie ein Stipendium fürs College, gewinnt überall Preise, und schließlich steuert sie New York als ob es ihr eigenes Auto wäre. Nur daß ich gar nichts steuerte, nicht einmal mich selbst. Ich holperte von meinem Hotel zur Arbeit und zu Parties und von Parties zum Hotel . . . wie ein dumpfer elektrischer Omnibus.«

Es ist der Sommer, in dem die Rosenbergs auf den elektrischen Stuhl kamen, eine von Esthers Obsessionen, die keiner in ihrem Umkreis versteht. Sie findet den New Yorker Sommer verrückt und schwül, und sie weiß nicht, was sie in New York soll, allerdings immer unter dem Druck der Vorstellung, etwas entgehe ihr, etwas Wichtiges, worauf sie seit Jahren gewartet hat, eine Gelegenheit zur Veränderung, ein Fingerzeig für die Zukunft, ein Mann – und dies ungenau Umrissene, noch nicht Absehbare, dringend Erhoffte werde von ihr verpaßt. Und es wird verpaßt, weil Esthers Schwierigkeiten bei der Anpassung an den Alltag zunehmen, woran einerseits der Alltag schuld ist, andererseits Esthers Sensibilität: die Wirklichkeit und Esthers Reaktionen auf sie können sich nicht miteinander vertragen.

Esther wünscht sich nicht die Isolation – gar nicht, denn sie möchte sich zum Beispiel gern verlieben – sie wird vielmehr folgerichtig in sie hineingezwungen. Sie spürt: ». . . in diesem Sommer war mit mir etwas nicht in Ordnung . . .«, eine

Gewißheit, zu der jeder Tag in New York beiträgt und mit ihm jede Bekanntschaft, jedes Geplänkel mit den andern Mädchen, jedes Bankett, jeder versuchte, überanstrengte, scheiternde Flirt. Hierzu aber hat es kommen müssen: Rückblenden in Esthers Vergangenheit motivieren die Komplikationen der erzählten Zeit. Diese oft kurzen Szenen von früher – ungelöste Konflikterlebnisse – bilden eine Beweiskette und ergeben eine Komposition, die nur das Merkmalhafte zum Lebenslauf montiert und die Zutaten zum Krankheitsbild einer Neurose mischt.

Die empfindlichen Erlebnisreaktionen, welche als abnorm von unserer Gesellschaft abgetan werden, steigern sich mit Esthers Rückkehr nach Hause ins täuschend friedliche Vorstadtleben zu einem andauernden Leidenszustand ihrer gesamten Persönlichkeit. Dieser Sommer wird immer unerträglicher. New York ist eine belastende Erinnerung, und bei der robust-nichtsahnenden, aktiven, allmählich peinlich berührten Mutter fühlt Esther sich eingesperrt und blockiert. Ihr ist ein Sommerstipendium für einen Schriftstellerkurs entgangen, nun setzt ihre Mutter, eine Lehrerin, sie mit ihrem pedantisch gepflegten Tick für die unentbehrliche Nützlichkeit der Kurzschrift unter Druck. Esther, die einen Roman schreiben will, um die Öde dieses Sommers zu überbrücken, kommt nicht über ein paar Sätze hinaus. Immer schlechter kann sie sich mit der Außenwelt arrangieren, hartnäckig bleiben dennoch ihre Versuche. Ihr Zustand – sie kann nicht mehr schlafen, nicht mehr essen, nicht mehr schreiben, nicht mehr lesen, nicht mehr gut schlucken und so weiter – rückt der Verzweiflung näher.

Es ergibt sich das Bild einer Verzweiflung, das die Gesunden abschreckt. Esthers Aufzeichnungen der traurigen und selbstquälerischen Bewegungen auf den Tod zu – also auf eine mögliche Lösung, auf einen zuverlässigen Ausweg – bleiben unpathetisch wie die übrige Niederschrift. Die ironische Selbstkontrolle wird nie verloren. Einem so gar nicht unbekümmerten Mädchen gelingt doch ein sozusagen unbekümmertes Erzählen: unschuldig-konkret hält es an realen Abläufen fest, nicht besonders bedacht aufs Zustande-kommen eines raffinierten Prosatextes, nicht ausgeklügelt, nicht korrumpierbar durch ambitionierte Verstellungskün-ste. Sylvia Plaths Esther feilt nicht trickreich herum: das erhöht die Glaubwürdigkeit. Fast als wolle sie dem Leser noch Gelegenheit geben, sich gut zu unterhalten, so be-schreibt sie spöttisch, bitter, aber eben doch auch unterhal-tend oder, wenn man will: spannend, ihre Selbstmordversu-che: den Rasierklingentod in der Badewanne, das Erhängen, das Ertränken, das Einschlafen nach der Einnahme von Medikamenten – lauter fehlgeschlagene Hoffnungen.

Das Ende dieser Anstrengungen: psychiatrische Behand-lung, die Heilanstalt, Elektroschocks. Esther verdankt es ihrer Mäzenin, einer alten Erfolgsschriftstellerin, daß sie eine private Klinik aufsuchen kann; jedoch ist auch dies nur wieder ein deprimierendes Geschenk. »Ich wußte, ich hätte Mrs. Guinea dankbar sein müssen, nur empfand ich nicht das mindeste. Wenn Mrs. Guinea mir eine Fahrkarte nach Europa geschenkt hätte oder eine Reise um die Welt, es hätte für mich nicht den geringsten Unterschied gemacht, denn wo immer ich auch saß – auf dem Deck eines Schiffes oder in einem Straßencafé in Paris oder Bangkok – immer saß ich unter der gleichen Glasglocke und schmorte in meiner eige-nen sauren Luft.«

Sylvia Plath gewährt Esther Greenwood zumindest die Aus-sicht auf eine Wohltat: Befreiung von der Glasglocke, Hei-lung, die ihr selber versagt blieb, wie ihr Tod beweist. Ihrem fiktiven Roman-Ich, das besser dran ist als sie selber, erlaubt sie den Wunsch nach einer »Feier dafür . . . wenn man zum zweitenmal geboren wurde – geflickt, vulkanisiert und für straßentüchtig befunden«. Esther Greenwood wird aus der Heilanstalt entlassen, wird voraussichtlich leben. Aber den Erfolg der Roman-Figur überschattet der Mißerfolg der Autorin. *(1968)*

Mit sechs Erzählungen und fünf Kapiteln einer geplanten Fortsetzung des Romans »Zeno Cosini« beendet der Rowohlt Verlag die deutschsprachige Ausgabe der Werke von Italo Svevo, vorläufig zumindest: eine Edition der Briefe zum Beispiel steht noch aus. Diesen vierten Band hat der svevokundige Piero Rismondo aus dem Nachlaß zusammengestellt und mit einem aufschlußreichen Nachwort versehen, diesmal aber sich in die Übersetzung mit Karl Hellwig geteilt: »Mit vollem Bedacht«, schreibt er dazu, und »nicht nur, um Hellwigs Verdienste als einen der frühen Entdecker Svevos im deutschen Sprachraum zu dokumentieren, sondern auch, um dem Leser die Möglichkeit zu bieten, Svevo durch das Medium eines anderen Übersetzers und eines anderen Übersetzertemperaments kennenzulernen.« Es zeigt sich beim Vergleichen, daß weder Rismondo noch Hellwig die Parallele zu scheuen brauchen; merkwürdigerweise stellt sich überhaupt kein divergierender Effekt ein, vielmehr trifft Hellwig in den vier von ihm übertragenen Prosatexten schon denjenigen charakteristischen Svevo-Ton – mit seiner distanzierenden Ironie, der gelassen melancholischen Hellsichtigkeit – der uns durch Rismondo vertraut wurde. Das mag einerseits und vor allem die Widerstandskraft des Originals beweisen, es bezeugt aber auch Unbestechlichkeit, Intuition und genaues Gehör der beiden Übersetzer für Svevos der Wahrheit und nicht, wie Svevo es formulierte, dem »höfischen Stil« und »schönen Klang« verpflichtete Sprachgesinnung.

Über die literarische Bedeutung Svevos, der im unliterarischen, bürgerlichen Bestandteil seines Lebens als Ettore Schmitz ein triestiner Kaufmann war, braucht man sich nach den drei großen Romanen »Zeno Cosini«, »Ein Mann wird älter« und »Ein Leben« (alle bei Rowohlt) nun endlich auch bei uns nicht mehr zu streiten. Diesem Pionier der modernen

Epik, der nur aus Nachlässigkeit nicht in einem Atemzug mit Joyce, Kafka, Proust, Virginia Woolf, Musil genannt wird, verhalf die Fürsprache seines Entdeckers Joyce erst spät zu einer Art Ruhm unter Sachverständigen, und den Widerstand gegen seine eigene schriftstellerische Ambition hat Svevo immer wieder selbst gefestigt. Im Jahr 1902 steht in seinem Tagebuch: »Ich habe diese lächerliche und schädliche Sache, die man Literatur nennt, aus meinem Leben ausgemerzt.« Natürlich war an dieser Bitterkeit, der er sich selbstquälerisch vergewisserte, auch das Ausbleiben jeder angemessenen Reaktion schuld, und natürlich blieb dennoch die Literatur Italo Svevos – er gab sich diesen Namen, »italienischer Schwabe«, aus Verehrung für Schopenhauer – im Leben des Ettore Schmitz unausgemerzt. Gleichwohl hört der Groll gegen den Kulturbetrieb nicht auf und auch nicht das Mißtrauen gegenüber den eigenen »literarischen Träumen«, von denen er sich, Violine spielend, abzubringen versucht, weil er nicht möchte, daß sie seine »kaufmännischen Fähigkeiten« beeinträchtigen. Die späte Anerkennung beendet diese Zurückhaltung, Svevo schreibt fleißiger, als wolle er die verlorene Zeit einholen, und aus den letzten Lebensjahren stammt die hier gesammelte Prosa. Die Thematik der Romane findet sich in ihr wieder. Noch deutlicher tritt die Beschäftigung mit dem Alter in den Vordergrund aller Texte. Die alten Männer der Erzählungen und der alte Zeno Cosini der fünf Kapitel zum geplanten zweiten Teil des Romans empfinden die schmerzliche Annehmlichkeit, die objektivierende Indifferenz ihrer Situation am Rande der Familien, am Ende der Lebensläufe. Ihnen gelingen, durch eine innere Entfernung vom Alltag, durch eine Art Stillstand, von dem aus sie besser beobachten können als andere, erhellende Resümees über sich selber und über ihre Umwelt, deren Geschäftigkeit und Unvernunft sie schon ein bißchen hinter sich gelassen haben, Resümees, die sich bitter nur anhören, die es nicht sind, bei denen vielmehr gelächelt wird: »Ich bin ein alter Mann, der niemanden lieben würde und von niemandem geliebt würde, liebte ich nicht mich selber und würde ich nicht von mir selber geliebt.«

Man muß dazu anmerken, daß Svevos alte Männer nicht die üblichen Ungeliebten sind, daß die Verwandtschaft weder mit Terror noch durch Gefühllosigkeit die sanfte Isolation erwirkt, im Gegenteil: die Alten sind umringt von liebevollen, zivilisierten Familienmitgliedern, die nach bestem Vermögen und Anstand, in guter Tradition, wohlerzogen und vielfach sogar auch durchaus zärtlich jene lieben, die in ihrem abgesonderten Zustand, genannt Ruhestand – den so viel Nachdenklichkeit unruhig macht – aus der Distanz durch einige Lebensjahre, zur unkorrumpierten Genauigkeit ihrer Analysen imstande sind. Diese alten Männer, in deren bürgerlichen Verhältnissen und menschlichen Beziehungen also scheinbar alles geordnet ist, nutzen ihre letzte Zeit zum Recherchieren, und sie kommen dabei zu Ergebnissen, die das Gelebte nicht beschaulich-heiter abrunden. Sie sind Verhaltensforscher und Psychoanalytiker, sind Arzt und Patient in einem, sie erkennen unbeschönigt ihre eigenen Fehler und die der anderen, und trotzdem verschont Svevo uns damit, sie als »weise« zu präsentieren, denn das können sie nicht werden, und auf die Kernfrage, »wozu man auf die Welt kommt, lebt und alt wird«, finden sie bei aller Hartnäckigkeit der Neugier keine beschwichtigende Antwort. Das Los der Greise ist bitter also auch im Wohlstand und inmitten verwandtschaftlicher Fürsorge. Abgeklärtheit kommt hier nicht vor. Die Empfindlichkeit für die sogenannten Kleinigkeiten des Alltags nimmt womöglich noch zu, ebenso die emotionale Sensibilität, welche die winzigen wichtigen Komplikationen zwischen Menschen wahrnimmt und unerbittlich aufspießt, das aus Konvention und Wohlmeinen gezimmerte Eingeschlossensein in den Kreis der Familie: darin, in dieser Enge, die gütige Heuchelei, die Mißverständnisse, die besitzergreifende tyrannische Liebe, das Gewohnheitsrecht der ehelichen, der familiären Bindungen.

Die vorgeführten Situationen sind traurig und normal: ein

alter Mann unternimmt eine Reise in der Hoffnung auf kurzfristige Befreiung von dem ganzen großen und insgesamt ja auch nützlichen Gefühlsapparat der Familie, und der Hoffnung kommen schäbige, alberne, demütigende Banalitäten in die Quere, so daß sie sich nicht erfüllt und zugleich das »kurze sentimentale« Verlangen des Flüchtigen als Unfug denunziert. Empfindsamer Beweis für die Unfreiheit der Freiheit, auch in der Erzählung »Feuriger Wein«, auch in den anderen Stücken: immer wieder das Altsein, die Frage nach dem Sinn des ganzen gelebten Unsinns, die eingestandene, von Träumen erhellte Angst vor dem Tode. Svevos behutsame, für die kleinsten physischen und psychischen Notenwerte empfindliche Ironie durchleuchtet den abgeschiedenen Alltag der Alten. Dieser Nachlaßband ist viel mehr als nur eine Ergänzung und letzte Zutat, er kann für sich allein bestehen, sogar auch der den »Zeno Cosini« fortsetzende Abschnitt – ein Fragment – kann es; aber die eingeweihten Leser und Bewunderer Italo Svevos werden zweifellos bei der Lektüre den größeren Genuß haben.

(1968)

GÜNTER EICH
MAULWÜRFE

Ich bin hier nun sozusagen der letzte Rezensent. Nachdem in allen wichtigen Zeitungen die wichtigen Leute über Günter Eichs MAULWÜRFE scharfsinnig reflektiert haben, hierbei bald pathetisch, bald zum Lachen gekitzelt, zum Weinen gerührt oder zornig enttäuscht, nachdem sie also diese MAULWÜRFE ihren Interpretationen und Nachdenklichkeiten in Meinung und Gegenmeinung aufs Ausführlichste zu unterwerfen versucht haben (aber Eichs Maulwürfe haben Krallen und sind schädlich), nachdem dies also geschehen ist, weiß der allround-Leser der Literaturbeilagen, was alles los sein *könnte* mit diesen Prosa-Mantelfuttertieren, sofern er von Kritik zu Kritik gläubig geblieben ist. Günter Eich, der einzige, der wirklich Bescheid weiß, kann nicht gefragt werden. Es ist so ähnlich wie bei der Gruppe 47 und ist natürlich genauso wie bei jeder Literaturkritik. Kluge Stimmen sprechen (nicht immer Kluges), der Autor schweigt – und das ist klug. Ich sehe Günter Eich allerdings beim Schweigen listig lächeln, zugleich melancholisch, denn er lächelt, wie er schreibt, und er hat einen Schluck oberfränkischen Pflaumenschnaps im Mund. Oberfränkisch? Kreis Waischenfeld, Gruppe 47: ich nähere mich meinem Thema. Ich mag keine herkömmliche Kritik über dieses schöne kleine Buch schreiben mit seinen 53 kurzen, zumeist nur je 1 Druckseite füllenden Texten, ich denke dabei nicht an meine Verspätung, ich mag nicht, weil mir diese Texte zu gut gefallen: den üblichen Rezensentengepflogenheiten, der Terminologie literaturkritischer Gescheitheiten entziehen sich Eichs Maulwürfe sanft, aber gefährlich, denn sie »sind schneller als man denkt. Wenn man meint, sie seien da, wo sie Mulm aufwerfen, rennen sie schon in ihren Gängen einem Gedanken nach, an eingesteckten Grashalmen könnte man ihre Geschwindigkeit elektronisch filmen. Andern Nasen einige Meter voraus.« Das stimmt. Eich samt Maulwürfen hat denen gegenüber, die ihm und ihnen schreibend nachspionieren, einen erheblichen Vorsprung.

Ich gebe es zu: ich möchte mich vor Maulwurf-Definitionen drücken, die Maulwürfe, die Günter Eich schreibt (nicht beschreibt) sind mir voraus, und ich kann sie nur sehr gern haben. Ich erzähle von ihrem ersten kurzen Auftritt im Herbst 1967. Pulvermühle, die Gruppe 47 tagt, es ist Samstag, 18.20 Uhr. Hans Werner Richter sagt einfach wie immer (aber diesmal muß er den Namen des Aufgerufenen nicht wiederholen): Günter, bitte. Günter Eich wird lesen. Wer gerade noch Lust hatte, zu gähnen, sich aus Langeweile zu räuspern oder in der Nase zu bohren, über den Hinterkopf einer Person in der Reihe vor ihm nachzudenken, der hört jetzt damit auf. Eich liest ein paar MAULWÜRFE, die sich so noch nicht zu erkennen geben. Er liest MEIN SCHUSTER, SEEPFERDE, HAUSGENOSSEN, KALAUER, und liest auch ALPINISMUS. Hat jemand mit diesen komischen und traurigen Lakonismen gerechnet, mit dem durch Spott und Kalauer getarnten Schmerz, mit nichtlyrischer Prosa von Günter Eich, der hier Absurdes als normal anbietet, mit den bitteren Paradoxen, über die gelacht wird, mit den Sätzen, die zu Sätzen führen und mit den Sprüngen zwischen Hauptsatz und Hauptsatz, mit dem, was nicht ganz zu Ende verstanden werden kann und wo am Ende etwas Aufregenderes übrigbleibt als das komplette Verstehen – keine Umgehung des Realen allerdings, keine Symbolik, sondern konkrete Traurigkeit, die jedem der böse veralbernden Sätze immanent ist. Nein, es scheint keiner damit gerechnet zu haben. (Und ich habe nicht gewußt, daß Günter Eich sich in der Pop Music auskennt und die Kinks viel besser findet als die Dave Clark Five und ich freue mich.) Nach der Lesung keine Wortmeldung. Das kann ein sehr gutes und ein sehr schlechtes Zeichen sein. In diesem Fall ist es ein Symptom, das ich positiv werte: Günter Eich hat in die Irre geführt. Er hat sich aus Trauer lustig gemacht, zum Beispiel über Prosa durch Prosa. Hans Werner Richter insistiert freundlich: Weiß niemand was? Eich sitzt vorne und sieht aus, als denke er über einen neuen MAULWURF nach. Schneider steht passioniert auf und sagt sehr laut: Ecce poeta. Améry stellt daraufhin durchgehende Bosheit, durchgehende Güte fest. Dem Günter Grass bleibt wenig, beim Anhören verflog ihm der Genuß am Zuhören. Er spricht von privaten Späßen zum Weitererzählen. Höllerer war gar nicht zum Lachen zumute. Flüchtet Eich sich in eine Entsublimierung? Höllerer findet Galgenhumor – seine Diagnose der Texte – nun einmal nicht komisch, und er kauert sich sorgenvoll in seinem Stuhl zusammen. Raddatz kann nicht anders und muß Höllerer zustimmen: das waren keine Späße, das war Melancholie. In der Gelungenheit unterschiedlich, urteilt Wiegenstein.

Warum schreibt Eich neuerdings Kalauer? Schiebt er denn seine Schreibfähigkeit zurück? Ist das Verzweiflung, die literarisch nicht mehr weiter weiß? Reich-Ranicki hat merkwürdigerweise den Eindruck, daß zwischen der bisher geäußerten Kritik kein Widerspruch bestehe. Er spricht von legitimen Versuchen, aber es ist ihm absolut unverständlich, wieso sie außerliterarisch sein sollten. Ihn ärgern überflüssige Pointen und die Jagd nach ihnen, der alle pointensuchenden Autoren auf der Welt nachgingen. Zum Abschluß erwähnt er Eichs 60. Geburtstag, da seien Produktionsschwierigkeiten normal. Karaseck hat den Eindruck, in ein Pferd werde reingeguckt und ein Flugzeugmotor gesucht. Ihm gefallen die Texte, aber unter der Rubrik »reizende Feuilletons«. Fried wehrt sich gegen die Hypothese von den Produktionsschwierigkeiten der Sechzigjährigen und sieht das Problem der inneren Emigration neu aufgerollt. Kaiser hat auch diesmal wieder Glück mit brillanten Formulierungen und sagt zum Beispiel: Wenn das Produktionsschwierigkeiten sind, dann wünsche ich sie vielen von uns. Für Kalauer hält er die Texte gar nicht, sondern für eine neue Erfindung. Die Richtung der Pointen sei nie voraussehbar. Da und dort hat er sich über hinreißende Einfälle gefreut. Am Schluß der Diskussion will Baumgart sich Höllerers wegen nicht schämen, weil er Tränen gelacht hat.

Meine Stimmensammlung nimmt mir das eigene Urteil doch nicht ab; habe ich jedoch nicht gleich am Anfang gesagt, daß Eichs Maulwürfe mich mehr als andere Tierarten interessieren, und das will viel heißen, denn ich war wirklich immer Fell- und Nagetieren gegenüber mißtrauisch. Ich mache auf jeder Seite einen Fund, ich kann nicht alles aufzählen. Auf Seite 15 lese ich immer wieder den letzten Satz: »Endlich weiß man, was Zeit ist: Solange man auch trödelt, es wird nicht früher.« Das ist nicht nonsense (den ich übrigens schätze, so sehr bei John Lennon wie bei Günter Eich), das hier ist traurig und ist hintergründig und ist eine Erkenntnis; und wenn Günter Eich nun weiß, was Zeit ist, so weiß ich spätestens durch Günter Eich, was gute, assoziative, von Satz zu Satz ereignisreiche Prosa ist, Prosa ohne Wucht und Fabel, Prosa, die mich betroffen und neugierig macht und die sich, glücklicherweise, mit Maulwurfgeschicklichkeit gegen Einordnungen wehrt.

P. S. Ich möchte so gern mindestens *einen* neuen Maulwurf lesen, den Eich über die Ankunft seiner älteren Maulwürfe bei der Literaturkritik schreiben sollte.   *(1968)*

INGEBORG BACHMANN
MALINA

Zum Phänomen Rezension hat wohl kein Autor ein ungestörtes Verhältnis. Wenn er selber eine schreibt, sollte er jedenfalls nicht wie professionelle Alles- und Besserwisser den Spielraum zertrampeln, den ein Buch seinen Lesern läßt. Vorgeschichten rangieren da am Rande, hier wäre es etwa die: Sozusagen mit angehaltenem Atem hat man darauf gewartet, daß Ingeborg Bachmann ihr Schweigen bricht, und jetzt – weil der »Große Siegfried«, zitiert auf Seite 184, schließlich doch erfolgreich gedrängt hat – jetzt geht das Reden los.

Mein Reden-Rezensieren scheint mir am ehesten noch legitim, indem ich während der Lektüre notiere, also nicht mit dem Ballast des Ganzen dem Buch hinterherpredige. Und auch das Hellsehen in die ungewisse Zukunft einer Trilogie, als deren Anfang der Roman »Malina« konzipiert sein soll, das »Wie weiter?« lasse ich lieber weg.

Wichtig sind in diesem Buch drei Personen: die Ich-Erzählerin und die beiden Männer, die einzigen, allerdings unentbehrlichen Zugelassenen. »Zeit: Heute . . .« Und schon fängt es an mit den emotionalen Schwierigkeiten. »Heute« wagt die zwischen Gestern und Morgen verschreckte Erzählerin eigentlich nicht zu sagen, »heute« sagen dürfen eigentlich nur die Selbstmörder (da sie es heute tun). Dennoch: Von heute, das sich aus viel Vergangenheit zusammensetzt und in das die vielen Ängste vor dem Kommenden einfließen, wird berichtet.

Um einen Fixpunkt zu haben, gibt die Un-Heldin zunächst eine genaue Ortsbestimmung: Ich lese eine Biographie der Wiener Ungargasse, in deren Nr. 6 mit Malina zusammen gewohnt wird, in deren Nr. 9 Ivan wohnt, und wohin man »dringlich vor Glück« zurückkehrt. Ich weiß aber gleich: Das ist nicht irgendein bekömmliches Glück, es ist vielmehr hektisch, dem universalen Unglück abgezwungen, zum Selbstschutz.

Weiterlesen. Die Beziehung zu Malina kommt pathetisch-pathologisch zustande. Es gibt gleich Tränen und Nachdenklichkeiten übers Zusammenleben mit Malina bei großer Verschiedenheit. Malina funktioniert im Roman als ein Adressat für die Retrospektiven der Erzählerin: Sie will sich erinnern, an etwas Ungenaues, aber mit Sicherheit Verhängnisvolles, daran, wie es angefangen hat, zum Beispiel mit Tränen, mit Bewußtsein also, mit ihr selber also – ganz bestimmt jedenfalls in Klagenfurt, aber viel mehr steht nicht fest.

»Glücklich mit Ivan« heißt der zweite Abschnitt, und auch Ivan ist eine Kontrastperson, auch ein sogenannter Normaler, aber mit ihm findet Liebe statt und ein Unmaß davon, das er selber überhaupt nicht will; sie jedoch ist in jeder Emotion zum Maßlosen verdammt. Dieser Ivan bewerkstelligt, Seite 28, bei ihr: »daß hier . . . der Schmerz im Abnehmen ist, zwischen der Ungargasse 6 und 9, daß die Unglücke weniger werden, der Krebs und der Tumor . . .« Ivan, das Medikament. Und sie will die Mediziner informieren, aber ich glaube, sogar die wissen das längst, nur ist eine Person schwer zu verordnen. Ivan: das inkarnierte Psychopharmakon.

Die von allem Schönen und somit zugleich von allem Schrecklichen dauernd Infizierte zwingt sich zur Einsilbigkeit in Dialogen. Dazu viel Telephon, viele Zigaretten, viel Teekochen und Whisky in der Nacht, und eben: all about Ivan bei andauernder Angst von einem imaginären »Früher«. Auf Seite 43 bin ich entschlossen zu wissen: Nur Ivan wird geliebt, was aber ist inzwischen und überhaupt mit Malina, der Titelfigur, los? Allmählich gibt es konkrete Umweltbezüge, die Arbeitswelt einer Schriftstellerin kommt zum Vorschein, die unbeantwortete Post, die abgesagten Verpflichtungen zwischen London und Moskau, denn wegen Ivan muß alles andere vernachlässigt werden. Leute, Freunde, Gesellschaft: Das bleibt ein lästiger Rahmen von Chargen. Ein einfacher Vorgang, Über-die-Straße-Gehen, ist unmöglich ohne den kosmischen Kontext, denn als »siderisch« empfindet sich die Chaotikerin, schwer leidend am Erdboden, aber auf die Gestirne bezogen. Seite 62: Das Leitmotiv-Märchen taucht auf, die Legende von einer Prinzessin, die wohl mit Klagenfurts Ursprung zu tun hat, und ich erkenne undeutlich die archaisch-rührende Parallele zu ihr, jemand »um den es geschehen ist«.

Es gibt merkwürdigerweise keine Eifersucht in diesem Dreieck, die einander ähnlichen Männer wissen nichts voneinander oder wollen nicht. Weiß ich von den beiden mehr, auf Seite 129? »Ivan und ich: die konvergierende Welt. Malina und ich, weil wir eins sind: die divergierende Welt . . .« Dies Ich ist allein, bei permanentem Psycho-Hochdruck, zwischen zwei immer »gefaßten«, in ihrer Emotionslosigkeit sterilen Männer. Die ivansüchtige Passion ist auch eine Passion gegen das »Schizoid der Welt«, gegen den Wahn von verordnetem Leben.

Ich bin auf Seite 135, und ich weiß vieles noch nicht, auch nicht, warum das Buch »Malina« heißt und nicht »Ivan« oder am besten: »Ich«.

Weiterlesen. Sie, Ivan, Ivans Kinder: Körperwärme. Poetisierte, spasmische Innenbesichtigungen. Die Ivan-Anästhesien reichen nie lang genug. Zu etwas seraphischem Optimismus rafft sich dann doch wieder der Märchenton auf: »Einmal werden alle Frauen goldene Augen haben, sie werden goldene Schuh und goldene Kleider tragen ... Ein Tag wird kommen ...« – ein messianischer Tag, aber ich bin skeptisch: Wird hier ernsthaft an dies »Einmal« geglaubt, oder soll das nur der Geschmack von DICHTUNG sein?

Glauben kann ich den verzweifelt per Sprache – in Briefen, die zerstört werden und die immer »Eine Unbekannte« unterschreibt – angestellten Versuchen zu überleben; aber die Hoffnung destruiert sich selber. Und dies alles, während »Wien schweigt«.

Im dritten Abschnitt, »Der dritte Mann«, heißt der Ort nicht Wien, sondern »Überall und Nirgends«. In Träumen erscheint der Vater als Blutschänder, Prügler, Abschlächter, als Verfolger in apokalyptischen Wahnszenarien, und in den halbwachen Phasen übernimmt Malina, nun wieder der, eine distanzierte Sanitäterrolle. Fragt er die Leidende nicht gut genug? Denn zusammen mit ihm scheitere ich in der Ursachenfindung.

In diesem Abschnitt schieben sich die Obsessionen vor alles Dechiffrierbare. Es ist ein mordender Alltag, ein infernalisches Kostümfest der lebenden und der toten Toten, und dazwischen hilft auch ein Zitat nicht weiter: »Wer ein WARUM zu leben hat, erträgt auch fast jedes WIE«; denn diese Patientin hat kein »Warum«, und fast jedes »Wie« ist unerträglich.

Letzter Abschnitt, anspruchsvoll: »Von letzten Dingen« – aber ich atme zunächst ein bißchen auf: Es beginnt mit dem Faible für Straßenarbeiter (gebräunte Oberkörper) und Postbeamte, speziell für einen, der vor Gericht kam, weil er's mit dem Briefgeheimnis auf seine Art ernst nahm: Er stapelte seit Jahren die Post in seiner Wohnung. Das paßt zur Erzählerin, denn auch im sozusagen normalen Postverkehr sieht sie die Heimtücken, den Mangel an Angst vor der Angst. Sie weiß: Alles, was von ihr kommt, ist »flammend«, aber ringsum brennen für sie nur gezähmte Feuerchen. Sie versteht sich als »die erste vollkommene Vergeudung, ekstatisch und unfähig, einen vernünftigen Gebrauch von der Welt zu machen«.

Seite 290: »Die Gesellschaft ist der allergrößte Mordschauplatz.« Todesarten, täglich, in Todesraten. Auf Seite 306 beredet man sich über das Leben. Malina: »Was ist Leben? Ich: Es ist das, was man nicht leben kann.« Malina fordert: »Töte ihn.« Ich nehme an: Ivan. Aber warum gerade diese Therapie? Es bleibt der »Nachtwald voller Fragen«, während Malina plötzlich aktiver wird, Schlaftabletten nachzählt, Whisky versteckt. Ein Engagement ohne rechte Motivation.

Von Seite 345 an entwirft die immer schwerer Betroffene Briefe an einen Juristen: Sie will Ordnung machen, ein Testament. »Ich habe in Ivan gelebt, und ich sterbe in Malina.« Der ist es, der zum Schluß die Ivan-Beziehung zerstört, und sie verschwindet in einem Wandriß: »Es war Mord«.

Ich habe keineswegs alles verstanden, ich habe immer dort nicht verstanden, wo es konkret sein sollte. Ich verstehe wohl die wahre Inschrift: Leiden. Doch stört mich an diesem Buch eine allgemeine Undurchschaubarkeit, der haut goût DICHTUNG, dies auch Ivan unerwünschte Nachobenziehen von allem und jedem. Dichtungsflair, womöglich etwas oktroyiert, aber auch das weiß ich nicht so genau, fragen wir den »Großen Siegfried«, der weiß es sicher besser. *(1971)*

VLADIMIR NABOKOV
EINLADUNG ZUR ENTHAUPTUNG

Gegen die anrüchige Komplicenschaft zwischen Kritiker, Buch und Leser ist jedenfalls dann nichts zu sagen, wenn sich aus ihr eine dringende Empfehlung zur Lektüre ergibt. Ich habe Glück, ich wünsche diesem Buch Leser, und damit meine ich es mit den Lesern gut.

Zunächst verdarb mir der Klappentext ein bißchen Vorgeschmack und Lust. Sollte es etwa mystisch zugehen? Nach den ersten Buchsätzen habe ich den Verdacht verloren. Irrealität (des Schauplatzes, der Motivation für undurchschaubare Vorgänge) wird hier nicht als Vehikel zum Transport von Mitteilungen mißbraucht, die auch »real« zu machen wären; Zustände werden nicht vom Wirklichkeitsbezug abgelöst, um sie verraten zu können – es kommt also auch nicht zu den Aha-Reflexen im Kalten Krieg der Prosa, und kein Westlicher kann fröhlich stöhnen: wie gut, daß es die Dichter gibt, die uns zwischen ihren Zeilen östliche Schrecken in die willigen, dechiffriersüchtigen Ohren flüstern.

Nabokov schrieb das russische Original in den dreißiger Jahren als Emigrant. Brav ihrem inneren Gesetz folgend, erkannten die Kritiker in dem Buch einen »kafkaesken Zug«. Selbstverständlich hatte sich keiner bei Nabokov erkundigt, ob er je Kafka gelesen habe – er hatte nicht, damals. Nabokov erzählt in seinem Vorwort erheiternd-abschreckend vom Berufszwang der Rezensenten, der sie *»unweigerlich ausschwärmen läßt, um zum Zwecke passionierten Vergleichens mehr oder minder gefeierte Namen aufzustöbern«.*

Paradigmatischen Interpretationen entzieht sich das Buch. Der Held heißt Cincinnatus, aber nichts legt die Parallele zum historischen römischen Cincinnatus nah, zu jenem, der vom Pflug weggeholt wurde, um das römische Heer zu befreien: Weggeholt wird Nabokovs Cincinnatus zwar auch, aber um eingesperrt zu werden in eine monströse Festung, deren einziger Zelleninsasse er am Anfang ist, ausgeliefert an die verrückte Auseinandersetzung mit seinem durch kein Verbrechen begründeten Todesurteil, an die entsetzliche Angst, an die Ungewißheit über seinen Moment Henker, Hackbeil, Tod.

Die dringende Bitte um die Bekanntgabe des Vollstreckungstermins findet nirgendwo Gehör, und dies aufs künstlichste, merkwürdigste. Die doch »böse« Außenwelt gibt sich nicht böse, sondern vielmehr vergnügt, verspielt, blödsinnig gerührt über diesen für Cincinnatus so schrecklichen Sachverhalt: Rechtsanwalt, Direktor, Gefangenenwärter und später auch der als zweiter Festungshäftling eingeführte M'sieur Pierre – nachher sein Henker – sind inkarnierte Travestien, die auch Cincinnatus' Haft und sein Urteil zur Travestie machen.

Dankbar soll er sein – wofür? Die Würde des Vorgangs soll er begreifen, da, wo überhaupt nichts zu begreifen ist. Seine Schuld ist erfunden zum Schutz der parodistischen Außenwelt vor Cincinnatus' Eigenartigkeit, die das einzige ist, was gegen ihn angeführt werden kann: Er ist »opak«, nicht »transparent« wie alle andern. Sein Anderssein aber ist das sogenannte Normale, er ist der einzige, mit dem man sich identifizieren kann, die Außenwelt ist ein korruptes, wahnsinniges, törichtes Rätsel. Das Unheimliche bildet sich im Grotesken, die Ausweglosigkeit im Unfug, das Bedrohliche behält den Bittergeschmack von Ironie.

Die Lebens-Todes-Gefahr für Cincinnatus potenziert sich mit dem Weglassen der Ursachen, der Begründung. In dieser Idiotie ist keine Abwehr möglich. Entweder gibt es gar kein Motiv, oder es gibt jedes Motiv für dieses Urteil ohne Logik, ohne Hintergrund, ohne Nachvollziehbarkeit in einem menschlichen Gehirn. Cincinnatus macht einen imaginären Ausflug in die Freiheit, er endet vor der eigenen Haustür, hinter der ein wirrer und verworrener Familienclan ihn rätselhaft anfeindet, also mitspielt, eine an der Sexualphilie aufs harmloseste leidende Ehefrau ihn unermüdlich-freundlich betrügt, und diese Haustür schließt sich hinter ihm – und seiner Zelle.

Cincinnatus hat Angst vor dem Tod, unabhängig vom Herumraten an der Ungerechtigkeit. Der Irrsinn des Sterbevorgangs drängt sich ihm immer wieder auf: *» Und doch bin ich so sorgsam geformt ... Die Biegung meines Rückgrats ist so genau, so geheimnisvoll berechnet. In meinen Waden spüre ich eng aufgerollt noch so viele Meilen, die meine Füße in*

*meinem Leben laufen könnten. Mein Kopf sitzt so be-
quem* ...« Nicht einzusehen, warum das alles dahin sein
soll, nicht vorstellbar, wie der Moment sein wird, in dem es
geschieht und aus ist mit dem Existieren, mit den aufzählba-
ren physischen Einzelheiten, die inmitten der verhängten,
überall angewandten Unvernunft ihre Vernünftigkeit bewahren und sie Cincinnatus vor Augen führen, indem sie
einfach vorhanden sind.

Die Vorwegnahme des Todes, der nur stattfinden soll wegen
der *»fundamentalen Gesetzwidrigkeit«* seiner Person, ris-
kiert Cincinnatus mit Angst, Trauer und Zärtlichkeit auch
beim Ausziehen: *»Er* ... *legte den Schlafrock, das Käpp-
chen, die Pantoffeln ab. Er legte Leinenhose und Hemd ab.
Er legte den Kopf ab wie ein Toupet, die Schlüsselbeine wie
Hosenträger, den Brustkasten wie eine Halsberge. Er legte
Hüften und Beine ab, die Arme legte er ab wie Stulpenhand-
schuhe und warf sie in eine Ecke. Was von ihm übrig blieb,
löste sich langsam auf und färbte kaum die Luft* ...« Eine
»kriminelle Übung« bei Cincinnatus, bei Nabokov ein Beispiel für die virtuosen Sprünge aus dem Realen ins Surreale,
oder besser: für sein Hineingleiten – mit der Sprache, mit der
Einbildungskraft – ins Phantastische, bei dem ich gern habe,
daß es nicht in skurrile Turbulenz auswuchert.

Mit M'sieur Pierre wird alles nur entsetzlicher. Feierliche
Ankündigung des puppenhaften, preziösen Zellennachbarn,
Vorfreude und Andacht werden Cincinnatus suggeriert.
Dieser Schein-Leidensgenosse, der später behauptet, er sei
angeklagt wegen des Versuchs, Cincinnatus zu befreien, der
am Ende der Henker ist, diese personifizierte Fiktion, diese
Menschenparodie erhöht die Gefangenenqual durch kokette
Anpasserei, Einmischerei, gespreizte Geschwätzigkeit,
durch Gesellschaftsspielchen, durch ein absolut unversteh-
bares, devot ringsum sich anbiederndes Verhalten.

Cincinnatus bleibt mir nah, weil er nicht aufhören kann,
einfach Angst zu haben. *»*... *gerühmtes waches Leben – eine
schlimme Schläfrigkeit.«* Traum und Wirklichkeit müssen

sich dauernd bekämpfen, im Bewußtsein. Imaginäre Szenen – Besuch des Familienclans mit sämtlichem Wohnungsinventar und irrem Gerede, der Besuch der Mutter – erscheinen zugleich als wirklich und als Irrsinn, der mindestens so schwer auszuhalten ist wie die Unfaßbarkeit des Todesspruchs.

Cincinnatus versucht zu ermitteln, etwas herauszufinden – der Lesende mit ihm –, aber auf seine konkreten Fragesätze laufen sinnlose, alberne, abwegige Sätze zu, Sätze auf einem anderen Gleis, kranke Sätze; niemand außer Cincinnatus sagt hier jemals, was zu sagen wäre.

Täuschung ist hier alles, bis hin zu Geräuschen, aber Cincinnatus strengt sich an zu versuchen, sie mit Wahrheit zu infizieren, Wirklichkeiten zu erzwingen in einer Welt aus Kulissen, Menschenattrappen; und »real«, im Cincinnatus-Sinn, ist dann etwa noch der *»fettige Widerschein des Mondes«*. Umzingelt von Wahnbildern, Alpträumen, akustischen und optischen Irrtümern, Tarnungen, Finten, Mystifikationen preisgegeben: das ist Cincinnatus in der Erwartung der Henkerminute, einer Minute der Paradoxie nach paradoxen Wochen. Das Makabre findet dauernd statt, besonders mit dem Freundschaftsgebaren des possierlichen M'sieur Pierre, der Cincinnatus die Vollstreckung als absurde Feierlichkeit aufschwätzt, sich mit verzerrter Zärtlichkeit anschmeichelt. Verschmitzt und listig macht Nabokov die Unwirklichkeit zugleich plausibel und unplausibel; so viel ihm auch an Details zu ihr einfällt, tut er nicht, was man überziehen nennt, zum Beispiel, wenn nochmals die Ehefrau Marthe in der Zelle auftaucht, mit abstrusem Geplapper und mit dem Angebot, zum Abschluß nochmals ehelich zu kohabitieren (sie will was Gutes tun), oder wenn der Henker-Popanz Pierre seine Weltanschaulichkeiten salbungsvoll-süßlich ins geplagte Opfer-Ohr fistelt.

Wie kann jemand aus einer solchen Situation entkommen? Cincinnatus findet die Lösung in der Hackbeilsekunde. Plötzlich erkennt er die Außenwelt als zerbröselndes Pappmaché-Gebilde, die versammelte Zuschauermenge als bloße Menschennachahmung, die ganze Szenerie wackelt, der Blick sieht Dekoration, und die vermutete Täuschung entlarvt sich ihm als tatsächliche Täuschung. Da also nichts hier eigentlich stimmt und vorhanden ist, braucht Cincinnatus dies nur einzusehen, kurz vorm Hackbeil aufzustehen, er braucht nur fortzugehen, einfach durch den bösen Anschein hindurch; indem er die ihm als Realität oktroyierte Farce als Farce erkennt und somit ablehnt, fällt sie in sich zusammen. Freiheit, oder: Cincinnatus macht sich aus dem Roman davon. Er flieht – wohin, das ist egal. Nabokov hat zum richtigen Zeitpunkt Schluß gemacht.

Angenehm bei Nabokov: Wer unbedingt Parabelhaftes suchen will, kann es finden, wer dies nicht will, läßt es bleiben. Tief- und Doppelsinn-Fans können auf ihre Kosten kommen, sie brauchen sich nicht sehr anzustrengen. Ich habe das Buch nicht auf homonyme Untergründe geprüft (sondern statt dessen mich zum Beispiel, unter anderem, an *»glimpses«* erfreut). Nabokov gibt Lese-Denk-Freiheiten.   *(1971)*

SAUL BELLOW
MR. SAMMLER'S PLANET

Die Erde – ein Bahnsteig, ein Einschiffungsort, und Mr. Sammler, der diesen planetischen Sachverhalt (seine Ansichten sind »historisch, planetisch, universal«) so für sich definiert hat, überredet sich dazu, »mit einem Angstminimum an die Abfahrt« zu denken. Er hat beinah täglich irgendeinen Kontakt mit der Ewigkeit, und doch will er nicht böse sein, »wenn nach dem Tod nichts käme.« Es wäre dann Schluß mit den ganzen Informationen, die Sammlers seismographisch fein reagierendes Gehirn permanent empfängt, die »affenartige Ruhelosigkeit würde aufhören.«

Mr. Sammler, polnischer KZ-Überlebender, der seine Frau

selber begrub, mit der leicht psychotischen Tochter Shula ins Exil New York ging, wo er, ringsum Sippschaft, die ihn gebraucht, unwissend auch mißbraucht, bei der deutschen Nichte Margot wohnt, Artur Sammler, zurückgezogen bei philosophischen Studien, aber immer wieder zur Daseinsanteilnahme provoziert, ist die erotischen Verfangenheiten und die Eifersuchtsalpträume seines jüngeren Vorgängers Moses Herzog los. (»Mr. Sammler's Planet« erschien 1970, 6 Jahre nach »Herzog«.) Sammler, den auch die Erzählweise Bellows in Herzogs Nähe läßt, erscheint mir oft als ein gealterter Herzog, entfernter von dessen emphatisch-desperaten physischen Engagements und Disengagements, unter denen also nicht mehr so vergrübelt gelitten werden muß; so bleibt der unermüdliche Kopf, wenn er gerade nicht vom Alltag beansprucht wird, freier für grundsätzliche menschliche – und eben: planetische – Phänomene, speziell für den dauernden Umgang mit dem Ereignis Tod, in nie abreißenden Soliloquien, in einem beweglichen Bewußtseinsstrom, der zum Dialog wird, wenn sich Partner einfinden. Keine Angst vor pathetisch-kosmischen Abstraktionen, siderisch-seraphischem Gehabe: Sammler findet nämlich, und das macht ihn sehr sympathisch, das macht seinen Humor sehr verzweifelt, daß man über »das Wesentliche fast nichts« sagen kann. Versucht wird es trotzdem. Der Anlaß: eine zugleich philosophische und humane Neugier, ein Überwachsein in der Realität dieser »merkwürdigen Gattung« Mensch auf dem »so ausgiebig« organisierten Planeten. Selbstverständlich ergibt sich aus solchem Überwachsein Verzweiflung über diese Realität, ergibt sich daraus Trauer, Traurigkeit, Bewußtheit der ganzen komplizierten, gleichzeitig öden und vielfältigen Daseinsagonie und deren Paroxysmen von Sich-Freuen und Sich-Quälen – Einsicht in die vertrackte alte Antinomie, mit ihren »Kapriolen«, »Faxen«, in den »betränten Kram«. Die Paradoxa der menschlichen Existenz sind in Sammlers Gehirn unablässig arbeitend untergebracht. Ich nehme an: Sammler ist und bleibt, bei

welchem Philosophen sein Kopf auch gerade seinen inquisi-
torischen Aufenthalt macht, traurig darüber, daß alles Lebendige zwar irgendwohin führt (an lebendige Stationen, in
lebendige Situationen, und er nimmt sie überscharf wahr,
nimmt teil), daß dies Lebendige aber doch bloß der Freud-
sche Umweg zum Tod ist – vielleicht nicht der sinnlose,
vielleicht nicht, vielleicht doch – der Umweg, über den man,
wie übers »Wesentliche«, fast nichts weiß. Aber Sammler ist
dafür, »Zeichen zu machen«, und so vollzieht er quasi die
Horkheimer-Erkenntnis von der Immanenz des Glücks und
der Trauer; des Schönen, in dem, gerade weil es so schön ist,
das Schreckliche nistet. In solchem Widerspruch, innerhalb
dessen es, nach Mao, unweigerlich eine hauptsächliche und
eine sekundäre Seite gibt, lauern beide Seiten einander ständig auf, und Sammler bemüht sich ums Hauptsächliche.
Im Zusammenhang mit Mr. Sammler und seinen kontrollier-
ten Traurigkeiten muß ich denken: jemand fragt mich, wie es
mir geht. Ich antworte: Es geht mir BEINAH gar nicht gut.
Aber an das BEINAH muß ich mich halten. Es impliziert eine
vielleicht uneinlösbare Hoffnung, der ich noch eine Hoffnung lassen muß. BEINAH ist die Klammer für Aporien, für
Vorsichtsmaßnahmen der Psyche, für die Abwehrmechanis-
men gegen eine Stagnation, und so stelle ich mir Sammlers
Bewußtseinsakrobatik vor: zugleich aktiv und passiv lebend,
mit einer Gründlichkeit im Denken, die ihm keine leidens-
volle Einsicht erspart, aber doch noch den Luxus der Sehnsucht nach einigen Tugenden läßt, und kein Verlangen nach
Tugend ist ein Zufall.
Wenn Bellow Kränkungen darstellt, so geschieht das nicht
mittels gutgemachter Kunststücke und Tricks, sondern aus
der Erfahrung im Kontakt mit dem Leiden, Gebrauchsleiden
sozusagen. Sammler sieht Abgründe, und die gibt es zwischen Personen, die in ihrer klischeestarren Unfähigkeit des
Bewußtseins das sogenannte Beste füreinander wollen und
die gerade hiermit einander bis zur Untröstlichkeit, Tödlich-
keit, per Sprache, beschädigen. Sammlers kleine Vorlesung

an der Universität scheitert an einer dieser menschenblödsin-
nigen verbalen Gemeinheiten, und Sammler ist »nicht so
sehr durch das Ereignis persönlich gekränkt«, ihn trifft und
betrifft der Wille zur Kränkung, die Absicht zu verletzen,
die »Leidenschaft, REAL zu sein. Aber REAL war auch brutal.«
Das Ergebnis, wieder melancholisch, selbst-vorsichtig unter-
trieben: Mr. Sammler kommt sich »ein wenig abgesondert
von den andern seiner Gattung« vor, »losgetrennt«. »Die
zweckgelenkten, aggressiven, geschäftsbeflissenen, triebhaf-
ten Menschen« – sie zeigen gar nichts weiter als die entsetzliche Sensation des sogenannten normalen Verhaltens. Gehen umher wie »unter einem Bann«. »Schlafwandler, von
kleinen neurotischen Zielen eingeengt und beherrscht . . .
selbst beleidigt, verletzt und irgendwo blutend« – sie werden
schon drüber wegkommen, mit irgendeiner Tüchtigkeit, sie
werden den Schrei in sich schon los, entweder durch eine
Aggression oder durch eine Verdrängung. Nur eine Stufe
weiter möchte Mr. Sammler sein, »nicht dem Zweck zugewandt, sondern dem ästhetischen Konsum der Umwelt.«
Ich sollte niemanden zum Verdacht zwingen, hier handle es
sich um einen überwiegend aus Assoziations- und Denkmo-
saik zusammengesetzten Roman. Bellow gruppiert vielmehr
um den liebenswerten Vater und Onkel Sammler Handlungen mit sogar teilweise kriminalistischem touch und Personen, die in der gutmütigen Distanzierung, »einer Art ab-
schiednehmender Distanzierung, in erdverlassener Objekti-
vität« der Beobachtungen Mr. Sammlers (Bellows also) le-
bendig werden. Sammler empfindet sich dabei, mit geheim-
gehaltenem Kummer, als jemand, der weniger Kraft zum
Leben besitzt als die andern. Die andern gleichwohl, die
Umwelt und er selber: Gegenstände der unnachgiebig-inter-
essierten Spurensuche, der engagierten Verfolgung durch
Anblicken, Denken, Artikulieren – dem Alltäglichen im
Grundsätzlichen auf den Fersen und umgekehrt. Sammlers
sensible Kopfdetektei ist integriert in so was, das man Fabel
nennt. Jedes Detail ist definiert und auch verifiziert durch

diese komplexe Person Sammler, die sich zum Beispiel, nur allzu verständlich, danach sehnt, eine »von der Natur und von der Alltäglichkeit freigegebene Seele« zu sein. Doch: »Darauf mußte Gott sicher noch lange warten.« In eine zärtlich-zynische Drehbewegung der Sprache weicht dies Bedürfnis aus, es weicht aus vor der eigenen Intensität, es muß sich verbieten, so zu sein: wieder eine Art von melancholischem, auch stolzem Selbstschutz. Überhaupt macht sich als Motiv für die ironischen Brechungen, die Relativierungen, für die sanften, selbstspöttischen Bewußtseinsschlenker die Angst erkennbar; Angst vor zu viel Emotion, Angst vor zu viel Sehnsucht nach dem unerfüllbaren Richtigen, Angst vor der Erkenntnis des innerhalb menschlicher Denk- und Aktionsbereiche unkorrigierbaren Verkehrten, vor dem Ver- und Zerstörenden – Angst. Angst-Aufmerksamkeit zwischen Lebewesen (und eingezwängt in die eigene noch lebendige Haut), von denen keines weiß, wann es abtreten muß. »Niemand gelangte zu einer nüchternen, anständigen Übereinkunft mit dem Tod.« Sammler findet: »Es gibt Zeiten, wo es vernünftiger und anständiger ist aufzugeben, das Klammern ans Leben ist eine Schande.« Seine Sehschärfe, physisch behindert, psychisch und emotional um so intakter, bringt ihm exakte Resultate; nach einem langen Blick aus seinem Upper West Side-Fenster zum Beispiel: »Versuchte Dauer war traurig.«
Insgesamt: diesen Roman in die Reduktion einer Rezension zu zwingen, ist fast anmaßend, so daß ich den Chotjewitz-schen Vorschlag befolgen möchte, demzufolge eine adäquate Buchkritik im vollständigen Abdruck des Buches bestehen solle. Womit, beim Berichtgeben, fängt man denn an, was läßt man alles weg, zu viel, zu wenig, womit hört man denn auf beim Versuch zu sagen, daß ein Buch einen Leser weitergebracht hat, auch wenn es ihn eigentlich vorwiegend bestätigt hat. Ich kann beispielsweise in meinen inneren Gehörgängen eine bestimmte Passage nicht loswerden, ich höre den kleinen, todtraurigen, schönen Dialog immer wei-

ter: »»Hallo. Ah du, endlich.‹ ›Hallo.‹« Ein Telefonat. Etwas
Belangloses. Aber so denkt sich Mr. Sammler, über den
Broadway gehend, beim Geräusch einer Telefonklingel aus
einer offenen Ladentür, seinen ersten Dialogkontakt mit
dem Tod. Immerhin, obwohl Sammler sich dazu entschließt
zu befinden, daß es vom Tod kein Wissen gibt, immerhin,
zwischen »Hallo« und »Hallo« sitzt das: »Ah du, endlich.«
Ich weiß nicht genau, ob diese Dialogstelle vom Tod oder
vom Betroffenen gesprochen werden soll. Beim Betroffenen
wäre es eine geradezu erotische Einwilligung. Aber überlasse
ich den Drei-Wörter-Satz dem Tod, dann zeigt der Tod sich
mir doch zumindest ziemlich freundlich-zivilisiert. Ich höre,
wie ich es auch mache, eine sehnsüchtige sanfte Erwartung.
Die Wortwechselminiatur in meinen Gehörgängen, ein bißchen Telefongeräusch dazu, könnte ihn etwas abmildern,
den »Zustand wahnsinniger Verlorenheit«.
P.S. Aber ich werde mich hüten, im Bellow-Kontext von
Sachen wie Trost zu reden, ich habe es ja gelesen: »Gewiß
würde ein Mensch trösten, wenn er könnte.« Doch: »Trö-
ster können nicht immer aufrichtig sein.«   *(1971)*

PETER HANDKE
DIE STUNDE DER WAHREN EMPFINDUNG

Es tut mir gut, wenn es über die äußere Handlung eines
Buchs wenig zu sagen gibt (das stört mich nur bei meinen
eigenen Sachen: worum GEHT es denn, wovon HANDELT es
denn, WAS KOMMT DENN VOR usw.: dann stehe ich einsilbig da,
fast schuldbewußt, als hätte ich die unbefriedigten Bedürf-
nisse von Lesern auf dem Gewissen). Hier nun aber hat mich
schon beim Lesen, jetzt beim Beschreiben, der Autor nicht
in die Unfreiheit einer überflüssigen Fabel gezwängt. Für
den Report von STOFF genügen Stichworte: Gregor Keuschnig lebt als Pressereferent der österreichischen Botschaft in

Paris und die Stadt Paris spielt mit. Er bewohnt mit seiner Frau und seinem Kind eine düstere verschachtelte Etage und die Gänge und Zimmer spielen mit. Die Beziehungslosigkeit zwischen seiner Frau und ihm ist zugleich harmlos-unbedacht und völlig zerdacht, gar nicht mehr harmlos. (Es entgeht mir nicht, daß ich schon aufhöre mit »Handlungsmaterialien« und bei dem bin, was für Keuschnig und mich wichtiger ist, bei seinen Innenweltgegensätzlichkeiten.) Zur Tochter will er einen ihn selber rettenden Kontakt. Er liebt das Kind, aber zu oft aus einer Entfernung und leer; doch dann ERLEBT er das Kind: wenn es einen Wunsch hat, während das Kind aufwacht, einschläft, während es in Hüpfschritten neben ihm her geht, und er empfindet ruckartig Nähe und Glück.

Keuschnig scheint allerdings, vor Handkes erstem Satz über ihn, sich selber noch nie erfahren zu haben. Damit es anfangen kann mit Keuschnigs Erzählwichtigkeit, hat er geträumt, jemanden getötet zu haben. Ich wäre gut ausgekommen ohne dieses Alptraummotiv, lieber vergesse ich diesen Anlasser-Anstoß für ein VON DA AN, PLÖTZLICH. Keuschnig spürt beim Aufwachen, demnach also nicht inmitten eines dem Erzählen längst vorausgegangenen Bewußtseinsprozesses, zum ersten Mal: ich gehöre nicht mehr dazu. Er spürt angstbesetzt seinen alles um ihn her auflösenden Verlust des Wirklichkeitsbezugs. Er fühlt sich verändert. Er wird sich selber auffällig. Will er verräterisch auf die anderen Personen wirken? Will er sich nicht erkennen lassen? Er will beides, in andauerndem Austausch von Erwartungen. Bald täuscht er eine gesichtslose Unscheinbarkeit vor, möchte wie jeder sein, sich an Richtlinien halten, das Selbstverständliche, das ihm abhanden kam, wenigstens darstellen. Bald, und das heißt oft: fast im gleichen Augenblick oder im Augenblick sofort nach dem vergangenen Augenblick, möchte er, daß die Außenwelt ihn als diesen Traumtäter, der sich als einen Wirklichkeitstäter erfährt, auf der Stelle erwischt, den neuen, den wahren Keuschnig. Nichts geschieht. Die Leute machen weiter. Viel geschieht, denn dieses Weitermachen der Leute löst in Keuschnig pausenlos überraschend unbekannte, zumeist elendmachende Reaktionen aus. Zwischen paranoidem Schmerz, Ekel und Angst und einer Beobachtungsgeduld und Sehnsucht nach einem Anfang mit sich selber, manifestieren sich bei mir WAHRE EMPFINDUNGEN keineswegs nur für die Dauer einer Stunde, sie lösen sich in meinem Kopf und, wie ich es sehe, auch in dem des Protagonisten in jeder Denksekunde ein. MAN LIEST DAS RASCH, ES IST KURZ, habe ich gehört. Das war dann bei mir: ICH LESE DAS EXTREM LANGSAM. Die Sätze bleiben vor mir stehen. Es ergibt sich eine große Geduld. Die ist wohltuend und doch angespannt: was für einen engen Angehörigen in der Empfindungswelt meiner eigenen neuen Romanhauptperson habe ich da vor mir, genau nach dem Schreibabschluß über meinen Verängstigungsvetter und Geborgenheitssuchtnachbarn, und ich ermahne mich: das ist Handkes Keuschnig, ich lese nicht in meinen Korrekturfahnen. So war beim Lesen der Nebengedanke unablässig unangenehm, denn ich dachte: es wird schrecklich sein, nicht privat zu bleiben mit diesem Buch. Ich muß rezensierend der verwandten Denknotlage hinterherschreiben. Das ist vereinfachend, weil ich sozusagen selber vorkomme, das ist erschwerend, weil ich dieser Anstiftung zum Schreiben über mich selber widerstehen und einen Abstand erfinden muß, der fast nicht da ist. Das Ganze betrifft mich, ich aber rede von Keuschnig.

Wer vom Titel das Ende einer Entwicklung erwartet, irrt sich, falls ich mich nicht irre. Wie ich diesen Dauerempfinder kenne, werden sich weiterhin die gegensätzlichsten Gefühle in ihm ablösen und die Erfahrungen dialektisch bleiben. Beispiele: Keuschnig kommt alles wie der Abschied vom Gewohnten vor, plötzlich abenteuerlich, dann plötzlich ratlos, verloren, ohne Gegeneinfall. Sein Wahrnehmungszwang knüpft jede Umweltbeobachtung sofort an ein Gefühl: deshalb konnte ich vorhin sagen, Paris spielt mit, die Wohnung auch, das vorgegebene Ambiente seines Berufs, seiner paar Bezugspersonen. Das winzigste gegenständliche Beobachtungsdetail genügt dem immer auf der Lauer liegenden Bedenken und wird für gefühlsmäßiges Reagieren benutzt. Keuschnig, vom Traum verändert, fühlt sich, als ob er nicht ein anderes, sondern gar kein Leben mehr führe. Er meint, er könne sich nirgendwo mehr »am Platz« wissen. Das macht ihm eine Sucht nach einem System für seinen Weder/Noch-Kopf. Der Hunger nach den Richtlinien weicht aber dem Verlangen nach einer beständigeren Sehnsucht: schönes fernes Land, darin auch endlich der Tod nichts Leibhaftiges ist. Er beschließt unversehens und wieder ganz AUF EINMAL, nicht mehr zu leben. Die nächste Erhellung: er will leben. Sein Tod bereitet ihm Scham. Alles ist »elendig normal«. Dem Abscheu ist »normales« Mitheucheln auf den Fersen. Sich wie die andern von sich selber unbelastet fühlen, und sich unterbringen in einem Blumenladen, in einer Bäckerei, bei der Freundin. Doch nach dem umstürzlerischen Traum ist alles ein Wechselfieber der Sensibilitäten. Gefälschtes kommt permanent zum Vorschein. Erwünschte Gewohnheiten – Öde der Gewohnheiten. Das, was wie zum letzten Mal ist, ist alles auch wie zum ersten Mal. Vorübergehend helfen Termine, die berufsmäßig abgesicherte Tageszeit. Zu Lebenszeichen und Todeszeichen, die beide eigentlich eines sind, wird jeder Anblick. Diese Anschauung: eine Warnung oder eine Annäherung an das Erlöstsein? Das verlorene Vertrauen zu einer Empfindung findet als EMPFINDUNG statt. Weitermachen, eben noch ein Ziel, ist gleich drauf als Stumpfsinn anwidernd. In einem Taxirückspiegel: das widerwärtig entstellte Gesicht. Anfälle von Aggressionen und Anfälle von Sanftheiten sind endlos korrelativ. Er will sich an Gefühle erinnern. Er will sie wieder neu entdecken. Tief steckt er fest in der Antinomie. Er wünscht sich das selbständige, nicht zurechtgemachte ERLEBNIS. Das scheint ihm erlernbar vom Kind. Mit dem Kind WAHRNEHMEN: da werden Augenblicke auf dem Spielplatz zu einer Entwicklungsgeschichte des Bewußtseins. Sich in das Kind denkend, verliert er den Ekel vorm Abgeschmackten, Verbrauchten. Unvermittelt kann er in eine »süße Teilnahme« geraten, beobachtend. Die nächste Unlust, der nächste Schrecken, sie zersplittern die psychischen Vergünstigungen. Wieder scheint es keinen Zusammenhang mehr zu geben. Der neue Empfindungsterror drängt eine kurze Lebensfähigkeit weg, schöne Freundschaftlichkeit naht jedoch schon, die kommende Obsession aber auch: Keuschnig erlebt sich wie die Figur einer längst zu Ende erzählten Geschichte.

Für mich geht sie weiter. *(1975)*

PATRICIA HIGHSMITH
KLEINE GESCHICHTEN FÜR WEIBERFEINDE

Das paßt überhaupt nicht zu meinem Umgang mit Highsmith-Büchern: ich bin ganz eingeengt von den guten Vorsätzen, die ich mir selber verordne. Zum Beispiel nehme ich mir vor, ein Highsmith-Liebhaber zu bleiben. Ich will weiter jeweils Lust haben, einen Highsmith-Roman zu kaufen. Dazu, daß ich ihn beinah sicher noch nicht kenne, will ich mich wie eh und je überreden. Ich will meine vergnügte Vorfreude nicht verlieren. Ich möchte eigentlich nicht von einer Enttäuschung vorsichtig gemacht worden sein. Ich werde allerdings doch wohl etwas genauer hinschauen. Wenn wieder ein Untertitel mir besondere Ambitionen signalisiert, werde ich mich aus Erfahrung gewarnt fühlen müssen. Aber ich will es doch wirklich für unsinnig halten, die veränderte Schreibabsicht, die bis jetzt gerade nur ein Buch offenbart, die Abweichung von dem, woran ich gewöhnt bin, sogleich als neue Entwicklungsphase feierlichöde wie ein dem Autor übergeordneter Besserwisser abzuheften. Das eine Beispiel braucht nicht in die Zukunft zu orakeln.

Damit es noch etwas moralischer wird, erinnere ich mich an den Verzicht, mit dem ich mich für diese Lektüre ausgerüstet habe. Es ist freundlich, habe ich gedacht, wenn ich mein »Vergnügen in H.«, das ich sonst so angenehm für mich allein behalte, ausnahmsweise unterbreche, indem ich es sozusagen entprivatisiere und darüber rede. Doch war das beim Lesen dann wie eine Entziehungskur von dieser Motivation. Jetzt bin ich etwas ratlos mit den neuen Geschichten, die »siebzehn Beispiele« sein wollen innerhalb einer »weiblichen Typenlehre«, ein Anspruch zumindest der deutschen Ausgabe. Vielleicht brauche ich den Untertitel gar nicht so ernstzunehmen. Er könnte eine Erfindung von Verlag und Übersetzer sein, eine überflüssige Zutat, die nicht vorkommt im amerikanischen Original, das korrekt übersetzt KLEINE GESCHICHTEN VOM WEIBERHASS heißt. Irgendein Sinn der aggressiveren deutschen Version offenbart sich mir nicht.

Von MYSTERIES hält Patricia Highsmith nichts. Aber immerhin doch surreal hat Roland Topor jedes Exempel siebzehnmal miterklärt. Den Typ der Prüden beispielsweise so: auf einem weiblichen Torso von der Taille bis zu den Knien bewacht eine winzige hexenhafte Vogelscheuche denjenigen Schauplatz, der von der Prüderie verwaltet wird – eine Nacherzählung in der Graphik.

In diesen Modellen für penetrant belästigende weibliche Eigenschaften sind Humor und zärtliche Boshaftigkeit schmackhaft vermischt. Das Rezept ist gut und hat sich sonst bewährt, nur kommen mir jetzt die Portionen zu klein und gleichzeitig doch zu schwer vor. Eine stille unaufgeregte Flüchtigkeit bewirkt zwar Miniaturen. Darin aber geschieht das Paradoxe: in der Andeutung schon wird so ein Typ-Beispiel zu Ende erzählt. Innerhalb von bloßen Umrissen bekommt man doch fast zu viel mit an Erfahrung etwa über das Erscheinungsbild mütterlicher Gluckenhaftigkeit, über weibliche Untreue und Polygamie (aus Veranlagung oder, mir glaubwürdiger, aus Berechnung), über die Fruchtbarkeitswut, die schreckeneinflößende hausfrauliche Tüchtigkeit, die Gebärsucht. Scheinbare Angepaßtheiten lassen sich immer ein bißchen zu leicht und zu rasch als kriminell decouvrieren. Den Eindruck von parabelhaften Grundmustern und auf den Begriff gebrachter phänotypischer Weiblichkeit habe ich nicht bekommen. Ich finde es gut, daß ich den haut goût vom höheren Anspruch nicht schmecke. Die nur spurenhafte Anschaulichkeit kleiner Handlungsrahmen, kleiner Lebensabrisse brauche ich nicht zu verwechseln mit dem Griff nach universaler Psychologie. Ich sehe den Einzelfall und seine nahe Verwandtschaft mit dem nächsten Einzelfall. Die Absicht, in ihnen sei das Register der weiblichen Charakterdefekte abgehakt, will ich nicht unterstellen. Gespielt werden nur ein paar Variationen über ein großes Thema.

Auf den ersten Blick sind es keine Monstrositäten, sind es oft ganz gesellschaftsfähige Veranlagungen, die Patricia Highsmith dem Weiberhaß freigibt. Sie verursachen allerdings stets das Schlimmste. Jede Ausgangslage hat ihr kriminalistisches Klima. Siebzehnmal tyrannisieren ohne besonderen Aufwand Frauen die siebzehnmal sehr widerstandsunfähigen Männer und reizen eine sanfte Mordlust an, die manchmal auch verwirklicht wird. Dann ist es bloß meistens schon zu spät zum Genuß der überfälligen Erlösung: vom ehebrecherischen Kalkül, von der Launenhaftigkeit, von irgendeiner Form des eigentlich unauffälligen Fanatismus, von ganz sacht methodisch ausgeübter Unterdrückung. Die Tücke gibt sich arglos. Schwer anzugreifen ist eine tödlichliebe List. Auch Dümmlichkeiten können raffiniert sein. Die Irritation durch weibliche Denk- und Verhaltensweisen, weibliche Gefühls- und Bewußtseinslagen verzerrt sich stetig und nervenzerbröselnd ins Groteske und wird manifest als eine Schuld, für die niemand so recht verantwortlich zu machen ist, weil sie eher gutartig und töricht auftritt. Wo endlich die Konsequenz der männlichen Reaktion gewalttätig und tötend ist, kann aufgeatmet werden. Das Verbrechen erscheint als die vernünftigste Antwort, die Straftat als das letzte logische Argument. Vertrackt ist das.

Was Patricia Highsmith so besonders gut gelingt, die Beschwörung einer spezifischen Spannungsstimmung durch geduldig erzählte Figuren in ihrem Milieu, das läßt sie hier weg. Jede Geschichte erscheint als der Entwurf zu ihr. Es sieht nach Rohfassungen aus, nach Materialskizzen, Projekten, Vorstadien. Die sind aber immer schon die gesamte Fallstudie. Sie sind der gelöste Fall. Zu kurz kommt die Neugier. Sie ist vorzeitig befriedigt, also unbefriedigt, und oft entsteht sie gar nicht erst. In thrillerartigen Stories, und diese sind so angelegt, will man sich ja durch die Pointe, den komplizierteren, den besseren Einfall des Autors reinlegen lassen. Die selbstverständliche Spur wird als die falsche erhofft. Hier werde ich getäuscht, indem ich nicht getäuscht werde. Die Überraschung ist, daß sie entfällt. Ein plötzlicher Herztod bringt die Geschichten um. Immer nach den ersten sanft spöttischen Sätzen bin ich ausreichend orientiert, ich sehe den Plan eindeutig, auf keinem Irrweg werde ich unschlüssig, vorweg ist mir die milde gute schaudernde Highsmith-Beklemmung entzogen. Das erinnert an weggenommene Atemluft. Das sonst gewohnte Hintergründige bleibt eine Anspielung und ist abwesend wie der Horror. Ich überlegte: etwas entgeht mir, aber was? Welchen geheimen Reiz, welchen wahren Trick und widerspenstigen Kniff kann ich nicht mitbekommen? Indem das Erwartete in einer glatten Folgerichtigkeit eintritt, tritt, als Reaktion, das Unerwartete ein. Denn weil man dieses Eintreten des Erwarteten nicht erwartet, vielmehr die Verwöhnung durch eine jeweils überraschende Wende, das, womit man selber nicht hat rechnen können und was man vom erfinderischen Erzähler verlangt, fühlt man sich leer ausgegangen, vernachlässigt. Der Thriller-Konsument hofft: so, wie ich denke, weil ich von der Erzählung dazu verführt werde, so zu denken, darf es nicht ausgehen. Es wäre zu einfach. Es ist, hier, so einfach. Ich bin verblüfft, weil ich nicht verblüfft werde.   *(1975)*

Mir ist das Buch psychosomatisch schlecht bekommen. Wie mit verdorbenem Magen habe ich es gelesen, auf einer Hinfahrt doch immerhin noch gereizt, auf der Rückfahrt schon ganz neugierlos, im Gefühl einer Enttäuschung, wie verdonnert zu einer seelischen Mangelkrankheit, auf die mit Empörung zu reagieren wäre.

Diese Empörung könnte sich in verschiedenen Widerstandshaltungen äußern: blindlings, geradezu fast fromm, betrachte ich das *Busch-und-Tal*-Angebot entlang meiner Strecke zwischen Hamburg und Frankfurt; zahlenversessen ergebe ich mich dem Stumpfsinn statistischer Selbstmordermittlungen; wissenschaftsgläubig halte ich mich an die von Améry sehr verachteten Psychologen/Psychoanalytiker und an deren Interpretationsversuchungen; hoffnungssüchtig verliere ich die von Améry noch viel mehr verachteten und aus Feindseligkeit beinah verleugneten Theologen nicht aus den Augen.

In die drei Sprachen der Kunst kann ich mich jederzeit zurückkretten. Über die Todesarten reden, über den Tod reden, also auch über den, zu dem einer sich selber aufrafft (in dieser äußersten Unfreiheit auf eine außerordentliche und überhaupt nicht meßbare, nicht zu bewertende Weise *frei*), das heißt, das allerbreiteste Spektrum der Denk- und Gefühlsrichtungen der Menschheitsgeschichte vor sich zu wissen.

Wie kommt es denn zum Eindruck, daß ich mich mit jeder Zeile der fünf Kapitel Amérys, die diskursiv von der vorauszusetzenden Unfreiheit alles Seins zur bedingten Freiheit des Freitods führen, in eine ausgeödete Verarmung überredet fühle, wortreich verlockt zu extremer Enge und Einseitigkeit: absolut vergebens!

Zum Glück spüre ich ständig das Übergewicht der unzähligen Gegenargumente. Ich bin sozusagen bis zur Kehle vollgestopft mit dem Einspruch. Nein, Améry richtet nichts aus zum Beispiel gegen Horkheimers »Verteidigung des weiten Sinnes der irreduziblen Sehnsucht, für die der Gottesglaube Wörter und Hoffnungen hat«, die viel mehr sind als bloße Apologie.

Und für diese Sehnsucht, die ich mit dem Todesverlangen genau so wie mit dem Lebensverlangen des Menschen mische (also mit seinem positivistisch-wissenschaftlich-realistisch nie strikt fundierbaren Sinn- und Glücksverlangen), stehen mir in jeder Améry-Lesesekunde halt nicht nur Psalm 63 und Jesaja 43/1 zur Verfügung – unaufhörlich bin ich auch nicht verlassen von den Komplizen der Aussagen, die in der Musik, in der Sprache, in Bildern gemacht worden sind, die ich beim Denken an den Tod immer einbeziehen muß, die der Endlichkeit das Unendliche eben ihrer Fortdauer abverlangen. Die das Nichts widerlegen, auch das philosophisch spekulierende Nichts, das »doch etwas ist: denn nichts ist nichts«.

Die schließlich Améry widerlegen, dem der tote Hölderlin doch eigentlich so ist wie gar kein Hölderlin: Er benutzt dieses Beispiel, er fragt sich, was denn Hölderlin davon habe, daß er für den Abiturienten oder für den Literaturwissenschaftler gegenwärtig ist, und die innere Verkehrtheit dieser Frage kommt ihm bis hinein in seine Antwort »nichts« keineswegs dazwischen.

Das Buch ist nicht dick, in seinem Vorwort posiert der Autor als einer, der vorhat, bescheiden und skeptisch zu sein, der nichts weiter will – nichts weiter? Als wäre das nicht von vornherein viel zuviel und deshalb zur Vergeblichkeit verdammt – als dies: den winzigen letzten Moment zu erfassen, seine Voraussetzungen auszuforschen, ihn danach wie eine Art Röntgenaufnahme von der fürchterlichsten einzigen Freiheit zu präsentieren. Ich wiederhole es mir: das ist ein kleines Buch. Ist es darum schon anspruchslos? Gerade nicht! Mit seiner Diskurshaftigkeit täuscht der Autor vor, seinem radikal letzten, diesem wortwörtlich *atemneh-*

menden Thema werde eine Schreibhaltung der Beschränkung am redlichsten gerecht.

Sie ist aber ein Trick. Ich möchte den Wälzer ja nicht lesen, vielleicht nicht, den Améry dennoch hätte vorlegen müssen. Seine Bescheidenheiten kommen mir unentwegt wie Unterschlagungen vor. Er ist ein gelehrter, ein belesener Publizist. Er hat sich mit der Suizidologie beschäftigt, gewiß sehr gründlich. Ich stelle mir seine imponierende Bibliothek vor und daß er Dichtung zitieren kann. Er ist gebildet und sicher auch genußfähig und hat Aufführungen der Matthäuspassion gehört, er kennt Schuberts »Gute Nacht« und »Wandrers Nachtlied«, ja Goethe selbstverständlich sowieso, doch wie etwas Vermeidbares; er betritt Kirchen mit sachverständigem Kunstinteresse, er weiß wirklich Bescheid – so stelle ich mir vor, abschweifend vom Text, der das alles erst gar nicht argwöhnen lassen will – über das Unsterblichkeitspotential, das Unendlichkeitsmaterial.

Aber er erfüllt seine Informationspflicht nicht. Ihm genügen Sartre, Schnitzler und einige französische Publizisten, suizidologische Denkgefährten. Von sämtlichen Zeugnissen gegen die pur augenfällige Absurdität des Seins, gegen die Hilflosigkeit des bloß Erlernbaren, bloß Erfahrbaren und die Grenzen des menschlichen Gehirns, von den Zeugnissen also *für* einen Sinn des Todes, der identisch ist mit einem Sinn des Lebens, schweigt Améry. Er verschweigt den Widerstandsstoff. *Der du von dem Himmel bist,* Goethes schöne kühne Behauptung, übersteht gut Amérys apodiktisches Nichtigkeitspathos: das eine ist Dichtung, das andere ist die Wahrheit nicht. *Sinn* ist ja schon das Sinn-*Verlangen*. Ich lasse mich nicht zur Phantasielosigkeit verurteilen. Gegen das *Nichts* fällt mir immer (das) *Etwas* ein. Und falls das nur eine Trotzhaltung wäre: gut so, besser als die ausgehöhlte Nichtsgläubigkeit, diese paradoxe Paralyse.

Sie paralysiert Améry aber nicht. Wortreich spricht er seinen Existenzial-Kanon. In einer museumsführerhaften Geste, in vereinnahmend *wir*-sagender Katheder-Diktion, will er *uns*

Lesende durch sein Elend (ver-)leiten. Ich komme nicht mit. So lasse ich mich nicht an der Hand nehmen. Immer weiter in der Landschaft zwischen Hamburg und Frankfurt und lesend bin ich, mit dem Gefühl, daß etwas Wichtigeres mir entgehe, und sei es auch nur die geduldige Mittelgebirgsgegend. Ich verpasse Erfahrungsmöglichkeiten durch Anschauungen, habe ich gewußt. Ich verpasse etwas von mir selber. Ich war mitleidig mit denen, die gezwungen sind, sterben zu *wollen*, und die mir von diesem Text wie im Stich gelassen vorkamen, wie völlig verloren, aufgeschmissen.

Ich erkenne Selbstverständlichkeiten über die absurde Freiheit, sich selbst zu töten. Es ist so plausibel wie banal, daß der Todkranke selbständiger und, wenn auch in der verlassensten Weise, *freier* handelt, indem er sein Sterben bestimmt, als der andere Todkranke, der aus dem biologischen Ruin einen Wartezustand macht – doch schon finde ich sogar dieses allgemeinverständliche Urteil abstoßend, etwas Unbekanntes vorwegnehmend, als eine Anmaßung: wie leicht nennt man den letzten Elendszustand moralisierend »würdelos«, »sinnlos«, und denkt sich noch die Geschmacklosigkeit hinzu.

Ja, »geschmackvoll« soll es sein rings um den Tod, bei Améry. Zugegeben: ich verhalte mich *freier,* wenn ich mich selbst töte, als wenn ich das letale Ergebnis von Karzinom, Sklerose, Lebenslauf abwarte. Andere Motivforschungen bleiben in den Sackgassen der seelischen Krankheiten stekken. Die »übelste Krankheit« (wieder Goethe) ist die Empfindung vom Leben als einer »entsetzlichen Last«. Es muß, bei verwandten Grundmustern, doch für jeden einzelnen Suizidfall geradezu individualistisch differenziert werden. Die eine und einzig für alle passende innere Situation im Zentrum des vorletzten und des letzten Moments: ich kann mich ihr probeweise imaginativ annähern, ich kann sie, diese innere Lage des Améryschen Abspringenden, schließlich fast von *außen* verstehen – aber ich werde sie nie erfahren, solang ich sie nicht durch mich selber erfahre.

Es geht ganz gewiß bei jedem Suizidanten um ein Gemeinsames: um die »unerläßlichen Voraussetzungen allen Daseins«. Aber was weiß ich jetzt mehr? Vom Wiener Hausmädchen und seiner unerfüllbaren Kitschliebe über Schnitzlers Leutnant Gustl und seinen Ehrverlustwahn bis zu Otto Weiningers Paranoia und zu den Suizidanten Kleist und Celan spannt Améry seinen kleinen Lebensekelbogen zu schwach. Das alles wirkt so unauthentisch und so possessiv auf mich. Die eine Kleist-Zeile, die mir auch überhaupt nichts beantwortet, aber erst recht nichts zum *Nichts* hin verleidet, sie erhellt mir unermeßlich viel mehr vom Weltentsetzen, das ein Todessehnen sein kann: *Die Wahrheit ist, daß mir auf Erden nicht zu helfen war.* Anderswo also dann, vielleicht? kann ich hier immerhin fragen. Ich kann mit so einer Zeile auf dem Auswegswert des Todes und demnach auf der Glückschance durch den Mut zum Tod beharren.

Ja: Mut? Ist es das Mutigste oder das Mutloseste, ist es das Hoffnungsvollste oder das Hoffnungsloseste, selbständig zu sterben? Es ist doch immer beides zugleich. Wir haben die Welt nicht gemacht, folglich können wir kaum etwas über sie wissen. Améry aber gibt vor zu wissen. Er ist bescheiden genug für diese Haltung. Das *Ich weiß, daß ich nichts weiß* ist wahrhaftig auch unbescheidener. Mir mißfällt, daß er mich und *uns* in seine Bescheidenheit einschnüren will.

Nach dem Tod ist das Nichts, verkündigt Améry verdächtig inspiriert, und verdächtig stimuliert es ihn, daß, vom Nichtigen her definiert, vom Tod, das Leben genau so nichtig, absolut absurd sei. Das Leben, diese Krankheit zum Tode bei Kierkegaard, wird für Améry aber doch sinnvoll dadurch, daß er es für sinnvoll hält, zum Beispiel Bücher zu lesen, sogar selber Bücher zu schreiben. Er stellt den Sinn des Lebens selber her und zeigt damit das Verhalten des seelisch Gesunden; doch so urteilen die elenden Psychologen.

Man lebt nicht mit dem Toten, behauptet Améry. Es ist nicht wahr, weiß ich. Die Transzendenz gilt Améry nichts weiter. Da geht es so faktenlos zu. Wenn ich nicht das Unbewiesene, Äußerste erstrebte, säße ich nur noch in der Ecke wie ein verdrossener Hund. Auch, und erst recht, dem Tod gegenüber bin ich nicht wunschlos.

Würde doch Améry nur immer leidenschaftlich *ich* sagen! Würde er doch nicht als Gefühlssteppen-Kustos und Funktionär der Phantasielosigkeit im Plural majestatis ein Lesereinverständnis fingieren. Er baut ein Feindbild von stupiden Spießerleuten auf, um sich einen Rehabilitationsanlaß für alles Suizidale zu erfinden. Wäre er doch so radikal subjektiv, wie er einseitig ist. Damit verantwortete er für sich persönlich seine Thesen. Das wäre dann seine »Selbstlegitimation«.

Ja, ich reagiere affektiv. Die Erfolgschancen der Seele, die hier Berufsverbot hat, sind schillernder als die des Verstandes. Wenn ich über die Todesarten nachdenke, muß ich sie nutzen. Améry schrieb eine Art Suizidverhütungsbuch: sein Tod ist nicht einladend. Sein Nichts ist, und er sagt es und es stimmt bei ihm, total ein *Nichts*. Aber seit ich die Stelle gelesen habe, an der ein ironisiertes Kirchenlied als Gegenbeweis vorkommt – *Wer nur den lieben Gott läßt walten* –, geht mir die Melodie im Kopf herum. Ich lasse Améry nicht walten. Adorno beantwortete Schuberts Musik mit Tränen. Améry schaufelt fürchterlich irdische Gräber. Man muß nicht dort hinein.   *(1976)*

PETER HANDKE

DIE LINKSHÄNDIGE FRAU

Die 30jährige Frau holt ihren Mann vom Flughafen ab. Er ist Verkaufsleiter einer Porzellanfirmenfiliale und hat eine Dienstreise hinter sich. Nach Managerart erschöpft und der Frau in Geborgenheitsstimmung zugetan, macht er eine kleine Zusammengehörigkeitskonfession, wohlig einsilbig heimwärts chauffiert von der Frau.

Es fällt ab und zu etwas Schnee, verbrauchte Christbäume liegen herum in der terrassenförmig gegliederten Bungalowsiedlung, wo die beiden mit dem achtjährigen Sohn in einer gemieteten »Wohneinheit« wie vorübergehend aufbewahrt sind. In den wohlstandsartigen Grünschattierungen ehelich miteinander verwitwet: so werden sie gelebt haben in einer Vorgeschichte, die nur ein paar Seiten weitergeht, dann abbricht: die Frau verrät ihre »Erleuchtung« vom weggehenden Mann. Sie macht einen Imperativ daraus. Er soll sich sofort aus ihrem Alltag mit dem Kind entfernen. Der Moment ist ungünstig und etwas melodramhaft und doch auch schon »linkshändig« genug.

Sie haben nämlich, nach Finnland, Flughafen, kurzer Rückkehr zum fernsehsehenden Kind, einem Bedürfnis des Mannes nachgegeben und sich erst mal einen Luxusservice, kulinarisch und sexuell, im exklusiven Hotel gegönnt. Die Frau formuliert kein landläufiges Argument gegen ihre verheirateten Verhältnisse. Sie steht nicht unter dem Druck der stereotypen Motive vom ÜBERFLÜSSIGKEITSGEFÜHL bis zum SELBSTVERWIRKLICHUNGSEHRGEIZ, ein anderer Mann ist auch nicht da, aber sie schien es trotzdem eilig zu haben. Sie erledigen ihre Freilassung gleich. Der Mann akzeptiert verblüffend unverzüglich, aber verstört. Die Frau wirkt dadurch ein wenig gemein. Sie vertraut sich offenbar einer eigenen inneren Vernünftigkeit an. Ihre Unruhestiftung ist ein Vorstoß gegen das regelmäßige unauffällige Unglück; vielleicht.

Alles ist so kinoartig distanziert von außen geschildert, und man vermutet über die Köpfe der Personen weg. Hat die Frau einem Überdruß des Mannes nur zuvorkommen wollen? Er holt ja so selbstverständlich seine Koffer ab, zu einer auf »die Sache der Frau« eingeschworenen Lehrerin zieht er ja so fügsam, als habe er nur auf ein Signal gewartet. Nur danach, ob dieser Abschied für immer sei, hat er sich noch erkundigt. Die Frau weiß es nie, wann immer er auftaucht in den nächsten Wochen. Der Mann revoltiert unterwürfig und ohne Ausdauer. Immerhin ist er der Frau sympathisch. Bei einer zufälligen Begegnung in der Stadt kauft sie ihm einen Pullover. Alles geschieht wie aus dem Stegreif.

Ebenfalls so aus dem Stand hat die Frau ihren stillen langsamen Amoklauf begonnen, diesen unbewaffneten Amokspaziergang. Das gemeinsame Konto macht wenigstens materiell diese sanftradikale Rebellion unproblematisch. Ein absichtlich linkischer Vater greift auch nicht ein. Die Frau darf unbefristet ihr Existenzrätsel zu lösen versuchen.

Von jetzt an übersetzt sie, und der Verleger kommt mit Champagner und Anspielungen, die zum Verführungszustand passen, in den sich, für ein herkömmliches Denken, die Frau gebracht hat: ihres ist unbeirrbar anders. Wie denn? Weil man ja, weiter wie bei einem Film, kaum angeleitet wird zu wissen, was sie denkt und fühlt, muß man ihr Verhalten betrachten und sie ganz reaktiv nehmen. Daß sie traurig ist, könnte auch sie selber erst vom Kind erfahren; einmal ruft es ohne Zusammenhang mit der augenblicklichen Situation, auch es sei traurig. Das Gefühl Zusammengehörigkeit erscheint als winzige Handlung: Die Frau will Essensreste vom Teller des Kindes in den Mülleimer kippen und unterbricht sich, indem sie ein paar Bissen voll mit der benutzten Gabel ißt. Der Mann muß ja wohl Trotz und Trauer empfinden, denn plötzlich legt er sich bäuchlings auf die Erde.

An einem Abend hört die Frau die Platte THE LEFTHANDED WOMAN immer wieder. Die Linkshändigkeit ist eine Utopie von der Möglichkeit, von der gleichmäßigen Untergangskatastrophe eines täglichen Lebens wie auf einem fremden Erdteil aufzuwachen. Jemand überhaupt erst Ersehntes und Zukünftiges zu sein, wie die Erfahrung in einem Wunschtraum. Obwohl die Frau nicht verstiegen wirkt und geduldig den Alltag fortsetzt, scheint doch die Liebeserklärung eines Unbekannten ihr Linkshändigkeitsverlangen zu unterstützen: sie sehe aus wie jemand, der dauernd weiß, daß man stirbt. Solche *glimpses* unterwandern die Macht der Ge-

wohnheit. Die Frau ist dennoch nicht richtig aus der Ruhe
zu bringen. So etwas wie eine kreatürliche Stabilität sichert
sie ab. Immer noch finde ich sie deshalb etwas gemein und
besser dran als der Mann, den ich aber auch nicht bemitlei-
den kann.

Angewiesen auf die Abbildungen und die Gespräche weiß
ich über diese Personen ja fast nur, was ich mir selber zu
ihnen erfinde. Das Kind ist wie eine große Chance zur
besseren Wahrnehmung der Welt, ein Sonderangebot für die
Nachdenklichkeit. Auf einer Zufallsparty am Schluß versuchen die paar Erzählungsleute sich beziehungsschwach am
schäbigen Muster von ein bißchen Partnertauschhandel. Es
sieht folgenlos und ungeschickt aus und ist nicht im verlok-
kenden Sinn »linkshändig«.

Alles kommt mir plötzlich so linkshändig vor, als hätte mich
dieses Titelmotiv angestiftet. Der Erzähler hat vorgetäuscht,
ein Nacherzähler gewesen zu sein, der zuvor selber nur
Zuschauer war. Eine beabsichtigte Sprachsprödigkeit, zwischen Schulaufsatzöde, Kinophantasie und Stimmung von
klassischer Novelle, nützt dem Eindruck vom freien Spielraum; für die selbständigen, die eigenen und ersten Gefühle.

Auf der letzten Seite verstehe ich ein Zitat aus den »Wahl-
verwandtschaften« als freundschaftlichen Wink. Eine Anhänglichkeit an Goethe bewährt sich immer. Sein Selbstbe-
wußtsein hat etwas Ansteckendes. Originalton Goethe aus
der nicht zu großen Entfernung. Man kann nicht unbescheiden genug sein, wenn man schreibt.   *(1976)*

THOMAS MANN
TAGEBÜCHER 1933/34

Wenn man sich fürs Empfehlen nur EINES Buches entscheiden soll, muß man seinen ersten Einfall nehmen. Für mich ist
es völlig selbstverständlich, daß ich auf die Edition der

Tagebücher von Thomas Mann gewartet habe. Die 20 Jahre nach dem Tod von Thomas Mann sind um und der Zeitpunkt für die Öffentlichkeit ist da, die vom Tagebuchschreiber selbst terminierte und gewünschte Entprivatisierung kann nicht nur, sie soll ja stattfinden. Nur ist bei einem Schriftsteller Privates und Nichtprivates kaum zu trennen. Es ereignet sich keine Indiskretion, gar nicht bei Thomas Mann, da er mit Lesern und mit Kenntnis über sich selber gerechnet hat, auch bei den abendlich-nächtlichen Eintragungen, die beinah jeden einzelnen Tag sozusagen GEBETHAFT abschlossen und die er doch durchaus als Schriftsteller machte, nicht in einer Nebeninkarnation als naiv-brodelnd vertrauensseliger Privatmensch.

Ich glaube, so richtig spontan-privat kann ein Schriftsteller überhaupt nicht mehr sein. Es hat dennoch einen Zufluchtcharakter, ein Tagebuch zu führen, zunächst unzugänglich für die üblichen Adressaten, und diese Schutzfunktion haben die Eintragungen für Thomas Mann in hohem Maß besessen.

Ich habe eigentlich schon immer, vorm Lesen der Tagebücher, das Gefühl gehabt, die allgemeine öffentliche Vorstellung von Thomas Mann sei sehr korrekturbedürftig. Gerade aus ihm hat sich der aufgeschlossene Kulturinteressent nur immer den Leistungsethiker und nichts als ihn zurechtgedacht. Den pedantisch-disziplinierten Schreibtisch- und Kunstmenschen. Sehr kühl und ein bißchen abstrakt, unvegetativ. Wir lernen jetzt einen Leidenden kennen. Einen, der sich täglich abgeben mußte mit den inneren Katastrophen, die nur zum Teil durch das kränkende Leben im Exil ausgelöst wurden. Er hat sich der Außenwelt nicht so hermetisch verschlossen, wie das von seinen Schreibtischarbeitszeiten vermutet wird. Er war ganz und gar ein Beteiligter, der zum Beispiel auch das tägliche Wetter registrierte. Und natürlich, so verstörbar, in seiner Innenwelt kein kühler unerschütterlicher robuster Rechner oder so etwas, sondern empfindlich, schwankend, in Angst, auch in Angst vor körperlichen Beschwerden, etwas hypochondrisch viel eher als sorglos. Ja, für mich ist immer wieder der Bestätigungseffekt groß. Es hat gar kein anderer Thomas Mann als dieser der Tagebücher die Erzählung UNORDNUNG UND FRÜHES LEID schreiben können.

Leser interessieren sich stets sehr für Privates vom Schriftsteller, für sein Arrangement mit dem Alltag, also für die Art und Weise, wie Alltag, das Normale, in den Beruf integriert wird, und umgekehrt. Bei Befragungen nach meinen eigenen Schreibmethoden und -praktiken erfahre ich immer wieder, wer der bekannteste aller Kollegen ist, an wem nämlich jede Selbstaussage gemessen wird: es ist Thomas Mann, von dem sie alle dieses Bild eines überkorrekten Arbeitspedanten haben. An der Strenge der täglichen Freiheitsberaubung, der verordneten Schreibzeit, ändern die Tagebücher zwar nichts, doch wir erfahren, daß selbstverständlich keineswegs aus dieser Ökonomie unentwegt Gewinn zu holen war. Wie mühselig und langwierig die Entstehung von Prosa AUCH sein kann, wie unberechenbar und qualenreich der Weg zu einem Kunstgebilde, das ist hier endlich vermittelt. Das schlecht vereinfachte Bild: Thomas Mann schafft es selber ab.   (1977)

LILY PINCUS
BIS DASS DER TOD EUCH SCHEIDET

Das unbegrenzte Gebiet der menschlichen »Probleme« verlockt eine in den angelsächsischen Ländern längst nicht mehr ganz neue Sorte von Selfmade-Psychologinnen zum Lösen und zum Bücherschreiben. Zwei Bücher, an denen Lily Pincus als »Co-Autorin« beteiligt war, heißen *»Problems«*, und was auch immer das bedeuten mag, der Titel und die Mitarbeit, »Probleme« werden von ihr nicht im philosophischen Sinn verstanden, nicht als die Gegenstände der Metaphysik, nach denen das menschliche Denken fragt. Sie sind von praktischer Art und eher Konflikte des Alltags.

Lily Pincus, 79 Jahre alt, ist als Sozialarbeiterin eine Ehespezialistin. Sie hat in London ein »Institut für Ehestudien« mitbegründet. Aus ihrer Praxis kam sie zur Entdeckung, daß der Mensch um den Menschen so trauert, wie er zuvor mit ihm gelebt hat. Ganz modellhaft. Ganz getreu einem Verhaltensmuster, nach dem sich vom frühkindlichen Eindruck bis zum Todesmoment eine Biographie wie von selbst gestrickt hat.

Das ist natürlich unerhört wenig originell. Das Suchen und Zweifeln und Riskieren wurde von den großen Vaterfiguren der psychoanalytischen Schulen ein halbes Jahrhundert vorher in die Welt gebracht: Jetzt können die geschäftigen Psychosozialtherapeutinnen die Antworten geben und auf die übergeordnete Macht ihrer persönlichen Erfahrungen, Beobachtungen und Recherchen vertrauen. Auch das Phänomen des Trauerns, zu dessen »Psychologie« Lily Pincus ihren gesprächigen Beitrag – überwiegend Fallgeschichten – schrieb, rüttelt nicht am festen Boden, darauf diese Expertin des ehelichen Zusammenlebens mit beiden Beinen steht. Metaphysik kommt nicht vor. Die Rätsel des Lebens sind lösbar. Das schwierigste, Sterben, ebenfalls. Angst tritt nur als Furcht auf. Man kann die Dinge anpacken, Tod und Trauern auch.

Diese rührigen, zu jeder Einmischung stets optimistisch aufgelegten Profis der äußeren Seelenhäute handhaben ein gutmütig-halbwissenschaftliches Instrumentarium zwischen Psychologie, Passendem aus den Religionen, Spruchweisheiten, Gemeinplätzen. Sie sind immer bereit, einzugreifen, Tonbänder laufen zu lassen, Interviews auszuwerten, zum jeweiligen Defekt vorzustoßen. Wie etwas schnell Angeeignetes, im Verlauf von Nutzanwendungen bevölkerungsnah Abgemildertes grüßt ganz aus der Ferne, und demnach ohne einzuschüchtern, die gute alte schwierige Zeit der Psychoanalyse mit dem Freudschen Oberhaupt. Es sieht ja inzwischen alles doch viel bodenständiger und praktikabler aus. Man kann sich mit jeder Misere in die Sprechstunden dieser Seelenheilgymnastinnen wagen. Ihre Methoden bleiben durchschaubar. Sie reden allerdings nicht durchweg und dauernd verständlich. Auch Lily Pincus, die nicht nur durch ihre Denkresultate, sondern auch mittels Sprachgebrauch eine allzu wissenschaftliche Herkunft als unwahrscheinlich wirken läßt, übersetzt einige Vokabeln aus der psychoanalytischen Terminologie nicht und läßt etwa »Regression« oder »Interaktion« unerklärt im Text stehen, mitten im betulichen, selbstgefälligen, schulterklopfenden Reader's-Digest-Stil, darin ein fremdes Wort aber womöglich weniger stört als nützt: Es stellt eine nie völlig überflüssige Autorität her, macht ein wenig unnahbar. Ein bißchen Distanz kann nichts schaden, zwischen Helfer und Hilfesuchendem.

Das sind hier die Trauernden. Die Witwen vor allem. Die Witwer kommen statistisch nicht so oft und bei Lily Pincus nicht so ausführlich vor. Es sind auch die Töchter und die Söhne. Lauter Hinterbliebene, immer einzeln porträtiert. In ihrem Zusammenspiel als Angehörige, die auch gemeinsam auf einen Todesfall und Grund zum Trauern reagieren müssen, hat die Autorin sie nie angeschaut. Vermutlich hängt das mit ihrem persönlichen Ausgangspunkt zusammen. Ihr Schreibanlaß war, aus zehnjährigem Rückblick, der Tod ihres Mannes. Er ließ sie allein. Sie hat sich nicht in einer verwandtschaftlichen Konstellation zu einem Verlust, der andere auch betraf, verhalten müssen. Ich nehme an, daß sie aus diesem Erfahrungsdefizit so draufgängerisch zum unbekümmerten Kummer, zum rigorosen offenen Trauern zuredet, vielleicht; zu einer Art von kontrolliertem – therapeutisch nämlich sehr ergiebigem, sehr hilfreichem, schließlich neu belebendem – Kontrollverlust, zu einem beabsichtigten Sichgehenlassen. Ihr kommt die Ahnung nicht, es könne eine Schmerzgeheimhaltung geben jemand anderem zuliebe, der seinerseits jemand anderem zuliebe vorsichtig leidet, Zurückhaltung übt: Das ist durchaus ein kleiner anstrengender lieber *circulus vitiosus* und sicher nicht die Erste Hilfe für die Seele.

Wie aber, wenn eine Witwe spürt, daß sie ihren jetzt vaterlosen Kindern nützt, daß sie, spät in der gemeinsamen Biographie, den erwachsenen Kindern noch einmal mütterlich wie bei ersten Schritten helfen kann? Daran, einer Witwe das wichtige Gefühl zu vermitteln, doch noch »gebraucht« zu werden, hat Lily Pincus selbstverständlich gedacht, ihr fällt aber immer nur die Aufsicht über Enkelkinder ein. Die diskrete Trauer, das Versteck für den größten privaten Schmerz, und wie diese kleinen komplizierten Tricks innerhalb der engen Zusammengehörigkeiten einen unerwarteten Erlösungseffekt bekommen können, gerade für den, der nicht sich, sondern die andere(n) »gehen läßt«, der mit sich selber verschont, der »Es geht mir gut« sagt, wenn es auch nicht stimmt, bis es aber doch eigentlich beinah stimmt, eigentlich, weil es möglich ist, miteinander solchen Kontext zu sprechen, weil die Täuschungen durchschaut werden und doch funktionieren – diese ganzen zärtlichen Perversionen existieren für Lily Pincus nicht. Wie eine Verlorenheit beim Verlust nicht entsteht, das hat bei ihr immer nur mit vordergründigen und an ein jeweiliges Selbst gehefteten Beschäftigungstherapien zu tun.

Eine davon ist: das Studium des eigenen Vorlebens. Die Witwe, die richtig trauern soll, und das soll sie, blickt zurück in die Ehegeschichte, auf jede Schuld, auf jeden Kompromiß, auf die ganzen üblichen Versäumnisse. Und weiter zurück, sofern das Trauern immer noch nicht gut genug gelingt, in die Jugend, Kindheit, bis in die unaufgeräumten Daseinsschubladen der Eltern. Ist dann endlich alles richtig sortiert und wird als ein Aha-Erlebnis verstanden, so kann der Tod beispielsweise als »*Vervollkommnung im Menschlichen*«, das Trauern als »*kreativ*« »akzeptiert« werden.

Während ich das Thema Trauern für unendlich halte, wirkt es auf Lily Pincus ziemlich klein. Sie fühlt sich sicher auf einem überschaubaren Terrain, leicht zu roden mit einigen

Tips. Sie sind alle sehr gut gemeint. Ich weiß nicht, wem sie nützen können. Ich kenne keinen traurigen Menschen, dem ich das Buch ohne das Gefühl, taktlos zu sein, geben würde. Wen erhellt der Ratschlag, tägliche kleine Telephonate, auch kurze Besuche, die Regelmäßigkeit von Brathähnchen einmal in der Woche und ähnliche caritativ-kommunikative Rituale einzuführen, um die Überlebensfähigkeit einer vom Tod vereinsamten Person zu unterstützen? Wer erst auf Lily Pincus' Buch hin anruft, ruft doch nicht richtig an und wird durchschaut. Frau Pincus lehnt, wie zu erwarten war, Verdrängungen ab, also auch Medikamente für Leidtragende. Nur keine Ablenkung beim Trauern! Somit schreibt sie natürlich ihre Hilfsbotschaft ausschließlich für ein stabiles Team von Leuten, etwas ähnlich Kursteilnehmerinnen, die mit einem psychosomatischen Training eine schmerzfreie, aber vor allem natürliche Geburt in Angriff nehmen wollen. So kann man auch mit dem Tod verfahren, scheint Lily Pincus zu vermuten. Übrigens nicht mit dem eigenen Tod, an den hier niemand je denkt, weder Patient noch Therapeut. Ich halte das für eine weitere Unterlassung. Daß jeder Todesfall den eigenen Tod beschwört, macht doch jedes Weiterleben hellhöriger, weniger gedankenlos.

Wie kam es, alles in allem, zu diesem Buch? Wie so viele mit ihr seit vielen Jahren erblickt Lily Pincus im Tod ein Tabu. Das muß wohl immer wieder erfunden werden, damit es immer wieder, zum Schein, jedoch ausgiebig, zerstört werden kann. Ich finde nicht, daß viel über Krankheit, Sterben, Tod geschwiegen wird. Im Gegenteil! Fernsehteams protokollieren letzte Lebenswochen, keineswegs als ungebetene Voyeure. Letzte Gefühle, letzte Seufzer sind längst featureförmig telegen. Darüber hinaus informieren auch die ehemaligen Scheintoten über die ersten Todeserfahrungen ihrer doch noch einmal nur vorletzten Minuten. Für wen ist es tröstlich, daß es sich stets um gute Erfahrungen und schöne Minuten gehandelt hat? Wer traut diesen Rückkehrern? Wem nützt überhaupt die ganze vertrauensselige Redesüchtigkeit zum Todessyndrom? Dem Tod gegenüber sehe ich nur mehr das eine Tabu: ihn doch lieber wieder wenigstens ein bißchen als Tabu zu empfinden.

Lily Pincus hingegen propagiert die bedingungslose Offenheit und die totale Aussprache. Daß die »*jeweilige menschliche Gemeinschaft*« sich dadurch verändere und zu einer »*aufnahmebereiten Haltung*« zum Tod gelange, hofft sie zuversichtlich und pauschal. Vor Goethes skeptisch-differenzierter Erkenntnis, die sich etwa in der Zeile »Eines schickt sich nicht für alle« ausdrückt, beschützt sie eine naive Einäugigkeit.

Ich war aber trotzdem fast noch unvoreingenommen bis über das Vorwort hinaus. Eine innere Einstellung, die nach dem ersten Kapitel »Persönliche Erinnerungen« nicht mehr aufrechtzuerhalten war. Der krebskranke Ehemann Fritz wird in elf Leidensjahren mehrfach operiert, er kennt die schlechte Prognose, und doch, so verplaudert sich die Autorin, »*erlebten wir die langen Jahre gemeinsamen Wissens um den drohenden Tod ... als glückliche und erfüllte Jahre, insbesondere die letzten achtzehn Monate, in denen Fritz an Lungenkrebs litt*«. Es ist der moribunde Fritz, der seinen Ärzten peinliches Benennen abnimmt: »*Es tut mir leid, Doktor, dies ist sehr schwierig für Sie.*« Das wirkt cool und sentimental zugleich, auch tragikomisch, eine *understatement*-Erscheinungsform von Kitsch. Sie hat mich an die Stelle in einem amerikanischen Film erinnert, an der ein junges unheilbar krankes Mädchen mit dem Ausruf: »Das ist nicht fair« auf ihre Diagnose reagiert. Mit dieser Art von Sportlichkeit, einem Mut zu den Spielregeln, prägt Fritz sein Lebensende, prägt Lily später ihr Weiterleben. Affirmativ und leistungsbewußt. Fritz freut sich, an der Natur und an kleinen Kindern, an Buddha und Teilhard de Chardin. Der Tod bringt natürlich viel mehr Intensität in jeden Augenblick. Von einer Atmosphäre »*gelassener Bejahung*« fühlen sich die Freunde des Hauses sogar richtig angezogen und kommen in diesen letzten Tagen ausgesprochen gern zu

Besuch. Es herrscht ein Klima der Sozialhilfe mit Strömungen indischer Weisheit, und als Therapeut weiß man auch gelegentliche Tiefausläufer, Depressionen, willkommen zu heißen.

Und spekulativ, tüchtig, sozusagen mit ausgestreckter Solidaritätshand schreibt diese Witwe sich dann aus ihrer persönlichen Erfahrung in die große betrübte Welt all der anderen Verwitweten und Verwaisten hinaus. Das Philosophem »Wahr ist, was nützlich ist« könnte ihr passen. Von Tagore bis zu etwas Rilke wirken Todesmetaphern und absonderliche Gleichnishaftigkeiten zwischendurch sedierend und, verglichen mit Tranquilizern auf chemischer Basis, auch gefahrlos. Es soll über Tod und Trauern alles in eine irdische Griffigkeit ausgewalzt werden. Das Schwierige beseitigt man durch Simplifikationen. Es findet im Arbeitsbereich von Lily Pincus ein riesiges endloses und doch eben stets sehr endliches Anvertrauen statt. Über die Erde hinaus wird nichts gedacht, auch nichts gehofft, gefühlt. Wenn auch der Tod feierlich ungenau stilisiert wird, zu leben ist doch entschieden besser. Richtig weitergelebt, »erfüllt« und unerschrocken, wird von denen, die zuerst mit Frau Pincus' Hilfe sämtliche biographischen »Interaktionen« aufgearbeitet, dann – über Ersatztränen, Phantomschmerz – etwas schulfibelhaft korrekt ihren Toten betrauert haben und die schließlich die Trauer »*vollenden*« konnten.

Diese Vollendereien sind Krönung und neuer Start, der Tote ist fortan verinnerlicht. Hier bleibt Lily Pincus eher vage. Ich vermute, daß sie mit der Trauervollendung so etwas wie eine mehr oder weniger realistische Selbsterkenntnis meint. Die ist nicht schwer zu haben, denn das ganze Leben erscheint hier als ein interessantes Problem, dringend und abziehbildhaft zu lösen. Trauert etwa eine Witwe zu wenig oder zu kränklich übertrieben und stellt sich heraus, daß ihr Mann und sie völlig aufeinander fixiert waren, was hat da mit ihr zu geschehen? Man lehrt sie, eine eigene Identität zu besitzen. Man muß sowieso jede Person schön selbständig machen. Man trennt, um zueinanderzubringen, man bringt zueinander, aber so, daß der Tod nicht ganz tödlich trennen kann. Lily Pincus möchte Lebenstauglichkeiten herstellen. Das Zusammenleben der Menschen vergleicht sie mit gewebten Teppichen. Wie sie geknüpft sind, das wird einmal über das Leid der Leidenden entscheiden. Lily Pincus findet, daß man nachträglich noch vieles an den frühen Schadstellen der Teppiche korrigieren kann.

Das Buch ist wiederholungsfreudig, nimmermüde, binsenweise. Es ist schlichtungssüchtig und auf Ausgewogenheit versessen, immer aber – nach den evolutionierenden, gefühlsmäßig weiterbringenden Krisen. Es ist lernprozeß- und reifebegeistert. Es fragt und fragt: Wie komme ich am besten davon und möglichst auch profitierend? Die Antwort ist eine Hausmannskost für Hinterbliebene. Lily Pincus hat keinen Vorschlag für Individualisten. Auf ihre gutartige Weise rät sie ab von den »*irrationalen Reaktionen*«. In ihrer Praxis haben Rätselhaftigkeiten keine Chance. Nach der Transzendenz erkundigt sich keiner, und ob nicht mit etwas weniger Diesseitigkeit, mit ein bißchen absolut unpraktischer Sehnsucht auf eine doppelbödige Todeserfahrung das Trauern triftiger, um die entscheidende Dimension größer und tiefer werde, will niemand bei Lily Pincus wissen. Ihr Ziel ist die »*gesunde Persönlichkeit*«. Die macht sie »*trauerfähig*«, dann lebensfähig. Das Ewige zieht sie nicht an.

Sie kann aber nichts zum deutschen Titel, diesem Zitat aus dem besten Sachbuch über den Tod, in dem allerdings die persönlichen Erfahrungen und individuellen Erlebnisse grenzgängerisch überschritten werden. Es ist die Bibel. Die ist, angesichts des unverständlichen Todes, wohltuend unverständlich. *(1978)*

JOHN UPDIKE
HEIRATE MICH!

Das ist eins von den Büchern, die ich vorsichtshalber sehr
langsam lese, weil ich überhaupt keine Lust habe, fertig zu
werden. Und es ist gar nicht so einfach, die Lesegeschwin-
digkeit Satz für Satz zu bremsen (obwohl diese Geduld sich
Satz für Satz sehr lohnt): Auf 300 Seiten bleibt dieser Roman
nebenbei nämlich auch spannend. Einfach interessant, einfach neugierig machend. Neben allen anderen Qualitäten,
die er ebenfalls besitzt. Ich bin mir dauernd der gut gelingen-
den Ablenkung von mir selber bewußt, sogar unterwegs,
sogar bei Reisefieber und zuviel Fremdbestimmung durch
Fahrpläne, Anschlußzüge. Dieser Erzähler beschlagnahmt
meine Aufmerksamkeit für seine Erfindungen, und es geschieht mir das, was sogenannte normale Leser sich ja immer
wünschen: Ich halte mich mehr in Greenwood, Connecticut, auf – in Updikes Kulissen – als zwischen meinen paar
jetzt fälligen Wirklichkeiten, Westfalen zum Beispiel.
Wie im voraus hefte ich dem Roman eine Art Gütesiegel an.
Die Verwunderung darüber, daß amerikanische Schriftsteller
– nicht nur geographisch – so weit entfernt von unseren
europäischen Schwierigkeiten mit dem Erzählen einfach
doch *erzählen*, die kenne ich, und die beschäftigt mich wieder.
Unkritisch, unskeptisch gegenüber der Realität sind diese
Autoren ja auch nicht. Nicht unverschont von sämtlichen
modernen, beängstigend endzeitlichen Erkenntnissen und
Errungenschaften auf allen Wissenschaftsgebieten, die einen
sorglosen Bericht von den alltäglichen Kleinigkeiten zwischen irgendwelchen Individuen verhindern könnten. Sie
wuchern ja nicht unbekümmert in fruchtbaren Idyllen ohne
Theorien – aus denen machen sie aber die Praxis des Weiter-
schreibens. Und vorsätzlich langsam weiterlesend in diesem
Roman, der mich »unterhält« und der mit dem Prädikat
»Unterhaltungsroman« doch wie versehentlich falsch etiket-
tiert wäre, spüre ich weiter meine Sorge vor einem nicht so

kleinen Verlust nach dem Abschied von einer Daseinsszenerie, auf die John Updike seinen freundlich-analytischen, seinen wohlmeinend-ironischen, gründlichen und genauen Blick geworfen hat. Und auf der sich das Allerweltmäßigste ereignet, eine Ehebruchsverwicklung zwischen nicht weiter herausragenden, nicht durch besondere Schicksalsschläge gezeichneten Leuten; wo sich also das Sensationellste ereignet eben für diese Leute, die sich selber ganz natürlich »herausragend und sensationell« genug sind und die ihren privaten Problemstoß durchaus als Schicksalsschlag begreifen müssen.

Updike hat seine zwei Ehepaare, die Conants und die Mathias, romancierhaft geschickt nachbarschaftlich arrangiert. Sie leben in einer kleineren Wohnstadt an der amerikanischen Nordostküste, im Mittelklassewohlstand und strandnah genug für tägliche sommerliche Familienverabredungen. Auf die zuerst ziemlich bindungslose Party- und Volleyballgeselligkeitsart, die mir sehr typisch, sehr amerikanisch vorkommt, sind die Conants und die Mathias auch eine Spur miteinander befreundet. Daß sie in eine Verstrickung von Gefühlen geraten, wirkt wie ein Verstoß gegen die Spielregeln von Greenwood, wo man sich allerdings geheimniskrämerisch doch auch sehr gut auskennt in sämtlichen gängigen Partnerwechselmechanismen. Es ist schon üblich, in allzu strenger Folgerichtigkeit darunter zusätzlich zu leiden. Updikes Ehepaaren stößt genau dieses Pech zu, das zwischendurch für zwei von ihnen ein Glück ist, diese Unmäßigkeit, dieses Ernstmachen.

Die Bitte, *heirate mich,* wuchert für Sally, die mit Richard verheiratet ist, und für Jerry, der mit Ruth verheiratet ist, zum viel zu dringenden, familienzerstörerischen Imperativ. Er blockiert die Gehirne und die Körper und die Herzen, Seelen, Gemüter dieser vier Personen und Eltern von jeweils drei kleinen Kindern im mittleren Lebensalter auf den 300 Buchseiten mit einer hartnäckigen Ausschließlichkeit. Während Sally und Jerry sich in ihrer furchtbar schwierigen, glück- und unglückseligen Erfahrung *Liebe* überanstrengen, erledigen mehr nebenbei Richard und Ruth eine affairenartige Abart davon. Nicht einfach leichtfertig oder aus Langeweile, und sie fühlen sich für die Dauer ihrer Liaison noch unbetrogen, also schuldig, und selbst als die heimlichen Betrüger. Ein schlechtes Gewissen müssen sie pausenlos alle vier haben.

Die etwas zu symmetrische Anordnung könnte nach Bequemlichkeit beim Autor aussehen. Diese Überkreuzmischung wirkt so trefferhaft. Es war ja nicht unpraktisch, an vier sowieso schon miteinander verknüpften Personen einen emotionalen und sexuellen Austausch zu exemplifizieren. Doch kommt mir der unzufällige Zufall nicht wie eine Demonstrationswillkür vor. Im Gegenteil. Die vereinfachende Beschränkung bringt den Gewinn, um so gründlicher, detaillierter, tiefer in die Komplikationen dieses Psychodramas einzudringen. So vielschichtig sind hier seelische Verwilderung, Unordnung und Störung, weil nämlich vier gescheite und mit ihrem Chaos noch immer auch gewissenhafte Personen das Ereignis *Ehebruch* nicht leichtnehmen können. Sie sind alle zu klug für einen archaischen Egoismus, den sie sich nur aus weiter Entfernung ein bißchen wünschen, ziemlich vergeblich.

Weil außerdem Updike jeden einzelnen als sympathisch darstellt, jeden einzelnen als ein menschliches Lebewesen, dessen Wünsche, Ängste, Aggressionen, Freundlichkeiten immer plausibel und stets sehr gut zu begreifen sind, weil Updike sich in jeden einzelnen psychologiekundig einfühlt, keinen als positiv heraushebt, keinen zum billigen Kontrasterlebnis anschwärzt, deshalb wird es dem lesenden Beobachter ebenso schwer wie den Protagonisten selber, diese eine *Entscheidung* zu empfehlen, die endlich einmal getroffen werden muß und die eine für alle richtige Lösung wäre.

Kann es sie denn überhaupt geben? Wahrscheinlich nicht. Gönnt man denn der Sally, einer Frau, die endlich mal »vom 20. Jahrhundert Gebrauch zu machen versteht«, denn sie benimmt sich mutig beim Ehebrechen, gönnt man ihr denn den Jerry wirklich ganz und aus voller Überzeugung? Hat sie ihn sich nicht verdient, leidend an der Sehnsucht, den Mann Richard und die Kinder verlassend – aber doch nur vorübergehend und ohne wirklich den Eindruck der Treulosigkeit zu machen? Wem wünscht man hier nicht das Beste? Sally nicht? Deren *Bestes* wäre ja sehr schlecht z. B. für Ruth, mit der man sich in dem langen *Ruth*-Kapitel einfach solidarisieren muß; erst recht schlecht für die drei kleinen Kinder von Ruth und Jerry. Und daß der etwas undurchschaubare Richard zartere Gefühle nur rauh maskiert, steht auch fest und nimmt für ihn ein.

Und womit wäre denn Jerry, *meiner* Hauptfigur, am meisten gedient, am lebenslänglichsten? Ist ihm die Ehegewohnheit nicht doch hauptsächlich aus einer gewissen Entbehrung von Neugier kritisch geworden? Sie kennen sich alle aus mit der Abnutzungsgefahr durch täglichen ehelichen Gebrauch, den sie übrigens weiterhin voneinander machen, mitten im Konflikt und im Leiden, amerikanisch unbefangen und kommunikativ. Viel psychologischer Smalltalk auf dem hohen Niveau ihres Intellekts und ihrer Sensibilität macht dauernd diesen völlig uneuropäischen Eindruck auf mich. In der *Alten Welt* sind Ehetragödien viel einsilbiger.

Die Conants und die Mathias reden im Dialog-Marathon auch gar nicht aneinander vorbei. Die hochgelobte Kommunikation, der auf unserem alten Kontinent noch immer soviel mehr Erfolg gewünscht wird, sie findet hier sehr ausgiebig statt – wie sich zeigt, ohne wahren Gewinn für die ausspracheseligen Partner. Was nützt Jerry das ganze unentwegte Anvertrauen? Es erlöst ihn nicht von seiner Angst vor dem Tod. Die steckt in Wahrheit hinter seiner Liebesfluchtbewegung zu Sally.

Er, der sich »zwischen Tod und Tod« fühlt, den die Religion nicht vollkommen absichert, dem ein sterbensängstliches Asthma auch nicht als psychosomatische Ersatzwaffe genügt, er ist einer vereinnahmenden Ablenkung bedürftig, einer schuldbeladenen Passion, Sallys also und der vertrackten Liebesgeschichte »im Zwielicht der alten Moral«. Es handelt sich um genau diese *alte Moral* bei der Last und Bürde, unter die Updikes unfreiwillig unmoralische Ehepaare geduckt sind. Die Kraft dieser Moral reicht nur noch gerade aus, sie zu peinigen, sie erwirkt nicht mehr den »*Zwang* zum Gehorsam«.

John Updike glückt das Kunststück, jeden Hauch von Klischeehaftigkeit von diesen Leuten fernzuhalten. Immer läge es so nah, sie einzuordnen. Jeder ist so typisch, keiner ist ein Prototyp. Würde Ruth nicht vielleicht in die Kategorie *vernünftige Ehefrau* passen? Aber wieso ist sie dann mit dem Haushalt sehr fahrlässig? Sally, eben noch griffbereit wie geschaffen für die Schublade *Verführerin*, kocht gut und gern, putzt sauber. Keiner ist einfach entweder rechtschaffen und dann auch etwas langweilig oder leichtfertig und damit auf die anrüchige Weise auch schon voller bedrohlicher Anziehungskraft. Alle sind verzweiflungsfähig. Intelligent genug, die Sorgen der anderen zu bedenken. Sie sind unglücklich, wenn ich Walter Benjamins Forderung an den Glücksbegriff auf sie anwende: »Glücklich sein heißt, ohne Schrecken seiner selbst inne zu werden.«

Für diese Art von anspruchsvollem Glück sind die Conants und die Mathias wie entgegengesetzt determiniert. Sie isolieren ihr *Selbst* nicht in einer naiv-brutalen *Selbstverwirklichung:* Lieblingspostulat auf *unserer* augenblicklichen Theorienbühne. In einem übertragenen Sinn könnte nun doch auch noch Rosa Luxemburg auf Updikes pessimistische Optimisten, hoffnungsvoll Hoffnungslose passen, denn ihre jeweils *eigene* Freiheit verstehen sie immer gleichzeitig als die Freiheit der *anderen.* Updike präsentiert, an nur vier Personen, eine weiträumige Welt der Gefühle, Haltungen, Vorgeschichten. Ein sehr konkretes, sehr reales Stück USA. Die Gegenwart und ihre Zumutungen können hier aus vier Blickwinkeln betrachtet werden: verständniserregend und gerecht, mit einer Art von tränenersticktem Gelächter.

Übrigens: was diese vier mit dem Befehl *heirate mich* anfangen, leidensfähig, selbstkritisch, gesprächig und nie humorlos bis zum Schluß, zu dem ich trotz der Lese-Ritardandi doch habe kommen müssen, was sie endlich *entscheiden,* das würde nur ein Spielverderber verraten. *(1978)*

THOMAS BERNHARD
DER ATEM

Die Ausnahmen, mit denen so jemand wie ich sich zum Kritiker macht, müssen schon mit einer besonderen Affiziertheit zu tun haben. Wie kommt es denn, daß ich mich, von seinen noch geheimtipartigen ersten Büchern an, wie ein Spezialist gerade für Thomas Bernhard benommen habe? Wie ein für allemal eingeweiht und überzeugt? Mit einer ungewöhnlichen Ausdauer für sämtliche Manierismen, Unzugänglichkeiten, Unwegsamkeiten dieser Prosa?
Diesem Schriftsteller gegenüber kann es wohl keine unentschiedenen Zwischenpositionen geben. Wer in eine Übereinstimmung gerät mit dem radikalen Ernst, mit der glitzernd hellen Finsternis der Bernhardschen Innenweltaussagen, ist angesteckt, fühlt sich sicher vor Heuchelei und gefälligen Künstlerposen, leeren Gesten, bloßer Attitüde.
Nach meinen Erfahrungen mit Lesern, die sich über Gegenwartsliteratur unterhalten, gibt es keine gleichmütig duldende, gelassene Reaktion auf Thomas Bernhard. Das wirkt auf mich wie ein Glückwunsch vorweg. Schroff und abwehrend haben die einen Angst, weil bei Bernhard von der Angst mit viel zu wenig schönem Beigeschmack, nicht schick poetisch, geredet wird – und die allerdings genauso emotional verstrickten Verehrer dieses Werks nehmen doch auch einen etwas verzweifelten Gesichtsausdruck an, wenn sie ihre Infektion rühmen. Alles ist bei diesem Autor wirklich so ungemütlich. Eine unbequeme, bei behaglichem Konsum

hinderliche Grammatik versperrt, zusätzlich spröde, die Sprödigkeit der Stoffe.

»Frost« und »Verstörung« und »Ungenach«, Titel von Prosabüchern Bernhards, verbreiten eine Art leitmotivisches Klima über die gesamten riesigen Satzblöcke hinweg – oder es sieht nachträglich so aus, es handelt sich um diese spezielle, nicht verwechselbare Erinnerung daran. Ein hartnäckiges, alles irgendwie Nachgiebige verweigerndes Monologisieren bleibt im Gedächtnis: Reden über dieses moribunde Tun und Lassen und Quälen, unser Existieren mit tödlichem Ausgang, über unsere Sterbensprogrammiertheit, Reden über nichts Ermutigendes.

So ist der Anschein. Daß er, wie es sich für einen Anschein gehört, trügt, erweist Bernhards autobiographische Trilogie. Die ersten Bände, »Die Ursache« und »Der Keller«, demonstrierten schon die Überlebenstechniken der Kindheit und der frühen Jugend. Lauter Widerstandstechniken, Gegenmaßnahmen, Selbständigkeitstricks: Beweismaterial also gegen die Übereinkunft, mit der Diagnose *tiefste unheilbare Todes-Resignation* sei dieser Autor wie für immer auf seine thematische Obsessionsecke und Beschreibungskategorie fixiert; neuen Eindrücken könne vorweg bescheidwissend abgewinkt werden.

Man muß aber jetzt den vereinfachenden Rückblick komplizieren. Man muß ihn teilen, muß *nach* den abstraktionspedantischen, beweisführerischen Büchern und *vor* den drei nicht sehr umfangreichen autobiographischen Bänden neu ansetzen, vielleicht eben für den Fall, daß einer diesen Pessimisten nicht optimistisch genug finden konnte.

Ich selber erkenne keinen völlig verwandelten, plötzlich erlöserisch-todabgewandten Thomas Bernhard. Inwiefern schon immer die *Wahrheit* eben doch ermutigend war, da, wo sie durch ihr äußerstes Ernstmachen mit der Verzweiflung verschreckte, das erklärt Thomas Bernhard selber.

Als knapp Achtzehnjähriger (1949) hat er, zum Tode krank, blitzartig erkannt, daß nur ein penetrantes Hinschauen, und

gerade eben nicht das vermeintlich schonungsvolle Wegblik-
ken, lebensrettend ist:

».. . und so hatte ich mit der Zeit einen mich ganz einfach
von einem bestimmten Zeitpunkt an nicht mehr schädigen-
den, sondern belehrenden Mechanismus der Wahrnehmung
in dem Sterbezimmer entwickelt. Ich durfte mich von den
Objekten meiner Betrachtungen und Beobachtungen nicht
mehr verletzen lassen. Ich mußte in meinen Betrachtungen
und Beobachtungen davon ausgehen, daß auch das Fürchter-
lichste und das Entsetzlichste und das Abstoßendste und das
Häßlichste das Selbstverständliche ist, wodurch ich überhaupt diesen Zustand hatte ertragen können.«

Im letzten Band der Trilogie erlebt man – ich ziehe Kierkegaard hinzu –, »wie einer wird, was er ist«, und das ist
entschieden einer, der nicht sterben will, sterbenskrank an
»nasser Rippenfellentzündung«, eingeliefert ins Salzburger
Landeskrankenhaus, mit sterbenden Greisen im riesigen Fi-
scher-von-Erlach-Barock-Krankensaal liegend, dem »Al-
terszimmer«, »Sterbezimmer«, viel zu jung für die gesamte
Situation.

Mit dem Verstand und dem Geist und, wie Bernhard betont,
vor allem mit der Seele arbeitet er an der Rebellion gegen den
Tod, an der Entscheidung für das Leben – und doch geht mir
dabei das Bild von anhaltendem Todesfanatismus nicht verloren. Nur wird hier jetzt die Abstammung ganz deutlich.
Auch die Herkunft der Wut als Antwort auf den Wahnsinn
und die Widersprüchlichkeit, auf die Täuschungsidiotie in
unseren Körpern, diesen getreulich-biologisch in jeder Se-
kunde etwas tödlicher sterbenden Lebensorganisationen.

Weil mich selber fernsehansagerinnenhafte Ausführlichkeiten bei Inhaltswiedergaben stören, erzähle ich ganz sicher
zumindest nicht, wie »Der Atem« ausgeht. Der beim Beginn
des Berichts schon ins »Badezimmer« zum Sterben abge-
schobene und mit der Letzten Ölung versorgte Patient hat
sich mit der Widerstandskraft des Willens das Leben verordnet, diese gewiß nicht einfachere Lösung, die schwierige

»Selbstbestimmung«. Und zwar nicht »irgendein Leben«, sondern extrem individualistisch das einmalig »eigene« Leben.

Im Gewölbesaal mit den kachektischen alten Männern erfährt einer (zweite Kierkegaard-Zutat durch mich) die »Verzweiflung, verzweifelt man selbst sein zu wollen«. Die Krankenschwester, die das Sterbekabinett im Spital nur betritt, um einen wie geplanten Stillstand beim fälligen Todeskandidaten festzustellen, wird in ihrem Zusammenhang mit der ganzen »Todesproduktionsstätte«, dem Krankenhaus, plötzlich durchschaut, und der junge, aufgegebene Patient zwingt sich zum Atmen: Das wird in Zukunft immer ein Willensakt und Widerstand sein, Trotz, Behauptung, List und Empörung.

Der spätere Biograph erkennt eine psychosomatische Logik in der Krankheit überhaupt: Die einzige wirklich geliebte Person, der zärtlich auch als eine Art Mentor verehrte Großvater, hatte kurz vor dem Zusammenbruch des Enkels in dasselbe Krankenhaus eingeliefert werden müssen. Die undurchschaute Erkrankung des Großvaters ruinierte das System, das nach den quälend schwierigen Entwicklungsprozessen und Selbständigkeitsübungen auf den Stufen »Ursache« und »Keller« endlich eine Dauer zu haben versprach.

Wieder ist es der Großvater allein, er, der auch krank machte, dem das Gesundmachen gelingt: Eine krankenhausinterne kleine Verschwörung von Zuspruch zwischen den beiden, Großvater und Enkel, wirkt sich heilkräftig aus. Aber auch die Freiheit zu sich selber, eine brutale Freiheit, nämlich die durch den Tod einer am meisten geliebten Person, ist am Ende nur vom Großvater zu haben.

Einer Erkenntnis, und sei sie die furchtbarste, beleidigendste, eine, vor der man sich lieber drücken möchte, wird von Thomas Bernhard jeweils der Vorzug gegeben, den Palliativmethoden abgekehrt. Er wendet die Schmerzmethode bewußt bei sich selber an. Ihm ist ausgerechnet dasjenige Therapie und Überlebensmethode, was im allgemeinen weggelogen (und von Bernhard-Lesern als spezielle Zumutung an sie selber mißverstanden, übelgenommen) wird:

»Diese Ereignisse . . ., rücksichtslos und erbarmungslos wie keine anderen in meinem bisherigen Leben, waren auch, wie alles andere, die logische Konsequenz der von dem menschlichen Geist allerdings immer fahrlässig und gemein und heuchlerisch abgedrängten und schließlich vollkommen verdrängten Natur gewesen. Ich durfte hier . . . nicht verzweifeln, ich mußte einfach die . . . ganz brutal offengelegte Natur auf mich wirken lassen. Unter Einsetzung des Verstandes . . . hatte ich die Selbstverletzung durch Beobachtung auf ein Minimum einschränken können.«

Damit könnte eigentlich aufgeklärt sein, was es mit diesem sogenannten *bösen Blick* Bernhards auf sich hat. Er ist ein genauer Blick, der auf die Miserabilitäten dieser Welt fällt, wahrheitsfinderisch, betrugsfeindlich, therapeutisch, aufklärend – ein *guter Blick* demnach. Das angebliche, das wahrheitsscheue *Verschonen* ist nichts als eine tödlich gelähmte Schwäche. Es ist lebensgefährlich, den Schmerz zu verweigern.

Das absolut vom Tod her definierte Leben ist ja eine permanent fragliche Angelegenheit. Präzise und extrem darüber berichtet Thomas Bernhard, übrigens auch wieder in einer konsequent nicht dem Lesenden gefällig sich andienenden Sprache, oft in der gewohnten vertrackten Syntax, ohne Schönheitsgebärden in langen Sätzen, Wortwiederholungen. Den Blick des Achtzehnjährigen auf die Todeswelt von damals rekapituliert Bernhard mit gerechter Zurückhaltung, so daß bei dieser Autobiographie endlich einmal nicht der Verdacht irritiert, spätere Rückblickerfahrung füge hinzu, erfinde und verfälsche. Bernhard tritt auch nicht auf als sein eigener wohlmeinender Kommentator und Interpret von Jugendeindrücken. Alle publikumsfreundlichen Haltungen läßt er weg: Daß das kein Wunder ist bei einem, den die Verlogenheit anwidert, ist das nicht doch ein Wunder?

(1978)

Mit diesem Buch ist es mir sehr merkwürdig gegangen. Sein
Inhalt wirkte auf mich so überfällig, daß es mir schwerfiel,
auf ihn wie auf etwas Neues zu reagieren. Susan Sontag
demaskiert Krankheit. Sie bringt die Krankheit zurück zu
sich selber. Man könnte meinen, das sei ein wenig grausam.
Es handelt sich im Gegenteil um ein sehr menschenfreundli-
ches, den Patienten in die Umgebung von gesunden Leuten
zurückholendes Verfahren. Die tradierten Bilder, in Susan
Sontags Untersuchung speziell diejenigen, mit denen im
vorigen Jahrhundert die Tuberkulose, in unserer Zeit die
Krebskrankheit(en) verschleiert werden, sie gewähren ja keinen Schutz, sie lügen ja nur ein summarisches Verständnis
zusammen; entstanden aus Angst, erzeugen sie neue Angst.
Dauernd war meine innere Antwort beim Lesen ein Gefühl
der Bekanntheit, in der selbstverständlichen Vertrautheit.
Genau so – so verheerend, so infantil-reaktionär – verhält
sich der sprachlos-gesprächige Krankheitsamateur, habe ich
gedacht, ich weiß das, ich kenne das, Susan Sontag be-
schreibt meine eigenen Idiosynkrasien gegenüber den Bal-
last-Stoffen einer Terminologie des Ausweichens vor der
Erkenntnis; die Armutsgebärden und Hilflosigkeit der Sprache analysierend, aufklärerisch, in wohltätiger Mischung aus
Empörtheit und Intelligenz, mit der bemerkenswerten Sehschärfe von jemandem, der die Wahrheit gern hat.
Doch diese Empfindung vom Vorgewußten bei mir selber
stammte einfach nur – ach, als wäre das mit einem *einfach*
und gar einem *nur* abzutun, als handele es sich bei solcher
Art von *déjà-vu*-Ereignis nicht um einen Glücksfall! – sie
stammte schließlich also nicht von früheren Essay-Erlebnis-
sen ab. Sondern der anhaltende Eindruck der längst schon
erfahrenen und in mir zurückliegenden (aber weiter lagern-
den) Übereinstimmung hängt damit zusammen, daß ich
selber immer angeekelt war von der mißbräuchlichen Benut-

zung der Krankheit durch die Sprache. Durch ihre Verbiegung zur Metapher. Durch diese unstatthafte Verwendungsweise. Falsches Schutzbedürfnis, oder: Schutz, falsch verstanden. Susan Sontag, die das übrigens wissen kann, spricht von der ».. . *gesündesten Weise, krank zu sein«*, die darin bestehe, ».. . *sich so weit wie möglich vom metaphorischen Denken zu lösen, ihm den größtmöglichen Widerstand entgegenzusetzen.«*

Nur dem aus Mutlosigkeit und schlechter Gewohnheit des Klischees Bedürftigen scheint es leichter, mit Krankheit und Kranken in einem Wortschatz aus Übertragungen und Vergleichen umzugehen. Das ungeliebte Terrain wird übersichtlicher, eine hochdramatische Bilderwelt macht es sonderbarerweise dann sogar zugänglich. Zusätzliche Verfremdung bekommt der fremden Erscheinung gut: so paradox das ist, Phantasien sind besser als Realität: immer natürlich nur für die (noch) Verschonten. In Wahrheit läuft diese Ausfluchthaftigkeit gesprächig-schwulstreich auf eine Ächtung der (nicht, nicht mehr) Verschonten hinaus. Man hat sie eingeordnet, sie sind nun klassifiziert: Das ist doch immerhin eine Art Kontakt, den man mit ihnen noch unterhält. Das Übel ist benannt, wenn auch verfälschend, und schon gibt es sich den Anschein, etwas besser verständlich zu sein.

Aber so bildet sich eine Krankheit in der Krankheit heran. Die inzwischen gut bezähmbar gewordene Tb, Metaphernauslöser im vorigen Jahrhundert, eben genauso lang ein sprudelnder Bilderquell wie die therapeutische Hilflosigkeit dazu parallel lief, sie ist in unserer Zeit von den Krebskrankheiten abgelöst worden. Susan Sontag weist, im historischen Vergleich mit der etwas ausgedient-ausgeleierten, entsymbolisierten Tb, an literarischen, medizinischen, psychologischen und selbstzeugnishaften Beispielen nach, wie viel metaphorische Ausbeutung und (häßliche) Dekoration nötig sind, um das sonst allzu unheimliche symptomatische Geschehen ist eine negative Mystifikation zu zwingen. Das ist wie ein Bändigungsversuch, kläglich scheiternd, erkenntnisfeindlich, wahrheitsscheu. Im Schwall von Metaphern spielt die Heilung als Resultat überhaupt keine Rolle; der Tod definiert den gesamten Ablauf von seinem ersten winzigen bösartigen Beginn an. Susan Sontags Thema ist ja nicht die Krankheit als physisches Phänomen, wovon sie allerdings, als Betroffene, authentisch reden könnte: War meine Wahl der Vokabeln »als Betroffene« nicht eben gerade auch fluchtartig metaphorisch? Susan Sontag will beweisen, daß die Krankheit nichts ist als die Krankheit, übrigens durchaus heilbar – aber um statistisches Material geht es hier nicht – und daß die Krankheit nicht identisch ist mit dem Abbild von ihr, mit den Wörtern, die sie deformieren: aufs Dunkelste, aufs Abwegigste, sie in eine vernebelte Ferne rückend. Der ganze Mißstand hängt mit der noch ungeklärten Ätiologie (Lehre von der Krankheitsursache) zusammen. So lang die Herkunft einer Krankheit noch weitgehend rätselhaft ist, die Ursachenforschung sich unzuverlässig und nach Mutmaßungen anhört, so lang nicht mehr bekannt ist als eine ansehnliche Gruppierung von Risikofaktoren, es aber immer wieder jeglicher Beweiskraft ermangelt, wenn Anamnesen von Carcinom-Patienten zu gar keinen Aha-Reaktionen führen, so lang so schlecht Bescheid gewußt wird von den Professionellen, so lang verschleppen die Dilettanten die undurchschaute Krankheit in die besser durchschaubaren Transformationen der Veranschaulichungen, auch der Deutungen. Wovor der Mensch sich fürchtet, wovor er sich also drückt, das versucht er zu verschleiern. Er verwendet seinen Furchtgegenstand sprachlich als Tarnung und Verbrämung. Auch, wie beschwörend, als sogar verschlimmernde Verbrämung, und das ist sein klägliches Instrument, den zweifellos unguten Sachverhalt zu verkleinern, oder doch: das anzustreben. Krankheiten, die von der Medizin noch nicht ganz beherrscht werden, scheinen der Dämonisierung ganz besonders zu bedürfen. Dennoch kann ein Rheumatismus sicherlich so chronisch sein wie er will, so hartnäckig ein Lebensgefährte wie eine Krebskrankheit, die Phantasie regt er zu keinerlei magisch-mystifizierendem Treiben an. An diesem Rheumatismus-Beispiel nicht, wohl aber an Herzleiden mißt Susan Sontag die Unverhältnismäßigkeit der Mittel, lebenszerstörenden Krankheitsgeschehen sprachlich-bildlich zu begegnen. Sind Herzattacken einfach ästhetischer? Kranke Vorgänge im Coronarbereich einfach edler, feiner? Gewiß, es hat (auch) mit »Bereichen« zu tun, und es erweist sich als ungünstig unansehnlich für die Krebskrankheiten, daß sie von allen Organen – eine wichtige Unterscheidung von anderen Krankheiten – speziell die eher niedrigen, im Körper unterhalb der Gürtellinie plazierten Organe besonders häufig nicht auslassen.

Für mich beginnt die Fälscherei, die Infamie, die schlechte Bebilderung im historischen Moment der Taufe auf den Namen »Krebs«. So weit muß Susan Sontag in ihren Beunruhigungen gar nicht gehen wie ich, weil im Englischen zwar »cancer« auch Krebs heißt, das Tierchen aber als *»crab«* in seiner Meeres- und Strandwelt aus dem *»haut goút«* solcher Vermischung mit nur mehr achtelwissenschaftlichen physiologischen Vorstellungen herausgehalten bleibt. Denn sogar jede Stichhaltigkeit des Vergleichs – mit einem krebsartigen Bewegungsmechanismus der Zellen – kam bald abhanden und existiert nicht mehr.

Ich denke mir, sobald man nur statt »Krebs«, quasi neutralisierend, das dumme, krabblige, einen Ekel verursachende Bild eliminierend, »Carcinom« sagt, versachlichen und klären sich die Verhältnisse. Die Krankheit wird sozusagen klinischer, wird mehr sie selber, die Bürde der Benennungs-Metapher, dieses sehr schlechten Auswegs, fällt ab und mit ihr weichen die geweckten falschen Vorstellungen.

Gewiß, meine Empfindlichkeit geht weit, doch finde ich – wie ich hoffe: zusammen mit Susan Sontag – daß sie gar nicht zu weit gehen kann. Und überempfindlich folge ich erst recht den sorgfältigen Explorationen Sontags, welche die furchtbar unvernünftigen Interpretationen der Tiefenpsychologie zutage bringen. Das geht bis zur Selbstverantwortlichkeit, die dem Kranken an seiner Krankheit zugeschoben wird, es geht bis zur Schuld- und Strafbeimessung. Eine sehr suspekte, wissenschaftlich ja überhaupt nicht fundierte Phänomenologie und charakterologische Prädestination quält sich da aus dem Notstand eines ratlosen Ursachenkauderwelschs.

Ließen früher die Tb-Patienten sich doch noch künstlerisch verfeinern, lyrisch stilisieren und sich als ein wenig melodramatisch-todesengelhaft vom heimlichen Feind des Lebens, der Schwindsucht, Gezeichnete verwerten, so fällt der Einbildungskraft zum Krebskranken nichts Verklärend-Raunendes ein, es fällt ihr eigentlich nur Ödes, Stumpfes, Verschrumpftes ein. Keine Ästhetisierungen. Kein stimulierendes Pathos. Diese aus Angst vor dem Unbekannten entstandenen Interpretationen zwingen der anonymen Ätiologie eine äußerst freundliche Begrifflichkeit auf. Das Carcinom erobert sich keine Operetten- und Romanhelden, die Erkrankten eignen sich einfach nicht, da man ermittelt haben will, daß überwiegend vorsichtige Leute befallen werden, Leute, die sich vor Rauschhaftigkeiten drücken, depressive, kleinmütige, appetitlose Zeitgenossen; ja sehr zeitgenössisch gibt sich dann das nun auch seelisch aufgeblätterte Album dieser Anamnesen, es scheint allzu gut zum lustlos machenden Bild unserer zivilisatorischen Existenzformen zu passen, und schon liefert das medizinische Geschehen der Zellveränderungen, der carcinösen Prozesse, das selbst erst einmal mit Symbolen beladen werden mußte, seinerseits dem technischen Zeitalter und der geschichtlichen Ära seine Metaphorik zu.

Vom hochtrabenden »Krebsübel unserer Tage« wird stets mit Drohgebärde geredet, wenn gesellschaftliche und politische Mißstände gemeint sind, die keiner zu bezwingen weiß und die von jedem gefürchtet werden sollen, während ja das Krebs-Zitat als gute vorläufige Entschuldigung für die machtlose Wut herhält. Wo immer es um Diffamierung geht, hilft die Krebs-Metaphorik aus. Revolutionäre Gesinnung, unverständliche Minderheiten, Gegner insgesamt: sie werden sozusagen carcinomisiert, somit obszön, verächtlich. Vom »Infarkt« (der Sklerose, der Enzephalitis) »unserer Gesellschaft« beschwörerisch zu sprechen, fiele keinem Rhetoriker ein. Es bleibt so, daß neben dem Carcinom alle anderen, wenn auch noch so alarmierenden Krankheiten wie Nebenbeschäftigungen wirken, von illustrierten Vorbildern unbelästigt.

Ich habe, ganz meinen Verwandtschaftsgefühlen beim Lesen von Susan Sontags Essay angemessen, im Grunde mehr diesen Essay paraphrasiert – denn in kritischer Abwehrhaltung und erst einmal vorsichtig zu »rezensieren« gilt es hier eigentlich nicht. Zu lesen aber! *(1978)*

SYLVIA PLATH
BRIEFE NACH HAUSE 1950–1963

Selbstverständlich liest man diese überaus umfangreiche Post nicht beschaulich, nicht bloß literarisch interessiert am autobiographischen Kontext zum Gedichtband »Ariel« und dem Roman »Die Glasglocke«. Man vergißt nämlich Sylvia Plaths Selbstmord nicht. Ich ertappe mich, lesend betrübt, gegen meine Widerstandsversuche doch beim immer wieder reflexhaften, dem Angebot an Kausalitäten erliegenden Interpretieren.

Schon der Umstand, daß Aurelia Schober Plath, die Mutter und Adressatin, hier 96 Briefe, die meistens auch noch sehr ausführlich sind, zwölf Jahre nach Sylvia Plaths Tod herauszugeben sich gedrängt fühlte, wirkt wie ein Hinweis auf mich. Ich komme bei der Lektüre von zwei Fragen nicht los: Warum schrieb denn Sylvia dermaßen viel und oft und lang, während nie ihr Leben müßiggängerisch war, sondern im Gegenteil dauernd überfüllt mit Lernplänen und Schreiben? Hätten denn nicht, in den Zeiten der räumlichen Trennung

von zu Haus, knapp berichtende Lebenszeichen genügt?
Die Mutter der Romanheldin Esther Greenwood aus der
»Glasglocke« wirkt penetrant und leistungsorientiert, puri-
tanisch unsensibel, und wird von der Tochter gehaßt. Daß
die Mutter Plath nicht streng autobiographisch die Mutter
Greenwood ist, vielleicht hat sie das, so nachzüglerhaft,
dokumentieren wollen. Denn diese Brieftexte, die unter den
zärtlichsten Anreden stehen, richten sich an eine absolut
verehrte, geliebte, geradezu als Instanz behandelte Person,
die häufig vermißt wird, nach der ein gutes verwandtschaftliches Heimweh verlangt, wenn auch ziemlich theoretisch,
ziemlich zurechtgemacht, wie um auf der Anhänglichkeits-
tradition zu bestehen. Eine große und anhaltende Liebesar-
beit. Sie bleibt, streng autobiographisch, die Wahrheit.
Und vermag doch kaum etwas gegen die besondere Wahrheit von Literatur. Ein Widerstand gegen das offiziell ge-
führte Ego mit seinen ganzen zu ihm gehörenden Richtigkei-
ten war Sylvia Plath im zornigen ironischen sezierenden
Roman gelungen. Neben der Briefprosa, die für die Mutter
eher jubiliert und sämtliche Schrecken der einzelnen Exi-
stenzstationen nur vorsichtig und auch nur dann benennt,
wenn sie gerade überstanden werden, erscheint der Roman
wie ein Wutanfall, wie eine Erlösung aus der Krampfstarre
von allem ängstlichen Unterdrücken.
Was die Tochter der Mutter gegenüber als das schlimme
Destruktive schmäht, ist der Schriftstellerin Schreibmaterial.
Das Auseinanderfallen von persönlicher Erfahrung und ent-
persönlichter Verwendung gleicht nicht einem Stückchen
Algebra, und *Aha so war das also in Wirklichkeit: Oh
ungerechte Tochter!* braucht daher kein Lesender, mit den
authentischen Briefen als Beweis, zu stöhnen. Man liest, als
Kenner des Romans, die Briefe mit einem stetigen Verdacht,
Sylvia Plath verstelle sich hier und imitiere die glückliche
Person, die eine Mutter glücklich macht – dabei geht es ja
nur auch wieder um diesen alten unauflösbaren Widerspruch
von Dichtung und Wahrheit.

Die Tüchtigkeit der alleinlebenden Mutter kommt in deren betulichem ausführlichen Vorwort vor. Ihre familiengeschichtliche Rückblende wirkt wie eine dilettantische Herleitungsanstrengung. Die eigene Lebensenttäuschung dringt durch. Der viel ältere Ehemann, Sylvia Plaths früh gestorbener Vater, steht fast wie ein Hauptverantwortlicher da. Er war zu alt, er bekämpfte seine Krankheit nicht, aus Trotz, und sorgte nicht richtig vor; hat dann als Familienoberhaupt gefehlt und der Mutter, einer Lebensschuld gleich, die Fron der Verantwortung für die Kinder Sylvia und Warren und den ewigwährenden Kampf gegen finanzielle Not aufgeladen.

Wie gut ist ein Sozialstaat, habe ich manchmal gedacht und mir Sylvia Plaths dann gewiß anderen Lebenslauf ausgemalt; wie anstrengend ist Amerika. Schon eine Kindheit muß dort anpasserisch verlaufen und gekrönt sein von den vielen kleinen verordneten Sonderleistungen, Mitgliedschaften, Munterkeiten.

Wenn ich aus dem Bericht der Mutter darüber belehrt werde, wie erfolgreich also Sylvia ein gutes USA-Kind war, wie wenig vorbotenhaft, sondern vernünftig mit dem gerade angebrachten Kummer sie z. B. auf den Tod des Vaters reagierte, so prüfe ich doch wieder exegetisch diese frühen Spuren, und wohl auch besserwisserisch, weil ich mich den von der Mutter nachträglich in diese Biographie eingepflanzten Wegweisern nicht anvertrauen kann. Sie deuten alle so beflissen in die Richtung *positive Einstellung, Gutartigkeit, Lebenserfolg.* Und weiterhin weiß ich, daß nur ein unzulässig, auch der Mutter gegenüber unfair simplifizierendes Denken aus dem Selbstmordversuch der Tochter und dem vollendeten Selbstmord einen direkten Zusammenhang mit Erziehungsmaßnahmen und gesellschaftlichen Mechanismen konstruieren könnte.

Es stammt wohl ab vom spröden Rechtfertigungstonfall des Vorworts, daß ich dauernd doch in Versuchung gerate, mir Sylvia Plaths bessere Überlebenschancen auszudenken mit dem Rückhalt einer etwas milderen, etwas weniger »Reader's Digest«-haften, auf die Pflicht zum Durchhalten/Weiterkommen gepolten Ausgabe von einer Mutter.

Doch gab Sylvia sich von den ersten Selbstzeugnissen an auch sehr abhängig-gefügig dem amerikanischen *Be Successful*-Prinzip. Der berufliche Aufstieg ist ihr ein Ziel, von keinem Zweifel angenagt. Sie wirkt fast ein bißchen mitläuferhaft und teilt das *Keep Smiling*-Lebenspflichtgefühl aller anderen guten amerikanischen Mädchen. Das zermürbende Absolvieren, raufkletternd Stufe für Stufe, auf der anödenden Leiter durch dieses elende Bildungssystem zwischen High School, College, Universität. Im Land der sozialen Privilegien, welche die Plath-Familie nicht besaß, mußte Sylvia sich an der unwürdigen Stipendienjagd beteiligen, von ganz früh an, und sie tat es merkwürdig kritiklos – sofern ich mich auf die »Letters Home« verlasse.

Alle Verneinungen dieser Wettbewerbszumutungen wurden viele Jahre später im Roman erledigt. Er erscheint wie das Gegenbild, das Negativ der Briefpost. Die Tochter erlaubt sich keinen sprachlichen Widerstand, wahrscheinlich schon aus Rücksicht gegenüber der Mutter. (Deren eigene Post, Fragen, Antworten, ich das ganze Buch hindurch vermisse; überhaupt fehlen mir die Einwirkungen derjenigen Außenwelt, auf die Sylvia Plath reagieren mußte.)

Die fiktionalisierte Außenwelt der Studienzeiten im elitären Smith-College in Massachusetts und ihr gesamtes Personal der Kommilitonen, der Lehrer, ihrer Denkschablonen: Das alles wird von der Romanfigur Esther, dem verneinenden Double Sylvias, mit aufsässigem Spott böse beobachtet.

Die Sylvia der Briefe verhält sich affirmativ vergnügt zu den Gesetzen des streberhaften vorakademischen Bildungsgangs und macht in der geistlosen, seelenlosen Systematik der *Dates* eifrig mit, wenigstens für die Mutter, der sie stolz erzählt, wie nett jeweils ihr Gelegenheits-*Date* – ein Bursche von Amherst oder Yale – am Vorabend war, oder wie entsetzlich verlassen sie da saß, als sie selber dann zufällig

eines Wochenendes kein Date für irgend so einen wie ange-
mieteten Burschen werden konnte. Wenn es aber wider
Erwarten beim gesellschaftlichen Mithaltenkönnen zu einem
Zwischenerfolg kam (schon 1950 lernte Sylvia ständig den
jeweils interessantesten Jungen kennen), frohlockte sie
schriftlich über das »Unerwartete«, mit dem stets zu rechnen
sei und um dessentwillen sie »nie Selbstmord begehen«
werde.

Stellen wie diese liest man betrübt. Eher wohltuend wirken
die kurzen Empörungsanfälle – als gäbe es, nachträglich,
noch etwas für Sylvia Plath zu hoffen – wenn sie, zwischendurch, ihre College-Überanstrengungen durchschaut und
die »schwarze unbezwingbare Mauer des Wettbewerbs«
beim Namen nennt. Solchen strengen Diagnosen folgen aber
auf der Stelle, entweder noch in einem PS oder erst am
nächsten Tag, wieder die Glücksbeteuerungen für die Mutter, Selbstbeschwichtigungen ähnlich.

Daß damals schon, 1950, Sylvia Plath eine Schriftstellerin
werden wollte, wenn auch vielleicht bloß nebenberuflich,
verhalf ihr zu keiner Stabilität, war kein Beistand. Eher im
Gegenteil, denn die ständigen Ehrgeizstrapazen haben sie
zermürbt, töricht abhängig gemacht von Kompliment oder
Kritik dieser sicher nicht besonders einfallsreichen College-
leute, die über ihr *creative writing* zu urteilen hatten.

Fast ohne Selbstvertrauen, ganz ohne Trotz und inneren
Widerstand fiel Sylvia auf jede wohlgemeinte Phrase (von
der Sorte »in Ihnen steckt was«) rein und ebenso dann
selbstverständlich auf Abschätziges von ähnlichem Aussage-
wert. Immer bedrängen Zukunftsprojekte und Karrierehoff-
nungen den gegenwärtigen Moment, und immer fehlt einer,
der endlich mal *Nur Ruhe* sagt. Sylvia studiert und studiert
(Englisch im Hauptfach) und schreibt und schreibt, während
die Bewerbungen laufen: für Stipendien, für Kurzgeschich-
tenpreise. Sie scheint alle College-Konkurrenz-Chancen zu
nutzen, beantwortet erste Veröffentlichungen in Illustrierten
mit Euphorien.

Ins ganze Vertrauen zieht eine so sensible und phantasievolle Tochter ihre Mutter natürlich nicht. Man kann einer Mutter wohl von trüben Jobs erzählen, doch müssen Selbstmordgefühle, die z. B. der Leistungsdruck im Fach Physik stimuliert, eher spielerisch, literarisch exaltiert, fast vielleicht humoristisch auf die Adressatin gewirkt haben. Sylvia macht nicht im Sinn von Bekenntnissen ganz unausgeschmückt Ernst mit der Mutter als Gesprächspartnerin, sogar dann nicht, wenn sie einen Gang um die Irrenanstalt von Northampton als wichtigsten, einschneidenden Eindruck beschreibt und resümiert: »Ich muß unbedingt *herausfinden, wie und warum* Menschen die Grenzlinie zwischen geistiger Gesundheit und Wahnsinn überschreiten.« Erst heute und hinterher liest sich diese Wißbegier vorbotenähnlich.

Die Studienjahre blieben so hart und emsig erfüllt von Plänen für später: Sylvia schildert der Mutter, welche Art von Ehefrau sie werden möchte, und wie sie gedenkt, für beides Zeit zu haben, für ziemlich viele Kinder und für »Kreativität«. Sie studiert Zeitschriften von der Art des »Harper's Bazaar« und des »Ladies' Home Journal«, um sich den Schreibtrends anzupassen, und die ganze Zeit erscheint als Hetzjagd, alles Tun wirkt übereifrig und ist zuviel bei zuviel Erlebnisfähigkeit.

Keiner war da in diesem College-Klima, der Sylvia zu selbständigem Denken riet. Sie revoltierte nicht gegen den allgemeinen Begriff von einer gewissen Kurshaftigkeit der Literatur. Das machte sie elend abhängig über diese Lernjahre hinaus, und sie hat noch später in England, als sie sich mit Recht doch schon für eine professionelle Schriftstellerin halten konnte, dem etwas naiv antiquierten, feierlich gespreizten Ton der angloamerikanischen Kritik vertraut.

Ihr amerikanisches Anfangsbewußtsein vom »kreativen Schreiben« und seinen Mitläuferartigkeiten ist sie nicht mehr ganz losgeworden. Sie behielt etwas Schülerinnenhaftes und löste sich nicht vom Konkurrenzdenken der Preiswürdigkeiten, Gewinnchancen, verkleinerte so selber ihre eigene Begabung, integrierte sich brav in die herrschende Zensurenstimmung: Das tut weh, denn ihr Talent war wild und unabhängig, und sie machte einen entscheidenden Fehler, indem sie so rührend gutartig über sich selber befand.

Ganz identisch ist der Selbstmordversuch des Roman-Ich mit dem wirklichen Selbstmordversuch in den Semesterferien 1953. In ihren Vorbemerkungen zum zweiten Teil der Briefe erläutert Mrs. Schober Plath die äußeren Umstände, durch die sie selber diese erste Katastrophe, von ihr und Sylvia vorsichtig stets »Zusammenbruch« genannt, besser verstehen kann.

Das Leitmotiv *Erschöpfung* ist wirklich gut erkennbar. Angst vorm Versagen im Herbstsemester kam zur schweren Depression hinzu, denn Sylvia war für einen Sommerkurs in *creative writing* nicht angenommen worden. Ein Leeregefühl in ihr muß daraufhin all die gutgepflegte und trainierte Mithalte-Vitalität als künstlich demaskiert haben. Immer wieder entsetzt mich eben diese Sylvia Plath umzingelnde Mediokrität der Kreativitätsdilettanten, der sie, so irrtümlich, sich als Angriffsfläche bot und an deren Kriterien sie bis zur Selbstaufgabe glaubte.

Ich denke, der harmlosere, aber doch professionelle »Literaturbetrieb«, so wie wir ihn bei uns kennen und nicht erst zu lieben versuchen, er müßte auch ihr besser bekommen sein. Traurig muß ich von der psychotherapierten und mit Elektroschocks erschreckten, gutwillig Genesenden unter einem Aprildatum 1954 lesen: »... da ich erkannt habe, daß ich prinzipiell eine im Innersten extrem glückliche und gutangepaßte, lebensfrohe Person bin – auf gleichbleibende Weise stets glücklich, nicht schwankend zwischen Höhen und Tiefen ...« Das ist mit Sicherheit eine Fehldiagnose gewesen und wirkt heute als bittere, zynische Ironie.

Sylvia Plath jedoch verhielt sich wie neu bezähmt und froh zurückgewonnen. Wohin? In die alten, anstrengenden, überaus »schwankenden« Existenzzumutungen an eine hochbegabte Person ohne Geld. Sie kehrt, der Mutter gegenüber, in den früheren Beteuerungsstil zurück: nun als Fulbright-Stipendiatin in Cambridge, England. Dauernd werden nun auch hier »zum ersten Mal« die nun aber wirklich nettesten, gescheitesten Leute kennengelernt. »Himmelhochjauchzend – zu Tode betrübt« ist Sylvia in permanentem Wechsel und zu ihrem Pech fast ganz ohne Verliebtheit. Sie kommt zwischen Ideal und Wirklichkeit nicht zur Ruhe. Sie ist zugleich Europa-euphorisch und heimwehkrank. In Briefen an ihre Gönnerin, eine amerikanische Romanautorin, entwirft sie pflichtschuldig kühn-ordentliche Lebensperspektiven.

Und diese sehr gute Hausfrau, Ehefrau, Mutter, die soll sie, kaum zu ihrem eigenen Nutzen, dann schließlich auch werden: Schwärmerisch-jung-unerfahren-selbstlos ist jeder Satz, der Ted Hughes, den Ehemann, für die Familie und die Bekannten verherrlicht. Süchtig nach Idolisierung wie von jeher, stürzt Sylvia sich in ihrem ersten englischen Sommer mit unverbrauchtem Elan auf den Schriftsteller Hughes, der sich sofort von ihr verwöhnen und als Genie anbeten läßt: sechs Jahre lang und während der Mutter weiterhin geduldig und ausführlich geschrieben wird.

Auch dieser Mann hat keineswegs für Ruhe gesorgt und im Gegenteil Sylvias labiles Selbstvertrauen sich zum Vorteil gedeihen lassen: Als seine Agentin sah sie sich in den ersten und zumindest der Mutter gegenüber hektisch glücklichen Zeiten des Zusammenlebens, vom Juni 1956 an. Der doppelt – ach: vielfachbelasteten Tochter riet immer noch nicht die Mutter beispielsweise *Dann schreib doch wenigstens seltener, gutes Kind!*

Die Ehe hat von zu viel Glückswut etwas Berstendes, und weiterhin ist alles Pensum, Fleiß und Vorsatz für später, für *bald, demnächst.* Und wie so oft liegt »das Land der Verheißung« ganz in der Nähe, während Sylvia, vor lauter Aufblikken zu Ted fast erblindet, und dann auch, nachdem die zwei furchtbar ersehnten Kinder Frieda und Nicholas auf der Welt und zusätzliche Aufgabe für das überschwengliche

Gefühl sind, nicht darauf gefaßt sein konnte, daß dieser Ehemann in schockierender Normalität untreu würde und davonginge.

In ihrer Tochterversion der Briefe gibt Sylvia keinen tiefgreifenden Schmerz zu. Sie wirkt fast nüchtern beim Trennungsprozeß, bleibt Ted als Genie neidlos gewogen, doch zwischendurch fallen kurze seufzerhafte Sätze in dieser schon heroischen Gefaßtheit auf. Wozu die ganze »kuhhafte« Mutterambition, fragt sie sich ab und zu selber, wird aber noch mal »die glücklichste aller Frauen«, nach dem wiederum überanstrengenden letzten Umzug vom Land nach London, wo sie ihr ausgehungertes Gehirn schreibend befriedigen und, in strenger Zeitaufteilung, die geliebten Kinder genießen kann.

Hören sich die Hymnen auf diese Londoner Lebensphase nur für den Bescheidwissenden so simuliert an? Sylvia Plath bleibt bis zuletzt diese freundliche Briefschreiberin mit Geduld für die Schilderungen der wichtigen Kleinigkeiten. Und weil wir mit der Zeit so genau wissen, was sie kocht, einrichtet, den Kindern anzieht, vorliest, wie liebevoll inmitten aller Unruhpanik ihrer Außenweltbedingungen sie sich um den einzelnen Augenblick kümmert, um sein Gelingen, und auch weil Harmonie wirklich in solchen bewußt erschaffenen Augenblicken möglich wurde – die Szenen aus dem Leben mit den Kindern kommen wie aus einem langsamen englischen Roman –, weil also gelebt werden konnte, mit Inständigkeit, deprimiert das Verstummen von Sylvias Stimme für zu Haus dann, im Februar '63, besonders. Wohl mehr, als wenn verzweifelte Briefe auf den Tod vorbereitet hätten.

Die Mutter war als Empfängerin dieser in eine Kunstform gebrachten Postwirklichkeit nötig, und vielleicht versuchte die Tochter, sich selber und die Lage zu therapieren. Die Mutter in der Ferne von Boston: ein Fixpunkt. Die Mutter als Praxis war eher problematisch und zu fürchten. Die private Mutter, die das mit dieser Publikation ja wollte, ist wohl rehabilitiert. Auch gibt es für den Selbstmord niemals eine völlig ableitbare, unmittelbare Verantwortung. (Man würde dann ja übrigens eher an den Ehemann denken müssen.) Überhaupt keine Zwangsläufigkeiten erklären einen Selbstmord jeweils ganz.

Heutige Feministinnen abonnieren gern und etwas oberflächlich Sylvia Plaths gesellschaftliche Lage einer Frau, die bei der Kombination von Familie und Beruf kein Glück hatte, für ihre Art der Interpretation von Motiven zum Scheitern. Nur wäre durch keinerlei Gesetzgebung bei Sylvia Plath die Vehemenz gemindert worden, mit der sie einen Mann anbeten und Kinder bekommen wollte, *gleichzeitig* wild und naiv sich hinaufschreibend in einen Ruhm, der ihr zukam, als sie noch demütig-zweiflerisch für jeden dummen kleinen BBC-Auftrag vor Dank in die Knie ging.

Also: Gerade als alles wieder mal sehr gut zu gehen schien im Schneewinter '63, als die amerikanische Familie an diese aufregende Tochter wirklich etwas sorgloser denken konnte – vielleicht bis zum nächsten Brief in zwei, drei Tagen – da mußte doch nur ein Nachmittag etwas »düsterer« sein als die vorigen: Die Beziehung zum Leben ging verloren.

Aber die hochgeschätzten kleinen Kinder müssen ganz in der Nähe gewesen sein! Ich habe diese Lektüre ungern, bedrückt, ratlos beendet, sie als etwas willkürlich Abgebrochenes empfunden, und ich war bestürzt über diese paar letzten Sätze aus einem scheinbar guten Lebenszusammenhang, fast töricht von mir, da ich doch wußte, daß mit keinem *happy ending* zu rechnen wäre. Die kleinen geliebten Kinder wirken durch diesen Schluß wie Spielzeug, dem das nur etwas größere Kind in einem sehr verlassenen Moment überhaupt nichts mehr abgewann. Er wirkt, aus dem Aspekt dieses etwas größeren Kindes, so vorübergehend, dieser Moment! In dem nichts Verwandtschaftliches mehr zählte, nicht einmal für diese so familiensinnige Frau. Der Augenblick muß unvorstellbar dunkel und fremd sein, schlafwandlerisch dem Ende zugewandt.

Wie bei allen Selbstzeugnissen von Schriftstellern denke ich, daß sie eigentlich nur die Eingeweihten, die Verehrer etwas angehen. Bei diesem Briefbuch aber hoffe ich darauf, daß es das Interesse für Sylvia Plath neu stimuliert, und mir selber wünsche ich, jemand würde ihre Kurzgeschichten gesammelt herausbringen.

Sylvia Plath war nie seßhaft auf der Erde, vielleicht vor lauter Bemühung, sie schön genug für Seßhaftigkeit zu finden. Sie bestand auf Vollendetem, Definitivem, also auch Tödlichem: So könnte ich vor mich hin träumen, wenn mir das nicht zu sentimental-literarisch wäre und kein Trost. Wenn ich das mysteriöse Geschehen Selbstmord nicht doch vor allem medizinisch sähe und insofern eben von keinen feierlichen Metaphern sanft beleuchtet, schattig aufgeklärt.

Den Autobiographie-Schnüfflern unter den Lesern kann diese Lektüre, parallel zu Roman und Gedichten, nicht schaden, da sie erkennen müßten, daß sich das sogenannte Leben nie mit seiner Darstellung deckt.

Natürlich untersucht man auch die vielen Photographien mit dem Vorwissen des Unglücks in dieser kleinen, eng aneinandergeschmiedeten Familie und ist wiederum besonders von den Glücksmaßnahmen der konventionellen Posen, des Lächelns betroffen. Die Mutter sieht immer so tüchtig aus und nach »Christian Science Monitor«-Abonnement, wie sie es ist. Der verordnete Optimismus wirkt auch auf die Tochter dieser Bilder glättend.

Aber dem Gesichtsausdruck auf einem Photo aus Sylvia Plaths letztem Sommer fehlt dann plötzlich doch die Kraft zur Imitation. Eher unberaten, ungeschickt sitzt sie hinter ihren beiden winzigen Kindern, das zärtliche, liebevolle Gesicht so empfänglich, so abwartend. Und daß sich ihr Abwarten zwischen solchen Erdbewohnern wie zum Beispiel ihrem Ted und Literaturkritikern und schließlich ja auch der Mutter nicht mehr länger lohne, das muß sie wohl – wie von jeher sehnsüchtig nach dem Absoluten – immer stärker empfunden haben. (*1979*)

Unbefangen, so nahm ich es mir vor, wollte ich »Hunger« lesen, den 1888 veröffentlichten kurzen Roman, in dem der damals 29jährige Hamsun quasi autobiographisch von den asozialen Umständen seiner Schreibanfänge erzählt und durch den er bekannt wurde. Die Nachschlagewerke sprechen vom Welterfolg. Der muß ja für jemanden, der in einer skandinavischen Sprache schreibt, schon mit dem Glück anfangen, überhaupt in andere Sprachen übersetzt zu werden.

Natürlich lese ich aber nie unbefangen, nie einfach nur als Leser, immer ja berufstätig, und nun bei Hamsun noch zusätzlich bedrückt von politischen Irritationen, im voraus irgendwelchen Signalen auf der Spur, die später dann den Nazis in ihre Hamsun-Verehrung geblinkt haben könnten. Aber ich fand keine. Ich wollte die fast vergessenen Eindrücke wiederfinden, und das, so viel früher natürlich nicht ermittelte, Fasziniertsein auch. Ein junger Mann will Schriftsteller werden, und dafür besitzt er, außer dieser Obsession, keinen anderen Anhaltspunkt. Zum Zeitpunkt seines Berichts, über einen schlimmen Herbst und einen schrecklichen Winter, fristet er sein Notdasein, mittellos zwischen den seltenen und schnell verbrauchten Honoraren für die paar Feuilletons, die er seiner miserablen äußeren und inneren Verfassung abzwingt, dann bittstellerhaft beim gleichgültig-freundlichen Redakteur anzubringen versucht. Als Oslo noch Kristiania hieß, am Ende des letzten Jahrhunderts, hat dieser Wunschbesessene keine noch so bescheidene Vorform von sozialem Netz unter seinem Absturz wissen können. Vielmehr spürte er eine absolute Verlorenheit inmitten der kleinmütigen, spießbürgerlichen Außenwelt, in der ein sensibilisierter Einzelner, einer, der sich mit übergreifenden und unalltäglichen Absichten folgerichtig isoliert, ja eigentlich nur scheitern kann.

Hamsun, der selber nicht in Kristiania, sondern in Paris zum *Outlaw* herunterkam, wählte mit »Hunger« einen zugleich lapidaren und bescheidenen Titel, und auch aus dem Text selber bläst ein lakonischer Sprechton jedes Pathos heraus, das dem feierlich-höheren Ziel, ein Dichter und berühmt zu werden, ja geradezu innewohnt. Der dauernd auch selbstironische Ich-Erzähler hat beim unvermittelt beginnenden Bericht eine Geschichte des gesellschaftlichen Abstiegs schon hinter sich. Selbstgesprächsartig wechselt er die Tempi. Größere Menschheitsgesten läßt er völlig weg. Das hat mich verwundert. Wie gefährlich nah hätten wichtigtuerische Gebärden gelegen. Schließlich hungert sich da einer durch, bloß um einem Ideal zu folgen! Einer will dringend schreiben – und er memoriert die erhabensten Titel und Themen – und übt Verzicht, quält sich bis in Wahnzustände darbend ab! Dem Elend schwindelt er keinen illuminierenden Reiz an. Es geht ihm in jeder einzelnen, sich selber und dem Leser gewissermaßen miterzählten Tagesstunde auch ums Schreiben, aber erst recht um ein paar Öre, auch um Selbstachtung, aber möglichst doch gleichzeitig, besser noch vorher um ein Weißbrot, um ein Obdach; und das Wichtigste, eine vertraueneinflößende menschliche Beziehung, ist am allerschwersten zu finden. Dieses Vernünftige, finde ich, rückt das Buch weit weg von aller Sentimentalität und Larmoyanz. Hamsun spielt kein Versöhnlichkeitstheater auch beim Hoffnungsschimmer, der die kleine, hier erzählte böse Zeitspanne nur sehr blaß erhellt: eine Liebesgeschichte bleibt schon im Versuch stecken. Beim Blick auf die Menschen, von denen außer ihren Vorurteilen kaum was zu erwarten ist, und auf das angeschwärmte, doch rasch von der Not wie durch eine Geisteskrankheit erschreckte Mädchen, wird hier kein einziges Mal beschönigend herumgeblinzelt. Leser mit ihrer Dauererwartung nach tröstlich-hilfreichen Fingerzeigen auf das sogenannte Positive, abverlangt den Schriftstellern und ihren Büchern, kommen beim Hamsun dieses Romans zu keinem Erfolgserlebnis. Ich finde ja allerdings wie immer, »geholfen« wird ihnen auf diese Weise erst recht: mit der Wahrhaftigkeit. Keinerlei scheinheiliges Getue veranstaltet Hamsun, schon gar nicht beispielsweise mit den angeblich in der Nächstenliebe besser als die Privilegierten bewanderten sogenannten Kleinen Leuten, und die als heimeliger heimwehmäßig verklärten früheren Zeiten, denen eine intaktere Kommunikation hinzuerfunden wird, die geben sich als brutal und keiner Sehnsucht wert zu erkennen. Ein Armer schenkt einem Ärmeren eigentlich lieber nichts, und den Ärmsten trifft eine tiefe haßerfüllte Abwehr, wie aus Angst vor einem furchtbaren Spiegelbild, dem Anblick der eigenen, noch verschlechterten Zukunft. Und auch die guten alten lieben tabuierten Topoi, den armen Greis, die kleinen Mädchen, die schwangere Frau: Hamsun schützt sie nicht, sondern er schildert in einer trostlos ekelhaften Szene, wie die kleinen Mädchen den armen Greis als Spielzeug benutzen und quälen und wie dem Alten, indem er sie abschließend endlich bespuckt, die häßliche schlüssige Pointe einfällt.

Dieses unterste Milieu wird also ganz schön böse seziert, das idealistische Porträt vom edelmütig leidenden Künstler widerrufen. Hamsun stellt sein Roman-Ich in vielen Passagen geradezu als Paranoiker dar. Eine Physiologie des ausgehungerten Körpers ergibt so etwas wie Seelendelirien.

Hamsuns Menschenbeobachtungen würden nach heutiger Mode innerhalb einer oft ja ziemlich huldvoll-sozial und damit außerliterarisch gewordenen Kritikerpositur als »denunziatorisch« und »menschenverächtlich« getadelt, und der genaue Blick, der auf die obsoleten Bedingungen zwischen Menschen fällt, hieße mißbilligend ein böser Blick. Lauter Vorwürfe, die man, schrieben sie heute, womöglich ja auch Hamsuns russischen Schriftstellerkollegen machen müßte, Dostojewskij zum Beispiel, der auch keine aufheiternden Lebensrezepte ausstellte und an den Hamsuns Technik der indirekten Handlungsführung erinnert: Eine so vor sich hin sprechende Tagebuchhaftigkeit bringt es folgerichtig mit sich, daß hier keine autoritäre Erzählerfigur den Leser informiert, sich um Einweihungen bemüht. Man ist mit diesem Hunger-Künstler ganz allein, schaut ihm ins Bewußtsein, wobei die Illusion entsteht, es geschähe gemeinsam mit ihm. Den Weltekel dieses Außenseiters macht ein schwarzer Humor nicht lustiger. Aber Situationsgrotesken beleben den Text, und in jedem Augenblick ist das Tragische auch komisch. Eine irritierende Paradoxie entsteht: der Held kippt mehr und mehr aus der Wirklichkeit, zu der er sich immer unwirklicher verhält. Die szenische Begrenzung auf Stadtstraßen, Häuserfassaden, Toreinfahrten, Parkbänke, Notquartiere, Hafenkais wirkt sich als konkretisierend aus, als räumliche Ergänzung der allgemeinen Kerkerhaftigkeit. Aus einer sargähnlichen Enge versucht also der Erzähler sich zu befreien, topographisch beim kaum je unterbrochenen Umherwandern, und seelisch-geistig mit der unablässig beibehaltenen Schreibhoffnung. Die Schilderung seiner stets dann für geniedurchpulst gehaltenen Ideenanfälle und Produktionsschübe ist auch viel mehr bitter-humoristisch als gefühlvoll tränenschimmernd, und streng genau werden auch Gehirnlahmheiten beim Namen genannt. Selten wird mit so viel Selbstverspottung, fast mit Hohn, die Mühseligkeit und die Stagnation eines Schriftstelleranfangs beschrieben. Im Auf und Ab der Stimmungen überwindet Hamsuns Ich pausenlos Höhenunterschiede, er fällt aus den Paroxysmen der Verzweiflung am Existieren – Gott anrufend, den Tod ehrlich mutlos beinah wünschend – sehr realistisch übergangslos in so banale Rauschzustände wie die seiner Lebensmittelphantasien. Der fremdartige Ernst seines Humors: hier durchdringt er die Minutendetails, und er ist es, der im Bewußtsein erhellt, während das rein Handlungsmäßige eher funktional bleibt. Es kommt also wieder einmal wohl fast am wenigsten auf die sogenannte Fabel an.

Eine »Thematik« gibt es selbstverständlich dennoch, und man soll das, »was der Dichter« (wohl) »sagen wollte«, durchaus auch hören: über Mißtrauen, über Selbstgerechtigkeit, Scham, Unfreundlichkeit, die Angst vorm Anvertrauen und so weiter wird hier verhandelt. Sehr pessimistisch. Keine kleinste Herzlichkeit wird simuliert. Einseitig, obstinat, nicht besonders abwechslungsreich, an Handlung fast nicht interessiert, schreibt ausgerechnet so sich Hamsun in eine Glaubwürdigkeit. Der Armut wird kein pittoresker Beigeschmack angedreht, und das törichte Gerücht, äußere Not mache produktiv, fliegt Satz für Satz von selber auf, zusammen mit der gedankenlosen Nostalgie, die immer irgendwelche bitteren kargen Zeiten unwahrhaftig verklären will. Ich denke doch immer wieder auch an die Nazis: »Hunger« kann das Buch nicht gewesen sein, das ihnen gefiel. Nichts Herrenmenschenhaftes, Arbeitermilieuverherrlichendes – und andererseits viel zu viel Religion hat ja Hamsuns Debutant auf (buchstäblich) Schritt und Tritt im Sinn. Die speziell wohl von deutschen Lesern schwer nur zu hörende Frequenz der Ironie – eine Tonlage, die oft als Bitterkeit und Ingrimm falsch interpretiert wird – die muß wohl allen verkehrten Verehrern völlig entgangen sein. Sie haben für herb-durchhaltemäßig-heldisch genommen, was dem hungernden Schriftsteller unfreiwillig als üble Last zu schaffen macht. Vielleicht hat sowieso schon das Nordische bei Knut Hamsun erstmal genügt. Den Satiriker in ihm konnte man dann ganz leicht in düstere kalte Nebel falscher Interpretation hüllen. Daß die Streifzüge durch die Stadt regelmäßig auch zum Hafen führen, wirkt erst auf der letzten Seite dramaturgisch gut geplant: ohne den Beigeschmack jeglicher Fernwehsentimentalität löst der Autor die Lage seines Protagonisten, indem er ihn auf einem ausländischen Frachter anheuern läßt. Das ist ein unerwartetes, wortkarges Happy Ending und ein beeindruckender Kunstgriff außerdem. Ich war gespannt auf Hamsuns Schlußeinfall. Ich wußte, es würde schwierig sein, dieses Romanproblem zu lösen, möglichst ein wenig kurzgeschichtenartig, wie es zum gesamten Text paßt. Mit dem Schiff und dem lustlos schließlich zustimmenden Kapitän hatte ich nicht gerechnet. Aber lange

vorher war ich sicher, Hamsun erwiese sich als zu geschickt
für eine Pointe mit Schlußapplaus für einen endlich entdeck-
ten Dichter. *(1979)*

»DIE STILLE OBERFLÄCHE DES GEFÜHLS«
ÜBER KARL KROLOW

Und Karl Krolow, der ist doch Ihr Nachbar, stimmt's?
Jemand unterwegs hat mich gefragt, und ich habe OH JA
gesagt und ER WOHNT MIR GEGENÜBER und mir kam die Auskunft schon wie ihre eigene Interpretation vor. Beinah übereifrig war ich, froh darüber, endlich in einem angenehmen
Thema gut untergekommen zu sein.
Mit dem ich dann allerdings immer fast sofort wieder aufhöre. Von einem ziemlich hohen Mitteilungswert, so empfinde
ich es, ist bereits diese Ortsbestimmung. Wir wohnen so
nah, aber wir sehen uns so selten. Wochenlang gar nicht,
doch dann, ungeplant, kurz hintereinander häufig, zufällig,
ich will Karl Krolow zitieren und sage: EINFACH SO. Auf
Briefkastengängen, Stichwegen. Ich habe meine Hin- und
Rückwege nicht mit seinen Hin- und Rückwegen koordi-
niert, obwohl sich das wahrscheinlich machen ließe, denn
wir leben beide so: im Gerüst fester Gewohnheiten. In
Ordnungssystemen, durch die wir, immer da, wo sie in die
Außenwelt der kurzen Besorgungen sich von den Schreib-
tischwelten abzweigen, sehr rasch hindurchzukommen be-
strebt sind, wir beide wirken, so unterwegs, aufeinander wie
zwei, die es ganz schön eilig haben.
Treffen wir uns gern, bleiben wir dann gern beieinander
stehen, denn das tun wir nun, wir geben uns die Hand, wir
stellen fest, daß wir uns sehr lang nicht gesehen haben, daß
wir uns gestern erst gesehen haben, wir reden schnell weiter,
als hätten wir etwas hinter uns zu bringen, wir befinden uns
den häßlichen verbauten Grundstücken neuer Nachbarn

gegenüber; in der Nähe unseres überhaupt nicht hermetisch abgesicherten, überhaupt nicht idyllischen Künstlerkolonialismus gibt es immer diesen praktischen Gesprächsstoff, diese Umweltfragen immer, und wir müssen nicht über Literatur sprechen, sobald wir es aber doch tun, bezichtigen wir uns ironisch und leichthin sofort dieser törichten Überflüssigkeit, aber Verlaß ist darauf, daß wir uns nicht UND WORAN ARBEITEN SIE GERADE fragen. Ich bin, als Dialogpartner von Karl Krolow, etwas zügiger motorisiert, weil ich das sein muß, und ich bleibe doch hinter ihm zurück; als seine langsamere Konkurrenz beim Sprechen, bei der Begabung für ein abwechslungsreiches, schillerndes Parlando, und ich habe fast ein schlechtes Gewissen, weil ich finde, daß es schade ist um Karl Krolows Inspiriertheiten hier in der Briefkastenzone zwischen den bürgerlichen Gärten unseres Viertels, schade um seine ganzen Sätze bloß für mich, eine Art von Verschwendung, dauernd ganz in der Nähe vom Sprechton der Gedichte.

Ich spüre wirklich so etwas wie einen Leistungsdruck angesichts der Krolowschen Schlagfertigkeiten, die beinah mit sich allein auskommen können. Ich liefere wenig hinzu und Karl Krolow reagiert dauernd auf sich selber, wobei er nicht in Hitze gerät, seine Beiläufigkeit schwächt, wie mir zuliebe, die raschen guten Einfälle ab, ich lobe ihn trotzdem für irgendeinen treffenden Sarkasmus – über die klimatologischen Bedingungen in unseren Arbeitsateliers? Über die Geräuschangewohnheiten eines Nachbarn? Über ein Lyriker-Symposion? – und er wischt mein Kompliment schnell weg, ich muß lachen und komme schon deshalb wieder nicht hinter ihm her, denn er hat längst das Thema gewechselt und ist, fluchtartig schnell und sicher mit den Pointen und unserem gemeinsamen Lebensgeschmack, jetzt bei etwas anderem. Und dauernd finde ich mich doch eine Spur zu langweilig für ihn, der wie aus einer Schule der Geläufigkeit plaudert, der mich unterhält. Wenigstens von meinen Stichworten wünschte ich mir eine gewisse Zündstoffhaftigkeit!

Warum fühle ich mich so nachzüglerhaft? Längst brauchen wir beide nie mehr miteinander grundsätzlich zu werden. Wir hören die gleiche Frequenz, aber das erwähnen wir nicht. Nicht so ausdrücklich, nicht als Feststellung. Es erweist sich ja. Könnten – oder MÜSSTEN – wir sonst einen Erfahrungsaustausch über die individuelle Wirkung von Medikamenten für wichtig halten? Heute wäre außerdem über die Schwierigkeit zu reden, mit bevorstehenden Feiertagen zurechtzukommen und eine Art Sympathie für die Arbeitnehmerbeglückungen hinzukriegen: uns beiden sind selbstverständlich die unauffälligen Alltage lieber.

Wie gut es tut, gelegentlich und vorübergehend – denn bald trennen sich diese kurzen Wege – richtig aggressiv zu sein, richtig zynisch, richtig rebellisch, einfach nicht einverstanden mit allem! Wir wollen jetzt mal absolut elitär sein! Hochfahrend hochmütig und nicht anzupassen. Wir wissen selber und voneinander, und zwar nicht aus unseren Unter- und Übertreibungsdialogen, wie wenig bequem wir es haben, auf unserer Frequenz. Feierlichkeit kommt nicht zustande. Mein Nachbar kann sich nie vor seiner eigenen Intelligenz drücken, und jeder Stilisierung seiner Person käme unverzüglich die Selbstkritik in die Quere. Er travestiert sich, in jedem Nebensatz mindestens. Also dürfen unsere Hauptsätze die affirmativen Sonntagsausflügler verspotten, zum Beispiel. Gemeinsam finden wir uns durchaus tragikomisch.

Und dieser Wind heute, sage ich. Ein schrecklicher Wind, finden Sie auch? Jetzt zeigt sich Karl Krolow erstaunt. Sehr lässig, wie es seine Spezialität ist, erkundigt er sich nach meinem Befund. Auf Wetterlagen neugierig. Er hat es nicht so windig gefunden, bisher, bis zu meiner zu starken Behauptung. Gewiß, es ist zugig, sagt er. Leger und souverän gibt er den Außenweltzumutungen seine Zensuren. Sie müßten sich wie abgetan, wie unerheblich, wie nicht der Rede wert empfinden, alle diese Bedingungen. Dann wieder verstehen wir gemeinsam den gemeinsamen Reizstoff der

Hochdruck- oder Tiefdruckeinflüsse als Umzingelungen, zwischen denen es aufzupassen gilt, möglichst nicht den Alltagsboden unter den Füßen zu verlieren, dieses immer gefährdete und täglich neu zu rettende, dieses rettende Terrain. Wir sprechen aber nicht vom Überleben, um das es aber ständig geht, während wir sprechen: jetzt von der wahrhaftig heute zu plakativen Sonnigkeit. Falls es nicht um eine demnächst zu absolvierende Reise geht: Zwei Stationen. Mehrfaches Umsteigen. Kennen Sie dieses Hotel? Man muß auf jeden Fall vermeiden, in einer GÄSTEHAUS genannten UNTERNEHMUNG einquartiert zu werden. Fahrkartenautomaten benutzen wir beide nicht, wie herrlich auch immer irgendein kommunales Verkehrsnetz sich zu sämtlichen Buchhandlungen hin verzweigt.

So viel Ablehnung von Welt – wirkt das nicht negativistisch, misanthropisch, pathologisch einzelgängerhaft, auch paranoisch? Ach nein, wir wissen das besser. Wenn wir nachher zurückkommen, bald wieder uns unterbringen in den unfertigen Manuskripten und weitermachen, dann machen wir mit unseren Einlassungen auf die Welt weiter, dann hört es auf mit der einfachen puren Verweigerung, dann findet eigentlich ja das Gegenteil davon statt, und auch noch den tödlichsten Satz aus einem Krolow-Gedicht verstehe ich als eine Liebesbemühung, tödliche Sympathieerklärung. Die untilgbare Sehnsucht nach dem Grundgefühl von Günthers TROST-ARIA, ich werde sie immer mithören.

Ich denke: Von jetzt an hältst du ihn auf, wir sollten uns verabschieden. Doch da überquert dieser als Jäger für die Freizeit verkleidete Hausbesitzer die Straße, und wir müssen schnell noch über ihn und seinen Hund reden, an dem er seine gesamte Meinung zur Lage der Gegenwart abdressiert. Und dann kann einer von uns die Straßenseite nicht wechseln, auch dieses Auto ergibt einen Satz, unpointiert bei mir, aperçuhaft bei Karl Krolow: so kurz und schnell geht er wieder nicht vorüber, der kurze und schnelle Austausch. Karl Krolow ist mein einziger Kollege, mit dem ich in die sonderbar kathartischen Miniaturen von Albernheitsanfällen geraten kann, richtige Lachanfälle, haltlos wie von Entronnenen, und man erschrickt fast auch ein bißchen darin, weil das Lachen wie ein Respektbeweis ist gegenüber von Trauer, Melancholie, Depression. Die Ernsthaftigkeit, die wir zu ernst nehmen für den wortwörtlichen Umgang, über die wir also immer schweigen, tritt als Gelächter aus uns heraus, und wir, die wir den Mund halten, bekommen jetzt den Mund nicht mehr zu, vor Lachen, mit dem wir eigentlich aufhören wollen, so etwas passiert uns nie, wenn wir uns allein irgendwo auf der Straße getroffen haben, nur während andere um uns herum und zwar seriös sind und während es selbstverständlich wie immer, objektiv gesehen, überhaupt nichts zu lachen gibt, erst recht nichts für uns beide mit den Selterswasserhandgriffen, und vielleicht lachen wir deshalb: Nun vorüber. Und der Hobbyjäger blickt mit einem mürrischen Stolz auf seinen Jagdhund an kurzer Leine und Karl Krolow tut ein Problem als Stoffwechsel ab, ich finde seine Schuhe sehr schön und sage es. »Es ist ein gutes Zeichen, / wenn man solche Kleinigkeiten / wahrnimmt und fast so gut / wie das Gefühl / in Ruhe gelassen zu werden.« Wirklich, zum Thema unserer Nachbarschaft lasse ich unterwegs nicht viel verlauten. Was freut mich dennoch daran? Die kurze Auskunft über unsere synonyme Nähe genügt mir für mein langes Vergnügen. Daß wir einander gegenüber wohnen, kommt mir so richtig vor. Fast vernünftig. Auch so, als erübrige sich damit die Frage: Und wer von den Kollegen steht Ihnen denn nahe? Bezogen auf DIESEN Kollegen wenigstens, den ich nicht einholen kann, scheint hier die Geographie selbsttätig zu antworten. Ein günstiger Zufall hat vor einem Jahrzehnt die äußeren Erscheinungen gut zu den inneren Wünschen gruppiert. Das Bewußtsein vom Nachbarn ist folgerichtig und unvermeidlich täglich. Diese landschaftliche und architektonische Konsequenz aus meinem Gefühl paßt mir sehr. Karl Krolows zwei Schritten, mit denen er jetzt den Garten seiner Frau betritt, ein blumiges

Gefild und IHRE Art von Lyrik, man sieht ihnen schon an, daß er nicht vorhat zu bleiben. Hier wird er sich nicht aufhalten. Sein Wort zum Frühling oder Herbst, Hochsommer oder Winter des laufenden Jahres, es wird trotz der äußersten Kühle und Vergänglichkeit seines spurenhaft winzigen Auftauchens im Garten doch auch für die gegenwärtige Jahreszeit wieder fallen, dann nicht vergänglich sein und, sollte es »kühl« wirken, auf einen Trick und ein Versteckspiel zurückgehen. Ist denn der kurze Augenschein noch nötig? Es fällt mir zu leicht, mich NICHT darüber zu wundern, daß jemand jährlich lebenslang zu den gleichen wechselnden Erscheinungen seine Mitschrift liefert. Auf das Kommen und Gehen der äußeren Angebote seine innere Antwort gibt. So, mitschreibend, wird gelebt. Die nächste Zeile ist der nächste Atemzug. »Ich habe diesmal schnell reagiert«, sagt mir Karl Krolow, nun am Telephon, wieder mal untertreibend, da er immer schnell reagiert, und er hat eine Rezension gemeint; in dieser Zurückhaltung spricht er von seinen Stimuliertheiten und Reflexen, die natürlich auch mit Selbstdisziplin zu tun haben, und das ANHALTENDE Reagieren ist seine Art zu leben, schreibend.

Von den schwierig-wichtigen Seelentopographien, die ich meine, wenn ich unsere gemeinsame Wohngegend für eine stille Konsequenz halte, wird zwischen Karl Krolow und mir strikt geschwiegen, selbstverständlich. »Die Luft ist ein Reimwort, die Prosa / der Augenzeugen ist anders –« Setze ich die Zitate überhaupt statthaft ein? Sollte ich meinen Nachbarn fragen? Am Telephon? Oder hinübergehen unangekündigt? Ich halte lieber an der Tradition fest, niemals so etwas wie WERKSTATTGESPRÄCHE zu veranstalten. Und doch unterbreche ich, hier bei diesem Text, ein bißchen auch diese Tradition. Die Gepflogenheit des Lakonismus. Der Palimpseste. Ich verschaffe es nicht, »das gute Gefühl / in Ruhe gelassen zu sein« – doch wenn ich unser gemeinsames altes »Ausgangsgestein« bedenke, von dem die ursprüngliche Schrift getilgt wurde, freiwillig und ohne Absprache, ist mein Gewissen beim kleinen Grenzübergang hier gut. An der sehr wichtigen Diskretionsschwelle zwischen uns wird nichts nivelliert. Wir wissen, wovon wir nicht reden. Und das ist ein Gesangsduo, über das wir nun schweigen. Vor beinah zwei Jahrzehnten war das ein stimulierender, ein gleichzeitig kühn vorausgreifender UND abschlußartiger Anfang. Ziemlich laut und ziemlich euphorisiert haben wir TOCHTER ZION FREUE DICH miteinander gesungen, vom Whisky weltlich konkret ermutigt zum übergreifenden transzendenten Mut bei diesem definitiven Beginn zwischen uns. Kein Wunder, finde ich, bei dieser Art von Wunder, daß wir von da an so gut ohne die Urschriften ausgekommen sind. Wir haben damals den Imperativ FREUE DICH, eigentlich fast seraphisch in der entschlußkräftigen Angst, zu der wir Mut bekommen hatten, an eine andere Instanz delegiert, inmitten irgendeiner SPÄTEN STUNDE UND PARTY und Geselligkeitesgruppierung isoliert, zuversichtlich wie bei allen Beflügelungen durch Whisky, doch mit Hilfe des Kirchenlieds waghalsig bei der Höchstdosis.

Wir haben das nicht wiederholen müssen. Wir hätten es auch nicht gekonnt. Das eine Mal genügt, diese Verständigung dauert und dauert, hält an, auch die Whisky-Zeiten sind vorüber, wie die Zeiten der Duette und Singspiele, und erst recht wohl deshalb FREUT die weit abgerückte TOCHTER ZION sich dennoch immer für uns beide mit, oder in unserem Auftrag, besonders ja, wenn ihre irdischen Geschwister es nie so genau wissen, ob sie irgendwas Hochgemutes riskieren können. Heutzutage sprechen wir die Kontexte ohne Musikbegleitung. Mit Abschwächung hat das nichts zu tun, eher mit einem intelligenten Schutz für den triftigen Original-Moment, den kurzen ungeplanten Ausbruch. Wir verlassen uns auf die Depotwirkung, mit Recht, während wir, zufällig zusammengetroffen auf dem Stichweg zwischen unseren Häusern, uns über die schwächeren und bei Gewöhnung sich abnutzenden Effekte des Medikaments X unterhalten, im Ton der Mißbilligung, und während gegen unseren immateriellen Wirkstoff weiterhin nichts Nachteiliges vorliegt: keine Kontraindikationen also für mich, bei der Zufuhr der K.K.-Substanz.

P. S. Eigentlich habe ich ein Nachwort schreiben sollen, in der Nachwort-Tradition, und diese Idee des Verlegers, Karl Krolow und mich zusammenzutun, ausgerechnet auf seinem schön gelegenen Olymp, seiner BIBLIOTHEK SUHRKAMP, sie hat mir wohl von Anfang an allzugut gefallen: so traute ich mir Nachwortgemäßes zu, diese Mischform aus Paraphrase und Gestus eines Auswählenden. Absichtlich habe ich sie nicht so radikal vernachlässigt. Wahrscheinlich bekomme ich einfach unweigerlich einen Subjektivitätsanfall beim Lesen Krolowscher Sätze, spätestens aber anschließend, also nach dem Lesen, vor dem Schreiben, während ich einfach kehrtmachen muß angesichts der ordentlichen Absperrungen für die üblichen Rezipienten-Aussagen. Für diesen Mitteilungswert von Rezensionen. Ich meine: der ist längst von anderen erbracht, bei einem Dichter wie diesem, einem Langzeitpoeten, der sich durch die Jahre von 1943 – mit seinem ersten Gedichtband – bis in die Prosa-Emanation von 1979 publiziert hat, durch die jeweils fälligen biographischen Bedingungen, durch die optischen und die akustischen Angebote SEINER Jahreszeiten, seiner seelischen Zumutungen. Ich finde schon ganz abgesehen (was ich nie GANZ machen kann) von allen diesen Sekundärverlautbarungen über diese wahren Profis, daß ich am ehesten das noch nicht Gewohnte zu K. K. sagen kann, wenn ich es riskiere, unter »die stille Oberfläche des Gefühls« zu gehen. Aber wohlgemerkt: mit diesem Zitat von Krolow selber. Er möchte lieber darüber bleiben, das heißt: er läßt es lieber so aussehen. Dieser Hochsommer-Spezialist aus meiner Auswahl: wird er finden, ich habe seine Winter zu kurz kommen lassen? Gewiß doch soghaft durch ihn, beim Ankreuzen MEINER Gedichte in dem Band II der Gesammelten Werke, dieser Biographie-Begleitung durch Verse, dieser poetischen Mitschrift der Jahre 1965–1974, wurde ich sozusagen ähnlich transsubjektiv wie er selber, wenn er reizbar reagiert, zum Beispiel nachmittags um halb fünf, Ende Mai, in der ehemaligen Apéritifzeit, umringt und bestürzt vom immer wieder doch so plötzlich eindringenden GRÜN, auf dieses bestimmte und vor seiner Niederschrift noch nicht unverwechselbare, noch nicht unvertauschbare Flair der schwierigen Stunde, des komplizierten und vor seinen Wörtern zu flüchtigen Augenblicks: nun geht er über sich selber hinaus, der subjektiv bemerkte Moment, und »Grüne Silben / kommen zu Wort.« Sind nicht die Wörter selber jetzt auch verwandelt, hier im Gedicht, wirkt nicht die Metamorphose über den Eindruck hinaus bis ins Innere der Buchstaben? Wie von einer Sehstörung, deren Paradoxon in der Präzision, in der ENT-Störung liegt, überhaupt erst entdeckt, wirkt das schnappschußhafte Langzeitbild vom »Familientisch«, um den die ausgedachten Verwandten sich in einer viel gewichtigeren, viel körperlicheren Anwesenheit gruppieren, als die bloß wirkliche sein könnte: die erfundene, die erinnerte Anwesenheit ist ziemlich ewig, ganz schön für immer sind »die behenden Rotweinflecken / die sich jeden Abend vergrößern.« Es beruhigt mich aufs Beunruhigendste, und ich habe darauf gehofft, wenn ich in der letzten Zeile JEMAND SCHLEICHT SICH HINAUS lese.

Gut zu wissen, daß mein Nachbar, so lange er sich mit Sätzen hinausschleicht, im Zimmer bleibt, in der Gegend, die immer einmal wieder – ich wünsche das uns beiden – »so schön ist . . ., als wäre hier Schubert gewesen.«

Je mehr ich darüber nachdenke, so gut aufgehoben zwischen den Zitaten, wieso ich den Nachwort-Prototyp verfehle, desto selbstverständlicher wirkt das auf mich. Ich zähle nicht ab: wie viel Krolowsches Grün hast du schon in die Auswahl aufgenommen? Ich frage nicht nach dem Gleichgewicht zwischen Schnee, Tod, Schwalbe, Vergnügen und Hitze, ich kann auf das zweite »Schiff an der Wand« nicht verzichten, wahrscheinlich, weil es einfach zu zielsicher »durch Laub fährt«. Ich bin an die Höchstgrenze gegangen, hier mit der

Entscheidung für nicht mehr als 70 Gedichte: für jemanden, der zu diskret ist und einfach zu skeptisch für die Indikative, der also mit einer Gelassenheit, über deren Ernst man sich nicht täuschen sollte, auffordert: »Sieh dir das an, das könnte / einer sein, der einfach weggeht / aus seinem weltlichen Leben ...«

(1980)

ÜBER SYLVIA PLATH

Als ich 1963 den Roman *Die Glasglocke* las, habe ich gleich eine summarische Sympathie für Sylvia Plath empfunden. Es ergab sich eine Art Klima der Zustimmung, beruflich und auch fast richtig privat, und diese Anziehungskraft hat sich nie abgeschwächt. Die wünschenswerte Täuschung, Sylvia Plath sei gegenwärtig, ist mir leicht gefallen. Obwohl doch – wie erschwerend, wie belastend – diese Schriftstellerin so unfreiwillig freiwillig nicht mehr lebte wie alle diejenigen, denen nur mehr der Selbstmord als negative Hoffnung möglich ist. Dennoch: ich habe das immerzu *auch* gewußt und trotzdem Sylvia Plath, gefährtinnenartig, ganz in der Nähe gespürt. Nicht nur zusätzlich zum Einvernehmen mit ihr als der Schriftstellerin blieb diese Anwesenheit, wie die versteckte Wahrheit inmitten eines Irrtums. Ich denke stets deshalb auch beispielsweise: Sylvia Plath wäre jetzt so alt wie ich und sicher mehr Konkurrenz als die kontinentalen und übrigen Kollegen, die es, im Unterschied zu ihr, wie ich machen und also dieses Dasein absolvieren, auch Buch für Buch, abwickeln, fortsetzen, dieses Programm. Konkurrenz? Wäre die denn angenehm? Ja, denn sie hätte etwas Verwandtschaftliches, denke ich, fast dann ganz Wohliges. Sie hätte sich aus einer Ähnlichkeit des Blicks ergeben, der auf die Welt, auf unseren Schreibstoff, fällt. Es könnte sich zwischen uns eine Übereinstimmungsgenugtuung herangebildet haben. Und ich stelle mir, weiterspielend, als gegeben vor, daß ich, fern von Wettbewerbsschreibkämpfen, kein Buch von Sylvia Plath versäumen würde, lebte sie noch, schriebe sie noch.

Spekulationen! Laß das, könnte ich mich wirklich ermahnen, wäre da nicht der überwirkliche Eindruck von einer Fortbewegung *gegen* den Tatbestand von Stillstand. Dieser Überlebenseindruck. Er ist unabweislich, wenn ich mit Sylvia Plath auf diese Weise konferiere, bei der Lektüre von Roman und Gedichten, die ich wiederholt habe, bevor ich mich an die Postmassen für die Mutter Sylvias machte, an dieses melancholisierende Dokument einer übereifrig zärtlich-beteuerungssüchtigen Familienliebe, die *Letters Home*, private *Gesammelte Werke*.

Das öffentliche, das fiktionale Werk ist nicht so umfangreich geworden. Paradoxerweise ist es ausgerechnet deshalb unvollendet geblieben, weil Sylvia Plath so vollendungsversessen gewesen ist. Im bloß erdschwer-angebundenen Weiterleben hat diese glücksunselige, dauernd auf Absolutes hinauswollende Frau nur noch vergebliche Überanstrengung erkennen können. Ihr Selbstmord hört trotzdem nicht auf – vielleicht gerade weil die Kausalitäten sich beim Interpretationsbedürfnis nur so anbiedern – ein dunkles, nicht zuende erklärbares, zusammenhangloses Material zu bleiben. Er sperrt sich gegen die vordergründigen Schuldzuweisungen und erst recht gegen feierliche Todestriebbehauptungen und macht ganz einfach weiter ratlos und traurig. Froher stimmt dann, daß jetzt wieder über Sylvia Plath geschrieben werden muß. Bücher wie dieses, und besonders die Wiederauflage von Roman und Gedichtband, korrigieren am Tod herum. Und ich finde schon, daß sie ihn widerlegen, nach der Unsterblichkeitsmethode, die nur die Kunst anwenden kann. Daraufhin denke ich jetzt doch schon wieder hypothetisch: hätte nur Sylvia Plath auf diesen Trick gegen das stümperhafte zeitgenössische Existieren mit seinen ganzen törichten und vergänglichen Fehlurteilen einen hellseherischen befreienden Blick werfen können! Ich denke auch wieder an Sylvia Plaths Verzweiflung über so viel entwürdigende Gegenwartsvergeblichkeit. Wie schlimm, daß niemals jemand für sie da war, der ihr *Nun beruhige dich doch* gesagt hat und: *Laß doch diese ganzen Kritiker und Creative-Writing-Leute unbeachtet an dir vorbeiziehen.* Und: *Die wahre Antwort wird sowieso erst von der Nachwelt gegeben.* Wir geben sie jetzt und sie klingt so günstig für Sylvia Plath. Denn wie individuell, nicht nachgemacht trotz großen Lerneifers hört das Sprechen dieser Schriftstellerin sich bleibend an, in der zügig ironischen Prosa, und, so andersartig wie von einer anderen Person, bilderreich ernst verschlüsselt in den Gedichten. Das dringt aus dem Vielerlei der sonstigen Publikationen heraus, und mit dem Prädikat *Angelsächsisch* ist schon einiges vom spezifischen Reiz benannt. Mit dem man sich im Deutschen übrigens nicht gut auskennt. Bei uns wird manches für bloß *flott* und nicht so tiefgründig gehalten, was dort durch ein Gemisch von distanziert-konkreter Alltagstragikomik scheinbar leichthin das Bedürfnis nach dem Lieben Gott mit dem Glück über eine *Gardenparty* zum Unterhaltungswert kombinieren kann. Die Sandwiches und das Transzendente: sie assoziieren. In dieser Erzähltonfrequenz hört ein eher germanisches Ohr entweder nicht so gern zu oder schlecht mit. Sylvia Plath unterdrückt einen satirischen Ingrimm nicht einer idyllischen Szenenanweisung zuliebe, mischt vielmehr beide Aspekte, und ihr Spott bei genauer Wahrnehmung läßt sich von der sanftmütig-sehnsüchtigen Liebeserklärung an eine schöne Landschaftskulisse nicht verscheuchen. Diese literarische Hinterlassenschaft ist, obwohl so etwas ein *Debut* heißt, so versiert und so kunstfertig *fertig*, daß ihr kein nachsichtig hingeseufztes *Schade drum* und *Vielversprechend-Umsonst*-Achselzucken Unrecht tun kann. Sie bedarf keiner Mitleidigkeiten. Hier hat keine Anfängerin gleich nach dem Anfang aufgehört. Es ist gut, vorfreudig darauf zu warten, daß endlich jemand die vielen, ehrgeizig dem Ziel, bekannt, berühmt und vor allem:

geliebt zu werden, entgegengeschriebenen Kurzgeschichten gesammelt herausgibt.

Im Bewußtsein von einem *Jahrhundert der Frau* hat Sylvia Plath nicht gelebt. Hätten ihr weibliche mitstreiterhafte Solidaritätsgesten genützt? Und sie vielleicht wenigstens ein bißchen rebellischer gemacht? Sie befolgte ja viel zu abhängig, viel zu einwilligend das *American Way-* und *Glamour-*Ideal. Fügsam und exaltiert in einer unbekömmlichen Mischung hielt sie sich an das menschenunfreundliche *be successful-*Motto, und, in allen Wiederholungsfällen, ans genau so oberflächliche, pfadfinderhaft aufmunternde *Try it again!* Also sind die feministisch gesonnenen Frauen, die schnell jede irgendwie fürs Unterdrückungsbeispiel sich bietende Frauengelegenheit benutzen, ganz im Recht, wenn sie auch Sylvia Plaths Daseinstragik abonnieren? Es wäre ihr besser gegangen, beispielsweise in der Geborgenheit von Frauengruppe, Frauenverlag, Frauenbuchladen und so weiter? Das alles kann ich mir nicht vorstellen. Denn ihrem Naturell nach und inständig hoffend, andere wären so liebesperfekt wie sie selber, kniete sie vorm schnell abtrünnigen Lyriker-Ehemann Ted Hughes in absichtlicher Aufopferung, und kein emanzipatorischer Jahrhundertfunken hätte auch auf dem nicht privaten Lebensareal ihre Haltung entkrampfen, aufrichten können. Aber ein bißchen geht es mir wie den für Frauen kämpferischen Frauen, beim Blick auf diese Sanfte, die nur als Erfinderin ihrer autobiographisch imprägnierten, kunstvoll dann aber vom eigenen Lebenskontext abgesetzten Romanfigur so richtig kritisch rabiat werden konnte: gern hätte ich sie für jeden Trotz und Widerstand mobilisiert. Sie unabhängiger gemacht von läppischem Lob und dümmlichem Tadel. Sie aufgebracht: gegen Männer *und* gegen Frauen, immer eben gegen alles Mitläuferhafte, zahm Angepaßte.

Zurück in die Realität mit mir! Wir waren nicht da, zu Sylvia Plaths Lebzeiten, die Jahrhundert-Frauen und ich, und wir blicken zurück auf diese für keinen katalogisierbare

Frau, die darauf angewiesen war, universal zu empfinden. Die sich gegen die Gebrechlichkeiten aller menschlichen Beziehungen nicht zu immunisieren vermochte und die sich, angesichts der Bruchstücksdilettantismen von Gefühlen, überfordernde Maßnahmen verordnete. Die rätselhaft verschlossene Seelenkrankheit vom Sterben im Leben bedurfte nur eines fast beliebigen Blicks auf die übliche Zuversichtslosigkeit, um dann, in einem doppelsinnig ganz und gar eingeschneiten Januarmoment, für immer auszubrechen: im Moment Selbstmord, in der Minute *Tod*. (1980)

JOYCE CAROL OATES
LIEBEN, VERLIEREN, LIEBEN

Von Joyce Carol Oates, der amerikanischen Schriftstellerin, von ihren vielen Erzählungen, Romanen und Essays – mit Preisen erfolgreich in den USA – von ihrer beachtlichen Produktionsemsigkeit bei einer ganz und gar nicht anpasserisch-gefälligen Prosa, von einer Art Schreibwunder also hat mir Klaus Harpprecht vor ungefähr 15 Jahren schon erzählt. Apologetisch dringend wünschte er mir die Lektüre, die aber damals, einen unerkannt gebliebenen Geschichtenband ausgenommen, nur in englischer Sprache möglich gewesen wäre.

So war ich also längst mit einer sympathisierenden Vorschuß-Aufmerksamkeit ausgerüstet, als Jahre später der Name Oates, viel offizieller, hier zum Qualitätsmerkmal wurde. Denn der zweite Versuch mit einem bundesrepublikanischen Interesse an dieser jüngeren Epikerin, 1978 unternommen mit dem Erzählungsband GRENZÜBERSCHREITUNGEN, hat dann plötzlich und erstaunlicherweise immerhin zu einem Insiderruhm geführt, zu ziemlich emphatischer Aufnahme bei der Kritik und zu guten Placierungen auf einer NOCH nicht ganz legendären Geheimtip- und Gegenbestsel-

ler-Bücherliste. Das sind stets sehr unkalkulierbare Vorgänge, und wer sich dennoch über sie freuen will, der muß vergessen, daß das allgemeine Publikum sowieso keinen Teil an Wohltaten hat, die eine Minorität ihm so suggestiv vormacht. Doch bleibt selbst eine Wirkung bei den a priori für Gegenwartsliteratur aufgeschlossenen Eingeweihten ein bemerkenswertes Phänomen, wenn man nämlich bedenkt, daß sich das deutschsprachige und das amerikanische Literaturleben zueinander verhalten wie Planeten auf verschiedenen Umlaufbahnen. Mich verwundert und freut es schon, wenn auch nur der kleinste sogenannte Durchbruch glückt. Von dort aus hierher. Im umgekehrten Fall findet er kaum erst statt. Um eine illusionsfreie Haltung angesichts dieser Betrüblichkeiten beizubehalten, um diesen Transatlantikstörungen und Internationalitätsdefekten gegenüber kaltblütig zu bleiben, sollte man sich ab und zu des riesigen, weiten und an sich selber interessierten Landes Nordamerika vergewissern, wo der hier bei uns gründlich beseufzte LITERATURBETRIEB fast eine Sehnsucht wert wird, dort in den kleinen, eifrigen Keimzellen der Universitäts-Departments, in denen die Literatur zu einer gewissen Klausur- und Kurshaftigkeit herunterkommt. Da erscheint es dann immer als so verständlich, daß jenseits von so einem jeweiligen Campus-Exil auch die Bundesrepublik keine spektakuläre Ausnahme macht, sondern als undeutlich-pittoreskes GERMANY aus Bier-Garten und Oktoberfest und ohne Literatur völlig genügt.
Damit verglichen sind wir sehr viel aufnahmefähiger, zum Glück. Bei der Vorstellung der Öde, wenn uns die zeitgenössische angloamerikanische Literatur fehlte, graut mir sehr. Wer weiß, was uns trotzdem noch entgeht. Immerhin, Joyce Carol Oates braucht man sich nicht mehr entgehen zu lassen. Sie selber gehört als Dozentin auf diese Kultur-Inseln, aufs Universitätsgelände, und besonders wenn sie von dort erzählt, überzeugt die Authentizität der spezifischen Klimastruktur des geistigen Getues, der akademischen Erstarrungen in abgewetzten Ambitionen, mittleren Konkur-

renzen, Denk- und Reaktionsangewohnheiten. Das gilt grundsätzlich und vom Minimum einer jeweiligen Handlung abgesehen. Die Prosa der GRENZÜBERSCHREITUNGEN überschritt immaterielle Grenzen, nicht die des Schauplatzes und der durch ihn definierten Personen. Das ist in den meisten dieser neueren, stets sehr langen Erzählungen anders. Als habe Joyce Carol Oates Abwechslungsbereitschaft und Verwandlungsgabe beweisen wollen, so verblüfft sie jetzt mit Kleinbürgermilieus, mit Mittelklassekulissen oder der Szenerie der Ausgeflippten, und mit Leuten, die nicht so sophisticated sind, oder die das doch nicht sein sollten, ihren Berufen nach: es sind Autoverkäufer, Versicherungsvertreter, Pop-Stars, Farmer. Meistens aber und hierin der früheren Prosa sehr verwandt, Hausfrauen, Ehefrauen, Geliebte, in ein unglückliches Bewußtsein vom Versagen ihrer selbst rückweglos hineingeraten. Und so leitet sich eigentlich von diesen neuen sozialen Umgebungen nicht mehr thematische Vielseitigkeit ab, trotz aller bewundernswerter Beschreibungsgenauigkeit von Arbeitswelt. Die gleichen oder einander ähnlichen Gemütsbewegungen kennzeichnen alle diese Männer und Frauen als zuversichtslos, ängstlich-depressiv, in kurzatmigen Aufschwüngen schnell mutlos behindert. Wir lernen sie immer schon als Verbitterte kennen. Sie sind jeder Hoffnung entgegengesetzt determiniert und es sieht so aus, als habe eine charakteristische Oates-Prosa-Biographie bereits als Sackgasse angefangen.

In den besten Geschichten wie DIE HEILIGE EHE oder DIE TOTEN haben wir es mit Kollegen der Autorin zu tun, mit diesen Sensibilisten auf Hochschulebene sozusagen. Deren Emotionsvertracktheiten prädestinieren für den Existenzüberdruß bei gleichzeitiger Sterbensphobie, durch den sie ganz grundsätzlich wie Stigmatisierte wirken. Übrigens wären alle 15 Texte mit ihrer epischen Ausführlichkeit, fast einer Art Mißwirtschaft beim Umgang mit Reflexionen und auch Handlungselementen, nach unseren europäischen Verlagsgewohnheiten als kleine, großgedruckte Romane erschienen, und ich habe manchmal diese so gar nicht berechnende Schriftstellerin bedauert: ihre Mitteilungsbedürfnisse innerhalb einer einzigen Erzählung scheinen während des Schreibens immer weiter zu wachsen und ich finde, daß manchmal eine formale Vergeudung stattfindet. Zwischen den Gesetzmäßigkeiten von kürzerer Prosa und Romanen zaudert Joyce Carol Oates – oder sie tut dies vielleicht ja gerade nicht, indem sie einfach solche Gebote mißachtet: und das ist es, was mir wieder sehr gut gefällt. Der souveränen Gleichgültigkeit gegenüber fixierten Stilprinzipien widerspricht dann allerdings ein typographischer Ehrgeiz: für meinen Geschmack hat J. C. O. etwas zu viel mit dem Satzspiegel vor, und oft soll vermutlich viel Wirkung ausgehen einfach vom Interpunktionshilfsmittel der drei Pünktchen: eine gewisse Atem- und Ratlosigkeit vielleicht, die aber der Text selber beschwören müßte. Und er tut das ja auch, es bedürfte der Mitarbeit des Setzers gar nicht.

Der Originaltitel MARRIAGES AND INFIDELITIES ist mir nicht nur viel lieber als der unklar romantische Einfall für die deutsche Ausgabe – es handelt sich um den Titel einer Erzählung aus dem Band – die Originalbenennung sorgt ja zudem für mehr Eindeutigkeit fern der pathetischen Beschönigung durch die günstig besetzten Verben LIEBEN und VERLIEREN. Zwar ist ein VERLUST überhaupt nichts Angenehmes, doch täuscht er jene schmerzensreiche Passivität vor, die dem Wort UNTREUE überhaupt nicht immanent ist.

Und so eine Aktivität, auch Selbstverurteilung, die vom Oberbegriff auszugehen hätte, würde sämtlichen Protagonisten mehr Kontur geben und den Geschichten, durch die sie tappen, nützen. In ihnen nämlich dominiert eine Eigengesetzlichkeit der Liebes- und Verratszwänge, gegen die das Selbständige und Kritische einer Zusammenfassung unter diese strenge Note INFIDELITY geradezu wohltuend vorgeht. Alle Erzählungen variieren die paar Grunderfahrungen vom zwar sehnsüchtig erwarteten, aber nie erreichbaren Glück auf der Erde, zwischen Menschen, häufig erwachsenen und insofern auch untreu gewordenen Söhnen oder Töchtern, die nach der Verständigung mit ihren – aber stets doch wie eingetrockneten oder unwillig verfrosteten, immer nicht mehr wirklich zugänglichen – Vätern suchen, und auf ihren langen Anfahrtswegen dorthin erhellen Rückblenden in die abgelaufene Biographie das früher auch nur vorgetäuschte Einvernehmen, das höchst fragile Stück Leben. Das Bewußtsein eines lebenslänglichen Absterbens bestimmt die konfliktbeladenen Protagonisten. Dem leitmotivischen Tod gegenüber hat hier niemand einen zündenden Einfall. Es sind, auf ihre sehr betrübte Weise, lauter Liebesgeschichten, und fast immer kommt die Liebe – strohhalmartige fixe Idee der geschwächten Personen – über ihren körperlichen Ereigniswert nicht hinaus und auf den Hauptgeschmack der Untreue ist sie geradezu angewiesen, damit überhaupt etwas Lebendiges gespürt werden kann, damit der Sterbeprozeß scheinbar ein wenig aufgehalten wird. In der Erzählung RÄTSEL zieht sich das Fazit wie von selbst: Liebe, in der genannten Erscheinungsform, wie unfreiwillig absolviert, bleibt übrig als Antwort auf die sinnlosen Zusammenhänge eines trostlosen Lebens. Ein Ehebruch bringt mehr Bewußtheit in sonst nur schlafwandlerisch-betäubte Existenzstagnationen. Die Frau, die hier von sich selber spricht, liebt ihren Mann nicht mit dem Verstand, auch nicht »von Herzen«, also eigentlich, bei vollem Bewußtsein, überhaupt nicht, nicht mehr; das Element LIEBE tritt quasi als Substanz aus ihr heraus. Als PROTOPLASMA empfindet auch die Heldin in DIE TOTEN allmählich ihre gesamte menschliche Umgebung, und ein Ehemann (in DIE DAME MIT DEM HÜNDCHEN), muß eigentlich erst gehaßt werden, weil er bei der Liebe zu einem Rivalen stört, bis er als Schicksal erkannt und sozusagen als eine einmalige, für die Frau ganz persönliche negative Determiniertheit geliebt werden kann. Der Ehebruch wirkt zumindest entschädigend, dann aber auch kathartisch: nur bleibt alles doch stehen, bleibt folgenlos. Und als des RÄTSELS Lösung erscheint das keinem dieser Anti-Helden.

Alle Geschichten spielen sich in den späten sechziger und Anfang der siebziger Jahre ab, als das intellektuelle Amerika moralisch unter dem Vietnam-Krieg litt. Vor sich hin leiden müssen Oates' wachere und schläfrigere Figuren allesamt. Auch ihren Intellektuellen kommt keine selbständigere Idee gegen ihre Disposition zu Untreue und Tod. Das kurze Aufscheinen einer wahren biographischen Möglichkeit, von richtigem Leben überhaupt, blendet einen 37jährigen Universitätsmenschen inmitten seiner vorher und nachher unfarbigen Mittelmäßigkeit: aber daß er in diesen weniger anstrengenden Aggregatzustand ganz gern, erleichtert zurücksackt, empfinde ich als geschickten Kunstgriff der Autorin, als glaubhafte Psychologie dazu (DIE HEILIGE EHE). In anderen Stücken fehlt oft die nützliche und Distanz schaffende Komik des eigentlich Trüben und Bekümmernden. Da sind die Personen so extrem wehrlos, weil kein dialektischer Ironie-Zugriff der Schreibweise ihnen beisteht. Der Erzählaspekt macht sie so widerstandslos, so verlassen von jeglichem Sinn für Situationsgrotesken wie auch für ihre ganz konkreten, ganz realistischen Fehler. Diese meist weiblichen Ehebrecher empfinden zwar Schuld, aber mehr als eine allgemeine und über sie verhängte. Sie spüren ihr stetiges »Versagen« dem Daseinsmaterial LIEBE gegenüber. Aber dabei bleibt es und so treiben sie dahin und sie können ihre Not, sogar ohne einsilbig zu sein, nicht artikulieren. Sie sind ziemlich verweint – ein Tränengeräusch klingt immer mit – und schlecht verheiratet, gepeinigt vom Alltag genau so wie vom Überhöhten der häufig quälenden Visionen.

Am vertrauenerweckendsten ist mir Joyce Carol Oates als die Beobachterin von Winzigkeiten, beim Aufspießen des im Alltäglichen sonst Übersehenen, Unscheinbaren. Bei der Beschreibung von Mimik-Reaktionen oder im Schildern der unauffälligen Nervenproben von Hausarbeit, Einkaufen, Autofahren. Oder wenn sie, mit dem Gegenständlichen sehr beweiskräftig, ohne SCHMERZ UND WEHMUT dabei SCHMERZ und WEHMUT zu nennen, die unüberbrückbare Entfernung zwischen Vätern und erwachsenen Kindern darstellt, ohne refle-xiven Aufwand, einfach an Beispielen, mit Bildern aus dem Alltag, Zustandsszenen. Schick gewordene Söhne besuchen ihre altmodisch gebliebenen Väter. Das nicht so gute Gewis-sen stärkt den sehr guten Willen der Söhne, die alte abgeris-sene Verbindung zu vitalisieren. Doch die Alten wirken merkwürdig wunschlos. Und mit melancholischer Erleichte-rung wird am Ende zurückgekehrt in die eingefahrene exis-tentielle Schwäche der gegenwärtigen Konstellationen, und den AUSSERST WEIT VERBREITETEN TÄUSCHUNGEN – Titel einer Erzählung von Betrug und Resignation und unfrohem Ein-verständnis – erliegen diese patientenhaft-»normalen« Leute dann fast freiwillig, bequem schützenden Scheuklappen den Vorzug gebend.

Das sogenannte BEI-DER-STANGE-HALTEN der Leser ist Joyce Carol Oates ziemlich egal, oder es wirkt so, wenn sie zwar konventionell erzählt, in guter alter angelsächsischer An-schaulichkeitstradition, aber doch auf die Entstehung von Neugier wenig achtet: oft muß man, schon eingedeckt mit genügend Information, inmitten der Geschichten mehrfach tiefer zurückkehren in frühe Beziehungen, Eindrücke, Sta-tionen, die nur für sich selber existieren.

Mir ist trotzdem aber nicht wohl bei meinen Beanstandun-gen, denn wenn diese Schriftstellerin mit der Widersprüch-lichkeit durch Witz, mit Satirischem und Kontrast eben nichts im Sinn hatte, wenn sie das weite lange Ausholen für angebracht hielt, so ist es ja eigentlich ihre Sache, und meine Sache die, ein wenig Langeweile einfach zu vertragen. Als etwas ganz Bekömmliches hinzunehmen. Warum nicht ein bißchen ermüden, was spricht dagegen? Ermüdet werde ich ja, beim Lesen, den Oates'schen Personen fast ähnlich. Sie leben alle mehr oder weniger trancehaft. Vielleicht kann man sie auf diese langwierige Weise am besten kennenlernen, wenn man, von Paradoxien nicht aufgeweckt, selbst in einen mitleidenden Lähmungszustand gerät. *(1980)*

Es ist nicht weiter undurchschaubar, warum man sich vorm
Wiederlesen einstiger Lieblingsbücher scheut, besonders
dann (mit einer Art Schutzschicht aus Anhänglichkeit und
Dankbarkeit sie und sich selber absichernd), wenn es sich
um Bücher aus ganz frühen, richtig unschuldigen Lesele-
bensaltern handelt. Daß die beste, die aufrichtigste Zeit fürs
Lesen um ist, weiß man betrübt, als jemand, der schreibt.
Ehemalige Lieblingsautoren nenne ich einfach besser immer
weiter so. Es bleibt meistens beim stillen und wohligen
Vorsatz, Skepsis eingeschlossen, sich eines verwunschenen
angenehmen Tages aber doch zum Wiederlesen aufzuraffen
– nur gibt es dieses dazuerhoffte »stille und wohlige« Kran-
kenlager eben auch nicht, und keine gemütliche Rehabilita-
tionszeit, zu der die Lektüre-Rehabilitation so gut passen
würde.
Nein, dieser Wehmuts- und Abwehrzustand gibt mir kein
Rätsel auf, dieses stets doch nicht verwirklichte Spurensi-
chern hängt mit der Angst vorm Verlust zusammen. Denn
da ist ja jeweils eine alte Liebe in Gefahr. Und man selber
mit! Als einen so geschützten Lieblingsautor habe ich Hermann Hesse – aber nicht den der späteren Romane – beibe-
halten, und war mit dieser instinktiven Treue im Recht. Gut,
daß ein Anstoß von außen dem mutlosen Abwinken entge-
gengewirkt hat, und noch viel besser, daß ich vom Glück der
erwachsenen Übereinstimmung mit dem kindlichen Gernha-
ben überrascht wurde.
Beim Roman »Unterm Rad« bin ich sofort, schon auf der
ersten Seite, jedes Mißtrauen gegen Hesse und gegen meine
Lese-Identifikation losgewesen. »Unterm Rad« erschien
1906 als Hesses zweiter Roman. Gleich war ich wieder
sympathisierend vom Geist dieser Erzählabsicht angesteckt,
vor jedem fiktionalen Erlebnis, und das bedeutet, daß mich
gewiß auch beim früheren Lesen hauptsächlich Hesses Men-

talität zum inneren JA stimuliert hat.

»Herr Joseph Giebenrath, Zwischenhändler und Agent, zeichnete sich durch keinerlei Vorzüge oder Eigenheiten vor seinen Mitbürgern aus. Er besaß gleich ihnen eine breite, gesunde Figur, eine leidliche kommerzielle Begabung, verbunden mit einer aufrichtigen, herzlichen Verehrung des Geldes, ferner ein kleines Wohnhaus mit Gärtchen, ein Familiengrab auf dem Friedhof, eine etwas aufgeklärte und fadenscheinig gewordene Kirchlichkeit, angemessenen Respekt vor Gott und der Obrigkeit und blinde Unterwürfigkeit gegen die ehernen Gebote der bürgerlichen Wohlanständigkeit. Er trank manchen Schoppen, war aber niemals betrunken.«

In sehr raffiniert trügerischer Friedfertigkeit beginnt Hesse seine traurige kurze Biographie des Schülers Hans Giebenrath mit diesem Portrait seines Vaters, eines selbstgerechten Opportunistenprototyps, einer zeitlosen Figur, auf die ich heute so wie damals reagieren kann. Mit Hesses Beistand sozusagen, von seiner Verachtung unterstützt. Aber erst heute weiß ich den Sprechton richtig zu würdigen, nämlich als Kunstgriff der ironischen Distanziertheit, und die geschickt vorgetäuschte Behäbigkeit erkenne ich als Trick. Nur eine Minorität bemerkt hier das Stilmittel und macht nicht kehrt vor der Falle, in die sie gelockt werden soll. Wer bei dieser Eingangspassage schon begriffen hat, daß der sogenannte redliche Bürger sich einer Anklage entgegenlesen muß, der Angepaßte, vermeintlich Ordentliche und Brave, wird aber wohl dennoch ohne Groll und einfach Hermann Hesse vertrauend – seinem Ruf und freundlichen Klima – die Lektüre nicht abbrechen. Einem noch lebenden Schriftsteller verzeiht es sich offenbar viel schwerer, wenn er nicht auch ein bißchen für die Balance von sogenanntem Negativen und sogenanntem Positiven sorgt.

Damit hält Hesse sich überhaupt nicht auf, und wer denkt das denn heute ausgerechnet von ihm, der in so einen pauschalen Gütigkeitsnebel gehüllt wird? Hinter gleichmäßig unaufgeregter Tarnung ist seine Gesellschaftskritik oft geradezu als eine tief pessimistische Gesellschaftsverzweiflung zu erkennen. Die trostlose Geschichte von der gescheiterten Lebens- und Schulkarrière seines armen Hans reflektiert den desperaten Zustand gängigen gesellschaftlichen Hoffens. Dessen Ziel ist, neudeutsch gesagt: leistungsorientiert. Und daß sich eine neudeutsche Vokabel sofort einstellt, beweist Hesses Überzeitlichkeit.

Geschildert wird allerdings eine altmodische Welt, verengt zum Schwarzwaldkleinstadt-Areal mit dem Horizont bis Stuttgart, Heilbronn, bis ins Kloster Maulbronn, eine der Leidensstationen des gequälten Anti-Helden Hans. Eine demnach übertragbare Welt, denn sie hat, nicht nur jetzt beim zweiten Lesen, schon auf mich als Kind, am Ende der Nazizeit so ungefähr, zumindest doch in ihren Figuren und in ihrer Ideologie sehr zeitgenössisch gewirkt. Ich muß wohl meine eigenen stumpfsinnigen Nazimitläuferlehrer in Hans Giebenraths Peinigern wiedererkannt und Solidarität in der Literatur gefunden haben. Ich nahm Hesses Roman als eine hohn- und haßvolle Vergeltungsmaßnahme gegen das Unrecht an Kindern durch Erziehungsstümper – wie es diese Experten überwiegend sind – höchst bereitwillig auf. Und immer aber, etwa wohl gleichaltrig mit dem Protagonisten, bin ich viel besser dran gewesen als er, ich, geschützt von der allergünstigsten Familienstruktur, aufsässig dem Naturell nach, ich habe ihn bemitleidet und konnte nur dauernd froh sein über seinen großen, nachträglich behütenden Freund, über seinen Erfinder, Hermann Hesse, der schreibend den Widerstandspart für ihn übernommen hatte. So habe ich mich damals schon viel mehr mit der Haltung des Schriftstellers und mit seiner Person identifiziert als mit dem Helden: eine Lese-Beziehung, die durch Kinder- oder Jugendbücher eher nicht entsteht.

Dem sanftmütigen gutartigen Hans, dessen unrebellische Anfälligkeit zum Opfer mich früher aufgeregt hat, schaue ich als erwachsener Leser aber doch noch immer nicht nur wie einer Kunstfigur zu, sondern ich wünsche ihm das Beste, obwohl er doch zum Untergang determiniert ist. Unter den jährlich in der kleinen Stadt sehr knappen Vielversprechenden und Begabten ist es, zum Zeitpunkt seines Schulabschlusses, dieser zartgebaute, passive, halbverwaiste Hans, der, nicht befragt nach eigenen Wünschen, zum Strafvollzug einer Weiterbildung auf Staatskosten ausersehen wird: die gesamte egoistisch-phantasielose Erwachsenenumwelt will es so. Man meint, wenn nach der Peinigung durch das »Landesexamen«, die Lerntortur im Stift beginnt, diese Art Stoff zu kennen, Internatsthematik, Schülerleidensjahre, und hat sich doch getäuscht. Denn wieder benutzt Hesse den Untertreibungskniff, führt, Scheineinverständnis simulierend, in die Irre, indem er die Erziehungsmisere eigentlich nicht kommentiert. Gerade diese Schleichwege, Umwege machen den Reiz der Erzählung aus. Der meistens behutsame Sprechton von einem, dem, wie es scheint, immer das Friedliche, Schöne, Glückliche am Herzen liegt, er verschärft den Kontrast zum Schrecklichen. Und das Schreckliche, es geschieht mit Hans, selbst in dessen besseren Momenten, oder dann erst recht, weil wir jeweils die Grenzen schon eng um so einen jeweils GÜNSTIGEN AUGENBLICK gezogen sehen, weil wir die straffe Fessel um Geist und Seele und Körper des bejammernswerten Hans unablässig spüren. Eine Freundschaft im Internat, zart und ein bißchen homoerotisch, von den heterosexuellen Vorgefühlen angstmachend durchsetzt, bringt Glück und Schmerz, bringt wenigstens, auch bei Schmerz, wahre selbständige Emotion in diese von außen bestimmte und lediglich dienende Existenz. Winzig ist die Liebesgeschichte mit einem unzuverlässigen Mädchen aus Heilbronn. Stets ahnen wir, lesend, im voraus, daß der still vor sich hin verlierende Hans auch durch diese Lebensbeigabe erster Gefühle nur weiter fortgetrieben wird auf seinem furchtbar abschüssigen Daseinsgelände, auf diesem Weg, der steil bergauf in die angeblich besseren und verherrlichten Regionen von »Katheder oder Kanzel« geplant war und bergab führt – doch wider traditionelle Erzählübereinkünfte eben nicht auch STEIL bergab, sondern gemäßigt, mit Pseudopausen der Beruhigungen, der mittleren Hoffnungen.

Auch diese Retardierungen, so kann ich heute befinden, weisen Hesse als einen kalkulierenden, herkömmliche Erwartungen nicht artig einlösenden Künstler aus. (Übrigens schaue ich jetzt erst in der alten Ausgabe aus dem S. Fischer Verlag, einem Pappband mit vergilbtem Papier, nach der Jahreszahl und finde nur eine, im Datum einer Tintenschriftwidmung meiner Großmutter, 1922, 11. Juli, aber schon da war »Unterm Rad« in der 109.–118. Auflage.)

Internatserlebnisse! Hans ist, auf eine spezielle Beschreibungsweise, hier gar keine heutige Romanfigur, so wenig wie seine Klostermitschüler in unsere Gegenwart passen würden, denn die themenimmanenten Obszönitäten, denen man inzwischen nur noch wie alten, reichlich lästigen Bekannten zuwinkt, diese ganzen INTERNEN Knabensauereien fehlen in Hesses Schilderung völlig. Dieser Mangel an indiskretionssüchtiger Absicht, die Schrecken einer Art von kindlich-jugendlicher Haftzeit hervorzuheben, bringt aber nur wieder den Gewinn: in diesem ritualhaften Klosterablauf wäre ja fast noch die Pein einiger Gemeinschaftsexzesse als willkommene Abwechslung erschienen. Daß davon nicht die Rede ist, weil Hesse den Roman noch jenseits der Enthüllungsschwelle schrieb, welche die zeitgenössische Prosa mittlerweile genommen hat, wirkt sich also wie eine zusätzliche Lebenslähmung aus, von rückwärts betrachtet, und keineswegs als mehr Lieblichkeit, Beschönigung.

Falsche Idyllen, wohin man blickt! Nur in der Landschaft stehen Hügel, Fluß, Fichten zeichenhaft für solche Wunschziele wie Freundschaftlichkeit, Ruhe, Trost, Erlösung. Dem Hans aber wird, mit der eigenen Kindheit und Jugend, auch diese Busch- und Tal-Kulisse verboten. Der Hans muß sich, ratlos heimwehkrank, dem Alter nach mitten in der eigenen Kindheit, in diese eigene Kindheit hineinsehen, während sein Kopfweh – menetekelartig seit Beginn der Erzählung zunehmend – ihn bedrückt und von den Erwachsenen nicht als Hinweis verstanden wird, während seine physische Schwäche zunimmt, während sein Lernen halluzinatorisch wird und er im Stift nicht mehr mithalten kann, während er in Trancebetrübnissen sich selber verlorengeht, identitätslos nicht nur von den anderen nicht geliebt wird, sondern auch, ein Endstadium der Seele, sich selber nicht mehr zu lieben vermag. Wie Werther könnte er »Wenn wir uns selbst fehlen, fehlt uns doch alles« empfinden. KÖNNTE er so etwas Selbständiges überhaupt empfinden, so viel waghalsiges Wertschätzen der eigenen Person! Er hat nie sich selber für wichtig halten dürfen, er mußte nur immer erst wichtig werden: als Instrument, als jemand, der funktioniert, damit er eines von außen kommenden Stolzes würdig sei.

Hesses Prosa ist nicht satirisch, und so bleibt auch der tiefschwarze Humor verhalten unbissig, den ich im nachgereichten Respektaufwand für Hans erblicke: nach einer Phase der Nichtbeachtung, die den zum Schlosserlehrling heruntergekommenen ehemaligen Stiftstipendiaten beleidigt, wird dem Hans doch wieder »Achtung«, Aufmerksamkeit entgegengebracht. Dem toten Hans. Selbstmord oder Unfall – die Erzählung verrät es nicht. Hans ist im Fluß, an seinem Kindheitslieblingsplatz, nach seinem ersten Anpassungsversuch beim sonntäglichen Saufgelage, ertrunken. Nun erhält er seinen ja von jeher höchst traurigen Status eines Besonderen zurück, allerdings auf die traurigste Weise. Ein Superlativ, mit dem Hesse genau so verfährt wie mit seinem Erzählungsanfang: fast tückisch-listig, vorsichtig, beschaulich, wodurch sich, wie jeweils im Text, die absolute Depression paralysierend über den Stoff breitet. Von den verlegenen, erkenntnisfeindlichen, schwächlichen, verharmlosenden Reaktionen auf diesen biographischen Not-Fall Hans Giebenrath her definiert sich noch einmal, angesichts dieses Todes, das gesamte Existenzpech, aus dem kein Entrinnen war. Der Tod, der ein Mord ist, durch allmähliche Vergiftung.

Oh, der sehr wenig optimistische Hermann Hesse, wie er mir fehlt, an diesem Tag mit einer öffentlichen Lesung und sogenannter Diskussion, wenn wieder die Sehnsüchte der Literaturkonsumenten, abzielend auf die Daseinsrezepte, auszustellen vom Autor, wie alte Rechte der Lesenden postuliert werden! Die Hesse-Verehrermassen, die Gefolgschaft der jungen Leser, die kann ich allerdings gut verstehen. Hesses tiefe Menschenskepsis, seine Verachtung für die Unmoral der seelischen Trägheiten, für die als Tüchtigkeit heuchlerisch maskierte Erwerbs- und Erfolgssucht: sie sind von der Wahrhaftigkeit gekennzeichnet und von der Empathie, der solidarischen Geste, die den Komplizierten, den Sensiblen und Einzelgängern, den vordergründig Schwächeren gut tut.

Lebte Hesse jetzt und schriebe er gerade an einem Roman, nach der »Unterm-Rad«-Methode, dann könnte ich mir sein Sympathisieren mit einem ausgeflippten jungen Helden vorstellen. Oder nicht? Diejenigen, die sich den Leistungsleiden und Wettbewerbsquälereien und Konkurrenzobsessionen der mitläufermäßigen Etablierten verweigern, die besitzen ja aber immerhin diese selbständige Kraft und sie flüchten, in auch nichts Vielversprechendes, gewiß, aber immerhin, sie können reagieren. Hans Giebenrath, sich selbst entfremdet und verfolgt, ist lediglich psychosomatisch reaktiv.

Mich selber muß, als ich von »Unterm Rad« so früh und mitten in das Durcheinander von sonstigem Lesestoff gemischt vereinnahmt war, die allgemein unbeliebte kritische, die angeblich böse blickende Schreibart angezogen haben. Die Verspottungstechnik, hier so still, so sacht, so pseudobehäbig, kann ich jetzt erst richtig schätzen. Aber in jeder Lebenszeit bin ich auf Hesses Seite, wenn über die schrecklichen Resultate der traditionellen Stupidität verhandelt wird, so wie in diesem heute wie damals, wie morgen, übermorgen gültigen kleinen Roman, in dem ein ausnahmehafter Einzelgänger zu schwach ist für seine Isolation. In dem einer ausgerechnet von seinen eigenen Qualitäten bestraft wird, lebenslänglich, also zu lang – und viel zu kurz beim armen, arglosen Hans. *(1980)*

III

Zur Vorbereitung dieses Buchs war ein langer Rückblick nötig. Da sah ich auf ein paar hundert Buchkritiken aus zwanzig Jahren, und so viel berufstätiges Lesen machte mich nachträglich fast mitleidig mit mir selber. Das Rezensieren ist nie eine spezielle Leidenschaft von mir gewesen. Immer werde ich es wohl nur für nützlich gehalten haben, vor 20 Jahren auch einfach noch als Nebenverdienst. Die ehemaligen Bescheidenheiten betrachtet man mit gemischten Gefühlen, unter denen eine Rührung noch am bekömmlichsten ist. Von Buch zu Buch habe ich mich zu einer Disziplin zwingen wollen, die den Erzähler nicht einengt, mit der aber der journalistische Schreiber stets seinen Gegenstand und seinen Adressaten im Auge behalten muß. Ich fand, es sei nötig, das genaue Informieren zu üben, beispielsweise. Deshalb habe ich mir viel Fleiß und Unlust, viele Unfreiwilligkeiten ständig nebenher abverlangt. Ich glaube nicht, daß ich diese Dokumente hier verewigen sollte. Bei einem Berufskritiker wäre das schon wieder eine andere Überlegung.

Ich ging ja aber später dazu über, nur noch ins Rezensieren von Büchern einzuwilligen, die ich auch unaufgefordert lesen würde. Zu dieser Entscheidung für mehr Lustgewinn bei der Arbeit kommt aber auch eine moralische Position. Und die hat mit der Entdeckung des Subjektiven zu tun. Aus dem grundsätzlichen und ja nicht immer nur wichtigtuerischen Gerichthalten über Bücher und Verfasser konnte ich mich doch wirklich heraushalten. Als Schriftsteller, der ständig mit den Kritiken seiner eigenen Bücher Erfahrungen aushalten muß, überblickte ich doch mit der Zeit dieses ganze, schnell vergängliche Hin und Her, das Auf und Ab der publizistischen Reaktionen. Ich verlor die naive Bereitwilligkeit, mich an den Aufgeregtheiten zu beteiligen. Ich verabschiedete damit aber auch in mir den Gedanken, durch das Zensieren, welcher Bücher auch immer, werde mein Verstand, samt logischem Denkvermögen, Urteilskraft, Formulierungsgeschick, schön stetig vor sich hin profitieren.

Mit diesem Band präsentiert sich also kein OPFER IM NAMEN DER LITERATUR, kein Elend der mit Verdrießlichkeiten verschwendeten Zeit. Sondern jemand, der so gut dran ist, daß er eine Wahl hat. Jemand, der sich nur noch um Verlockendes zu kümmern braucht. Es geht dennoch nicht nur harmonisch in dieser Sammlung zu. Verlockend kann auch manchmal eine Antinomie sein, die Gewißheit, zum Widerspruch gereizt zu werden, wie zwischen Jean Amérys NICHTS-Aporien und meinen erlösungsversessenen Verständigungshoffnungen. Und dann ist alles eine Frage der thematischen Dringlichkeit und der Anziehungskraft von Gegensätzen. Zwei Personen, die vom gemeinsam-kontrovers erlittenen Todes-Phänomen überhaupt nicht lassen können, bedürfen einander vielleicht doch. Aber ganz gewiß kommt der rechthaberische Gestus des Übelnehmens zwischen ihnen nicht vor.

Natürlich würde die Literaturkritik insgesamt ein wenig langweiliger – wenn auch nur für die Kritiker und für die Leser, für die Autoren nicht! – wenn alle Rezensenten plötzlich nur noch auf ihre Affinitäten reagieren wollten, nur noch entschlossen jeweils zur gewissen Vorfreude, zu der erhofften Zustimmung. Hauptsächlich die Kritiker müßten ein spirituelles Adrenalin-Defizit masochistisch bejahen und verzichten auf den stimulierenden Reiz, den Weckamin-Effekt beim Schreiben der sogenannten Verrisse, ginge es nur noch gerecht und sinnvoll zu, und es wäre zum Gähnen, wenn Kritiker nur noch gütig und verständnisvoll den Schriftstellern zur Seite ständen. Trotzdem hatte ich, bei diesem Buch hier, mehr Lust zur Manifestation meiner guten

Laune. Und zu meinem Schriftsteller-Standpunkt, der sich mit den Kollegengefühlen auskennt und im Gedränge der Rezensentenberufsbrutalitäten als palliative Variante nicht schaden kann. Und auch mir selber zuliebe hielt ich nichts vom Beweisstück in Buchform, das die pure Emsigkeit abbildet, schon um mich nicht mit mir selber zu enttäuschen, mich nicht bei schließlich ja auch verschwendeter Zeit zu fixieren.

Immer weiß ich eigentlich speziell bei angelsächsischer Literatur im voraus, daß ich das Lesen nicht bereuen werde. Aber der Titel MEINE LEKTÜRE schließt doch ein wenig zu possessiv diejenigen Redakteure aus, die mich ja, selbst bei der favorisierten angelsächsischen Literatur, immer auch überreden mußten, zu meinen Gunsten dann. Sie haben als meine Stellvertreter vor der Bekanntschaft mit einem Buch die gute Idee gehabt, sich nach meinem Interesse zu erkundigen. Mir mein Interesse interessant zu machen. Ich betone das nicht zum Nachweis einer divahaften Verzögerungstechnik. Nur denke ich jedesmal beim Lesen, daß Lesen, und über Gelesenes zu schreiben, nie ganz meine Sache sein kann. Und ich bin sicher, daß es bei diesen Mischempfindungen bleiben wird. Genau so sicher, daß ich mit ihnen weitermachen werde, mit der Sekundärprosa. Die Bücher aber, die ich lese, ohne daß jeweils vorher ein Zureden geholfen hat, fehlen natürlich unter diesem Titel, obwohl sie erst recht MEINE LEKTÜRE sind: Über diese Bücher habe ich nichts geschrieben, und mich beim Lesen deshalb am allerwohlsten gefühlt.

Den Lesern der Zeitschrift ›Pardon‹ empfahl Gabriele Wohmann im Februar 1979 ihre »Lieblingsbücher des Jahres«. Es
waren folgende zehn Titel: 1) Thomas Mann, Tagebücher 2)
John Updike, Heirate mich! 3) Hans Benders Anthologie ›In
diesem Lande leben wir‹ 4) Graham Greene, Erzählungen 5)
Patricia Highsmith, Ediths Tagebuch 6) die Reclam-Antho-
logie ›Der Reiz der Wörter‹ 7) Vladimir Nabokov, Ada oder
das Verlangen 8) Susan Sontag, Krankheit als Metapher 9)
Saul Bellow, Der Regenkönig 10) Katherine Mansfield, Tagebücher.
Sechs der genannten Autoren sind auch in der vorliegenden
Auswahl vertreten, in drei Fällen mit demselben Buch. Die
hier aus einigen hundert Besprechungen ausgewählten Arbeiten sind chronologisch geordnet nach dem Datum der
ersten Veröffentlichung. In einigen Fällen hat die Autorin
leichte Kürzungen vorgenommen, außerdem wurden Über-
schriften und Zwischenüberschriften weggelassen. Das
Nachwort »Meine Lektüre« wurde für diesen Band geschrieben. Die Mehrzahl der Texte erschien zuerst in folgenden Zeitungen und Zeitschriften: Frankfurter Hefte, Zeit-
wende, Christ und Welt, Westermanns Monatshefte, Die
Welt, Welt am Sonntag, Der Spiegel, DIE ZEIT und Frankfurter Allgemeine Zeitung. Einige der früheren Arbeiten
wurden vom RIAS Berlin gesendet und liegen hier zum
erstenmal gedruckt vor, ebenso die vom ZDF gesendete
Notiz über Thomas Manns Tagebücher. Der Aufsatz »Über
Sylvia Plath« ist dem Almanach »Im Jahrhundert der Frau«
des Suhrkamp Verlags (Frankfurt 1980) entnommen. Der
Aufsatz über Karl Krolow, »Die stille Oberfläche des Gefühls«, entstand als Nachwort zu dem von Gabriele Wohmann herausgegebenen Band »Gedichte« von Karl Krolow
(Bibliothek Suhrkamp, Band 672, Frankfurt 1980) und erscheint hier mit freundlicher Genehmigung des Suhrkamp
Verlags.

Daß das Schwergewicht dieser ersten Auswahl aus Gabriele Wohmanns literarischen Aufsätzen bei Autoren des angelsächsischen Sprachbereichs liegt, ist kein Zufall: Ausgesprochen oder nicht geht es da um Verwandtschaften und Gemeinsamkeiten, um Vorbilder auch. In all diesen kritischen Arbeiten ist das handwerkliche Interesse zu spüren, die Kollegenhaltung, in seltenen Fällen bis zur Identifikation gehend: »Was für einen engen Angehörigen in der Empfindungswelt meiner eigenen neuen Romanhauptperson habe ich da vor mir, genau nach dem Schreibabschluß über meinen Verängstigungsvetter und Geborgenheitssuchtnachbarn, und ich ermahne mich: das ist Handkes Keuschnig, ich lese nicht in meinen Korrekturfahnen.«

Durch die chronologische Anordnung wird deutlich, wie sich der Standpunkt verändert, die persönliche Auseinandersetzung immer wichtiger wird: »Mit diesem Buch ist es mir sehr merkwürdig gegangen. Sein Inhalt wirkte auf mich so überfällig, daß es mir schwerfiel, auf ihn wie auf etwas Neues zu reagieren.« So beginnt die Besprechung von Susan Sontags ›Krankheit als Metapher‹. Und 1960 hatte Gabriele Wohmann zu William Carlos Williams' Gedicht ›Der rote Handkarren‹ notiert, was »mit Fleiß«, wie es im Schwäbischen heißt, am Anfang unserer Auswahl steht: »Der blitzartige Zugriff, das Lakonische des Sprechtons, Ausspartechnik und die Anerkennung der Wichtigkeit von Alltäglichem erreichen diese vollkommene poetische Minute, das winzige präzise Portrait einiger scheinbarer Geringfügigkeiten.« Der Satz über den Lyriker William Carlos Williams läßt sich auf die Erzählerin Gabriele Wohmann selber übertragen. Knapper und genauer, meine ich, ist ihre Kunst nicht zu charakterisieren.

Thomas Scheuffelen

DATE DUE
